聖賢之道

湯一介

戊子年夏

国学基本教材

孟　子（上）

刘乃溪　姜李勤◎编注

浙江古籍出版社

“国学基本教材”编辑委员会

统　　筹：

孙劲松　向　珂　蒋蔚芳　周金芝

主　　编：李耐儒

编　　委：

李南晖　陆有富　刘乃溪　徐　骆　须　强
可延涛　李　凯　刘　舫　毛文琦　房春草
李宏哲　张　华　黄晓芳　赵立学　介江岭
张志强　姜李勤　白　坤　晏子然　施仲贞
张　琰　汪佳敏　姚之均　余雅汝　干璐娜

本册编注：刘乃溪　姜李勤

总 序

秋霞圃书院创办有年，在民间推动国学普及工作，志在以独立之精神、自由之思想为宗旨，促进古今中外文化思想与学术的交流，为中华民族文化的复兴而尽心尽力。其志可嘉，其行可感！

近年，秋霞圃书院耐儒兄主持编撰“国学基本教材”。本套国学教材集复旦大学、武汉大学、南开大学、中山大学、华东师范大学、上海师范大学等名牌院校的二十多名青年学人，采各种版本的国学读本之长，广泛吸取中小学一线语文教师的教学经验，精心编撰，是中小学生比较理想的国学读本，也是便于教师们使用的、较为系统的国学教材。

读本的篇目有：《弟子规》、《三字经》、《千字文》、《千家诗选读》、《幼学琼林》、《诗词格律》、《唐诗选读》、《宋词选读》、《论语》（上、下）、《史记选读》（上、下）、《大学 中庸》、《诗经选读》、《孟子》（上、下）、《左传选读》、《颜氏家训》、《诸子文选》（上、下）、《汉魏六朝文选》、《唐宋文选》、《礼记选读》、《楚辞选读》。每册有指导性概述，有经典原文，有对原文的注释与新译（赏析），并配上文史链接（延伸阅读）、思考讨论等，图文并茂，准确生动，具有可读性与系统性。

梁启超先生说过，《论语》、《孟子》等经典“是两千年国人思想的总源泉，支配着中国人的内外生活，其中有益身心的圣哲格言，一部分久已在我们全社会形成共同意识，我们既做这社会的一分子，总要彻底了解它，才不致和共同意识生隔阂”。这就是说，“四

书”等经典表达了以“仁爱”为中心的“仁义礼智信”等中华民族的核心价值观念，这是中国古代老百姓的日用常行之道，人们就是按此信念而生活的。

中国文化的大传统与小传统是打通了的。国学具有平民化与草根性的特点。中国民间流传着的谚语是：“勿以善小而不为，勿以恶小而为之”；“老吾老以及人之老，幼吾幼以及人之幼”；“积善之家必有余庆，积不善之家必有余殃”。这些来自中国经典的精神，透过《弟子规》、《三字经》、《百家姓》、《千字文》、《千家诗》等蒙学读物及家训、族规、乡约、谱牒、善书，通过大众口耳相传的韵语故事、俚曲戏文、常言俗话，成为“百姓日用而不知”的言行规范。

南宋以后在我国与东亚的民间社会流传甚广、深入人心的朱熹《家训》说：“事师长贵乎礼也，交朋友贵乎信也。见老者，敬之；见幼者，爱之。有德者，年虽下于我，我必尊之；不肖者，年虽高于我，我必远之。”“人有小过，含容而忍之；人有大过，以理而谕之。勿以善小而不为，勿以恶小而为之。”又说，“勿损人而利己，勿妒贤而嫉能。勿称忿而报横逆，勿非礼而害物命。见不义之财勿取，遇合理之事则从……子孙不可不教，童仆不可不恤。斯文不可不敬，患难不可不扶。”朱子说此乃日用常行之道，人不可一日无也。应当说，这些内容来源于诗书礼乐之教、孔孟之道，又十分贴近大众。它内蕴着个人与社会的道德，长期以来成为老百姓的生活哲学。

王应麟的《三字经》开宗明义：“人之初，性本善。性相近，习相远。苟不教，性乃迁。教之道，贵以专。”这就把孔子、孟子、荀子关于人性的看法以简化的方式表达了出来。儒家强调性善，又强调人性的养育与训练。

清代李毓秀《弟子规》的总序说："弟子规，圣人训。首孝弟，次谨信。泛爱众，而亲仁，有余力，则学文。"以下分成"入则孝"、"出则悌"、"谨而信"、"泛爱众而亲仁"等几部分。这些纲目都来自《论语》。《弟子规》中对孩童举止方面的一些要求，如站立时昂首挺胸、双腿站直，见到长辈主动行礼问好，开门关门轻手轻脚，不用力甩门等，这些规范都是文明人起码应有的，是尊重他人而又自尊的体现。又如："晨必盥，兼漱口，便溺回，辄净手。冠必正，纽必结，袜与履，俱紧切。""斗闹场，绝勿近，邪僻事，绝勿问。将入门，问孰存，将上堂，声必扬。""用人物，须明求，倘不问，即为偷。借人物，及时还，后有急，借不难。"这都是有助于文明社会的建构的，是文明人的生活习惯，也是今天社会公德的基础。

朱柏庐在《朱子治家格言》起首的一段说："黎明即起，洒扫庭除，要内外整洁；既昏便息，关锁门户，必亲自检点。一粥一饭，当思来处不易；半丝半缕，恒念物力维艰。"这些都是平实不过的道理，体现到一个人身上就是他的家教。旧时骂人，说某某没有家教，那是很重的话，让其全家蒙羞。我们不是要让青少年一定要做多少家务，而是要他们从小学就动手打理好自己与家庭的事情，不要过分依赖父母，依赖他人，能够自己挺立起来，培养责任意识。同时，知道一粥一饭、半丝半缕都是辛劳所得，我们能够懂得去尊重家长与别人的劳动。如果我们真的有敬畏之心，就知道珍惜，不应该浪费。

南开中学的前身天津私立中学堂成立于1904年10月，老校长严范孙亲笔写下"容止格言"："面必净，发必理，衣必整，纽必结。头容正，肩容平，胸容宽，背容直。气象：勿傲，勿暴，勿怠。颜色：宜和，宜静，宜庄。"这四十字箴言来自蒙学，又是该校对学生容貌、行止的基本要求。校内设整容镜，师生进校时都要照镜正容色。

后来张伯苓先生治校，坚持了这些做法。

蔡元培先生在留德期间撰写了《中学修身教科书》，该书被商务印书馆于1912年至1921年间共印行了十六版，他还为赴法华工写了《华工学校讲义》，两书在民国间影响甚大，今人将其合为《国民修养二种》一书。蔡先生在民国初年为中学生与赴法劳工写教科书,重视社会基层的公民教育。蔡先生的用心颇值得我们重视，他从孝敬父母谈起，创造性地转化本土的文化资源，特别是以儒家道德资源来为近代转型的中国社会的公德建设与公民教育服务。

现今南京夫子庙小学的校训是“亲仁、尚礼、志学、善艺”。我认为这是非常好的。对孩童、少年的教育，首先是培养健康的心性才情，从日常生活习惯，从待人接物开始，学会自重与尊重别人。

我们今天强调成人教育，因为仅有成才教育是不够的，成才教育忽略了我们作为完整的人、健康的人所必需的一些素养，它在人格养成方面几乎是空白。这不是大学教育才有的问题，而是幼儿园、中小学教育就该关注的。养育青少年的性情，需要家庭、学校、社会的配合。

国学当中有很多修身成德、培养君子人格的内容。中国古典的教育，其实就是博雅教育。传统的教育并不是道德说教，也不是填鸭式满堂灌的教育，而是春风化雨似的，让学生在点滴中有所收获并自己体验，如诗教、礼教、乐教等。

我觉得应该让孩子们处在良好的文化氛围中。家长、老师们要以身作则、言传身教，这对孩子们影响很大。家长、老师有义务端正自己的言行，尤其在孩子们面前。要培养孩子分辨是非的能力，多在性情教育上下工夫，关注孩子的心理健康，多与孩子交流，洞察他们的情感，并作正确的引导。现在一些家长做不到以身作则，他们撒谎骗人，打骂斗狠，不尊重老人，这些都会给孩子的成长烙下负面的印记。

我们也希望同学们能趁着年轻记性好，多读些经典，最好能背诵一些，其中的意思以后可以慢慢领悟。南宋思想家陈亮说过：“童子以记诵为能，少壮以学识为本，老成以德业为重……故君子之道不以其所已能者为足，而尝以其未能者为歉，一日课一日之功，月异而岁不同，孜孜矻矻，死而后已。”

本丛书所收经典与蒙学读物中有很多圣哲格言，都足以让我们受用终身。我们一直希望能有多一些的国学经典进入中小学课堂，至少让“四书”进入教材。我们希望能多一些国文课，让中小学生能接受到系统的传统语言与文化教育。中华民族有很多优根性，更需大大弘扬。

是为序。

郭齐勇

癸巳春于珞珈山

目　录

概　述

孟子简介

在中国，人们用“圣人”来称述孔子，用“亚圣”来称述孟子，儒家思想也被表述为“孔孟之道”。孟子是地位仅次于孔子的儒家代表人物。

太史公司马迁写《史记》惜墨如金，但是他还是为孟子立了一篇小传，一共 137 个字：

孟轲，邹人也。受业子思之门人。道既通，游事齐宣王，宣王不能用。适梁，梁惠王不果所言，则见以为迂远而阔于事情。当是之时，秦用商君，富国强兵；楚、魏用吴起，战胜弱敌；齐威王、宣王用孙子、田忌之徒，而诸侯东面朝齐。天下方务于合纵连衡，以攻伐为贤，而孟轲乃述唐、虞、三代之德，是以所如者不合。退而与万章之徒序《诗》、《书》，述仲尼之意，作《孟子》七篇。

孟子像

孟子生活在动荡的战国中期，关于孟子的生卒年，有许多说法，比较通行的说法是孟子生于约公元前 372 年，卒于约公元前 289 年。关于孟子的寿命，几乎所有的学者都认为是八十四岁。以至于孔子的七十三岁和孟子的八十四岁，成了中国人观念中关于年寿的一个“坎”。

孟母教子

在孟子幼年时期，母亲对孟子的教育起到了非常重要的作用，有几个故事流传了下来：

第一个故事是“孟母三迁”。孟子和母亲一开始住的地方靠近墓地，孟子经常看到人家来安葬死人，挖坑、埋葬、筑坟、填土，孟子很喜欢模仿，整天高高兴兴地模仿挖坑，模仿埋死人。孟子的母亲看到这一切以后，觉得这样的生活环境不是教育孩子的好环境，于是她决定迁居。迁到什么地方呢？迁居到市场的旁边。可是，迁到市场的旁边又出现了新问题。市场上所看到的不就是商人们来来往往、计较算计、争财言利吗？孟子看到这样的情况，也整天学着商人买卖、算计，孟子的母亲觉得这个地方还是不能够对孩子产生比较好的影响，所以再一次迁居。这一次迁到了什么地方呢？迁到了学校的旁边，这个时候孟子所看到的都是学习的人了，学习怎么祭祀天地和祖先，学习怎么行礼，一进一退都很有规矩，孟子也就跟着学。孟子的母亲终于很高兴地说，这个地方是真正可以让我儿子得到熏陶的地方了，于是下决心住了下来。(《烈女传》)

第二个故事是“孟母断织”。孟子离开母亲，到外地学习，很想家。所以在外面学了一段时间之后，不学了，回来了。孟子的母亲正在家里纺织，一看到儿子回来，就问他学得怎么样了，孟子告诉她说，我感觉很好，所以不用学了。孟子的母亲知道儿子一定还没有学好，肯定是因为想家了，受不了苦，所以回来了。为了对孟子进行教育，给他留下深刻的印象，孟子的母亲一句话也不说，拿起一把剪刀，把她正在织的布一下就剪断了。孟子一看，既奇怪又害怕，他问母亲为什么这样。母亲告诉他，你学习就像我织布一样，必须一寸一寸、一丝一缕地积累，如果半途而废，就像布织到一半，一刀剪断，最终不可能有任何成就。(《烈女传》)

周游列国

孟子四十岁以后，像孔子一样周游列国，游说自己的“仁政”思想，历时二十多年。他先后到过齐、宋、薛、鲁、滕、魏等国，其间返回过自己的故乡邹国。

孟子是当时赫赫有名的学者，得到各国国君的重视。许多国君以很高的礼节欢迎他，还送给他钱财。孟子的学生说，别人批评孟子是“传食于诸侯”，好像不用工作，靠一张嘴巴让别人给钱。孟子说，不能这么讲。就一个致力于传播道德的人而言，如果所得非道，甚至连一顿简单的饭也不能白食于人。而如果一个国家的国君听我的话，就能得到安定、富贵、尊崇、荣耀；老百姓、年轻人听我的话，就能做到孝顺、友爱、忠于国家、讲求信用，谁比我们读书人更应该有饭吃呢？（《孟子 · 滕文公下》）

孟子去过次数最多、旅居时间最长的是齐国。他对齐国的政治提出许多批评。有一次，孟子对齐宣王说：“假如大王某个臣子把妻子儿女托付给朋友照顾，自己到楚国去游历，等他回来时，妻子儿女却在受冻挨饿，对这样的朋友该怎么办？”宣王说：“不和这种人来往！”孟子说:“监狱官管不好他的下级,那该怎么办？”宣王说：“撤他的职务。”孟子说：“一个国家治理不好，那该怎么办？”宣王四面张望，转移话题。

也许是孟子的批评过于尖锐，也许是各国的国君身处乱世，更希望找到直接、实际的治国方法，所以孟子的游说结局往往是四处碰壁。于是孟子在古稀之年，又一次以孔子为榜样，回归故里，与弟子们一起讲学论道，著书立说，希望通过这种形式把自己的思想传于后世。

著书立说

按照司马迁的说法,《孟子》一书主要是孟子自著，其弟子万章、公孙丑等参与其中。现存的《孟子》一共七篇，分别是：《梁惠王》、《公孙丑》、《滕文公》、《离娄》、《万章》、《告子》、《尽心》。每篇分为上下两部分，共261节。

孟子作为儒家学说的集大成者，虽然和孔子一脉相承，但在许多方面有所突破,其思想也更具系统性。孟子的思想主要有三点：

其一，“仁政”说。这是孟子对最高统治者的理想，他希望君王以“仁义之道”、“仁爱之心”治理天下，从而实现“天下一统”。

其二，“性善”论。对于国家事务的管理者来说，孟子希望诸侯认识到人的天性都是善良的,只要推行仁政,便可“得道者多助”,从而实现争取民心、平治天下的理想。

其三,修养理论。主要关注士大夫阶层的人格塑造和精神需求,包括审美培养、性情疏导和个性养成等诸多方面。

本书在编写过程中，参考了徐洪兴教授的《孟子直解》、南宋理学家朱熹的《四书章句集注》和当代学者杨伯峻的《孟子译注》。此外,考虑到主题表达的一致性,本书原文顺序个别之处略有调整。

第一章 梁惠王上

义利之辨

孟子见梁惠王[1]。王曰："叟[2]！不远千里而来，亦将有以利吾国乎？"

見爲道而見也七篇破題甚大

開當時不敢開之口提是日開未開之耳

孟子卷之一　　朱熹集註

梁惠王章句上凡七章

孟子見梁惠王大賢行道之始梁惠王魏侯罃也都大梁僭稱王謚曰惠史記惠王三十五年卑禮厚幣以招賢者而孟軻至梁妙在口中說出此字王曰叟不遠千里而來亦將有以利吾國乎對叟字喝住叟長老之稱王所謂利蓋富國彊兵之類孟子對曰王何必曰利亦有仁義而已矣提起仁者心之德愛之理義者心之制事之宜也此二句乃一章之大指下文乃詳言之後多放此領頭王曰何以利吾國大夫曰何以利吾家士庶人妙極形容

朱熹《孟子集注》书影

孟子对曰："王！何必曰利？亦有仁义而已矣[3]。王曰：'何以利吾国？'大夫曰：'何以利吾家？'士庶人曰[4]：'何以利吾身？'上下交征利而国危矣[5]。万乘之国，弑其君者[6]，必千乘之家；千乘之国，弑其君者，必百乘之家[7]。万取千焉，千取百焉，不为不多矣。苟为后义而先利[8]，不夺不餍[9]。未有仁而遗其亲者也[10]，未有义而后其君者也。王亦曰仁义而已矣，何必曰利？"

注释

[1]梁惠王：即魏惠王（前400—前319）。公元前370年继魏武侯之位，公元前362年由旧都安邑（今山西夏县北）迁都大梁（今河南开封西北），所以又叫梁惠王。 [2]叟：老先生。[3]亦：这里是"只"的意思。 [4]士庶人：士和庶人。士，广义上指古代的文人阶层。庶人，即老百姓。 [5]交征：互相争夺。征，取。 [6]弑（shì）：古代专指下杀上、卑杀尊。[7]万乘、千乘、百乘：古代用四匹马拉的一辆兵车叫一乘，诸侯国的大小以兵车的多少来衡量。据刘向《战国策·序》说，战国末期的万乘之国有韩、赵、魏（梁）、燕、齐、楚、秦七国，千乘之国有宋、卫、中山以及东周、西周。至于千乘、百乘之家的"家"，则是指拥有封邑的公卿大夫。公卿封邑大，有兵车千乘；大夫封邑小，有兵车百乘。 [8]苟：如果。 [9]餍（yàn）：满足。[10]遗：遗弃，抛弃。

译文

孟子拜见梁惠王。梁惠王说：“老先生，你不远千里而来，大概将会对我的国家有利吧？”

孟子回答说：“大王！为什么要谈利呢？只要奉行仁义就行了。大王说：‘如何使我的国家有利可图？’大夫说：‘怎样使我的家获利？’一般的读书人和老百姓说：‘怎样使我自己获利？’结果是上上下下互相争夺利益，国家就危险了啊！在一个拥有一万辆兵车的国家里，杀害国君的人一定是拥有一千辆兵车的大夫；在一个拥有一千辆兵车的国家里，杀害国君的人一定是拥有一百辆兵车的大夫。这些大夫在一万辆兵车的国家中就拥有一千辆，在一千辆兵车的国家中就拥有一百辆，他们占有的财产不算不多。如果轻义而重利，他们不夺得全部是永远不会满足的。反过来说，讲‘仁’的人从来没有遗弃父母的，讲‘义’的人也从来没有怠慢君王的。所以，大王只谈仁义就行了，何必谈利呢？”

延伸阅读

孟子的义利之辨

“天下熙熙，皆为利来；天下攘攘，皆为利往。”这是司马迁在《史记》中的千古一叹，他感慨世人追求名与利的同时，也明白地点出，天下往来行事的目的，都是一个“利”字。

同样，魏国的国君梁惠王也没有例外，他在见到孟子的第一时刻，就劈头盖脸地问：“老先生，你不远千里而来，大概将会对我的国家有利吧？”梁惠王问得很急切也很直接。不得不说，这跟魏国当时的处境密切相关。魏国是由春秋末年“三家分晋”而来的，经过文侯、武侯的努力，梁惠王继任后，魏国的国力大增，

成为战国七雄中的强国。但是到了梁惠王后期，魏国开始走下坡路，不断衰弱。我们看一下魏国这一阶段的历史记载：

魏惠王二十九年（前 341），齐将田忌大败魏国于马陵，太子申被俘。这是魏国历史上前所未有的惨败，是魏国由盛而衰的转折点。

魏惠王三十年（前 340），卫鞅诱拿魏公子卬（áng），大破魏军，魏国献出河西部分土地，与秦求和。

魏惠王三十一年（前 339），秦败魏于岸门。

魏惠王后元元年（前 334），魏采用惠施之策，尊齐为王，至徐州朝见齐威王。

魏惠王后元三年（前 332），魏献阴晋于秦。

魏惠王后元五年（前 330），秦败魏于雕阴，魏献河西地予秦。

魏惠王后元六年（前 329），秦伐魏，取汾阴、皮氏、焦等地。

魏惠王后元七年（前 328），魏献上郡十五县予秦。

魏惠王后元十二年（前 323），楚伐魏，破襄陵，取八邑。

魏惠王后元十三年（前 322），张仪相魏，秦伐魏，取曲沃、平周。

从这些历史大事记可以看出，魏国遭到了一连串的败绩，割了许多地，国运衰微。所以梁惠王怎能不着急呢？他急于重振国威，寻求立竿见影的富国强兵方案。所以，在这个时候，他见到以贤能闻名的孟子，毫无寒暄之意，直接就问如何能使国家强盛起来。然而眼前的这位老者却显得有点迂腐，他不但没有回答如何富国强兵，还反驳了一句：“为什么要谈利呢？只要奉行仁义就行了。”这次的谈话并不投机，孟子最终也没有劝说成功。但是，《孟子》一书的作者却把这段对话放在了全书的第一章，足见其对本章内容的重视程度。这个章节虽然简短，却说出了一个非常重要的大问题——义利之辨，这是两千年来被讨论最多、对中国社会影响最大的问题之一。

孔子曾经说过："君子喻于义，小人喻于利。"（《论语·里仁》）在孔子的语句中，"义"指的是仁义道德，"利"指的是经济利益，他把"义"与"利"作为判断君子和小人的标准，这是从个体的道德层面上说的。作为儒学的继承发展者，孟子对"义"、"利"进行了更深入的探讨。在这个章节中，孟子从治国的角度探讨了"义"与"利"，这里的"义"指的是实行仁政，"利"指的是国家的眼前利益。孟子告诉梁惠王，富国强兵只是政治上的小利，而且副作用很大——"上下交征利而国危矣"；只有讲仁义，才是政治上的大利。所以从这个角度看，国君不能单纯追求富国强兵，只有实行仁政才是治国最好的办法。

需要指出的是，对于本节的内容，过去常常有许多误解，认为孟子是否定"利"，只讲"义"的，这种误解可能源于古文的过于简约。但是我们参见《孟子》一书的其他章句，就可以发现，"义"与"利"在孟子看来，并不是简单的二选一的关系。孟子并不否定"利"，可以参见孟子对仲子的评价。仲子是齐国的贵族，他兄长的俸禄有几万石之多，但是仲子认为那些俸禄是不义之物而不吃，认为那些房屋是不义之产而不住。有一天，有人送给他兄长一只活鹅，母亲杀了给仲子吃。他知道真相后，硬是把吃进去的东西吐了出来。有人赞许仲子是廉洁之士，孟子却说："充仲子之操，则蚓而后可者也。夫蚓，上食槁壤，下饮黄泉……若仲子者，蚓而后充其操者也。"（《孟子·滕文公下》）如此廉洁，恐怕连性命都保不住了，命都没了怎么能够去推广仁义呢？从这个例子可以看出，从个人的角度说，孟子并不反对"利"，而是反对急功近利以及因小利而失大义。从治国的角度来说，孟子也有着同样的立场，他认为，片面地强调私利而忽视仁义，人人都站在自己的立

场上考虑问题，那么大夫如果不把国君的产业夺去，是不会满足的。利益是有限的，如果君王得到了过多的好处，底下的人好处就少了；底下的人得到了过多的好处，君主就没有什么东西可以拿取了。所以，如果把眼前利益作为首要目的，大家都抢着争夺利益，国家就会陷入混乱。只有提倡仁义，才能涵盖天下人共同的长远利益，社会才能安定。

有个历史上的小故事也许可以更加生动地说明孟子的意思。冯谖是孟尝君的食客，有一次他去薛邑为孟尝君收债，他问孟尝君："收完债，您还要买些什么东西吗？"孟尝君回答说："先生看我缺些什么，就买些什么吧。"冯谖到了薛邑，假传孟尝君的命令，把所有的债款赏给负债人，并当面烧掉了债条，当地百姓感激不已。冯谖回去禀报孟尝君说债收完了，孟尝君问："先生给我买了什么回来？"冯谖回答："您让我看您缺少什么就买什么，我看到您有用不完的珠宝，数不清的牛羊，美女也很多，缺少的只有'义'，因此我为您把'义'买回来了。"于是冯谖把烧掉债条的事情告诉了孟尝君，孟尝君听了很不高兴。后来，孟尝君失宠，被齐王赶出国都，只好回到薛邑。当车子距离薛邑还有上百里远的时候，薛邑百姓便已夹道相迎。孟尝君看到后，心生感慨，说："先生为我买的'义'，我今天看到了！"

从这个角度说，孟子所求的"义"，是真正的长远利益。所谓"人心关乎世道"，他要表达的是君王要把眼光放长远一点，不要目光短浅地只追求眼前利益，或者杀鸡取卵地牺牲长远利益而只要眼前的结果。君王应该从政治源头上施行仁政，才能达到国家长治久安的大利。

思考讨论

1. 孟子认为信义比金钱重要，你认同这种观点吗？

2. 如今很多人把功名利禄作为奋斗目标，你如何看待这个现象？

3. 中国历史上，有许多文人探讨过“义”与“利”的关系，请说说你读过的相关论述。

与民同乐

孟子见梁惠王。王立于沼上，顾鸿雁麋鹿，曰：“贤者亦乐此乎？”

孟子对曰：“贤者而后乐此；不贤者虽有此，不乐也。《诗》云[1]：‘经始灵台[2]，经之营之。庶民攻之[3]，不日成之[4]。经始勿亟[5]，庶民子来[6]。王在灵囿[7]，麀鹿攸伏[8]。麀鹿濯濯[9]，白鸟鹤鹤[10]。王在灵沼[11]，於牣鱼跃[12]。’文王以民力为台为沼，而民欢乐之，谓其台曰‘灵台’，谓其沼曰‘灵沼’，乐其有麋鹿鱼鳖。古之人与民偕乐，故能乐也。《汤誓》曰[13]：‘时日害丧[14]？予及女偕亡[15]！’民欲与之偕亡，虽有台池鸟兽，岂能独乐哉？”

营　造

注释

[1]《诗》云：下面所引的是《诗经·大雅·灵台》，全诗共四章，文中引的是前两章。　[2] 经始：开始规划营造。灵台，故址在今陕西西安西北，为周文王所造。　[3] 攻：建造。　[4] 不日：形容时间迅速。　[5] 亟：急迫。　[6] 庶民子来：老百姓像儿子尽孝一般来修建灵台。　[7] 囿（yòu）：古代帝王畜养禽兽的园林。　[8] 麀（yōu）鹿：母鹿。攸：悠闲的样子。　[9] 濯（zhuó）：肥美而光滑的样子。　[10] 鹤鹤：羽毛洁白的样子。　[11] 灵沼：池名，为周文王所造。　[12] 於（wū）：赞叹词。牣（rèn）：满。　[13]《汤誓》：《尚书》中的一篇，记载商汤讨伐夏桀的誓师词。　[14] 时日害丧：这太阳什么时候毁灭呢？时，这。日，太阳，这里代指夏桀。害，何、何时。丧，毁灭。　[15] 予及女：我和你。女，通“汝”，你。

译文

孟子去见梁惠王。惠王站在水池边，眺望着鸿雁和麋鹿，问孟子："贤德之人也喜欢享受这些东西吗？"

孟子答道："真正贤德的人，然后才能享受这些东西；不是贤德的人，有了这些东西也不能真正享受。《诗经》里说：'（当文王）开始筹建灵台，正在测量经营中。老百姓就来帮着建造，没几天就完工了。建台本来并不急，老百姓却如子女为父母做事一样自愿。文王来游灵囿，母鹿安卧不惊。母鹿长得肥美，白鸟洁白无比。文王来到灵沼，池里鱼儿蹦得欢。'文王用百姓的劳力建台开沼，老百姓却欢欢喜喜，称他的台为'灵台'，称他的沼为'灵沼'，很高兴他能有麋鹿鱼鳖可赏玩。古时的贤君能与民同乐，所以自己也得到了快乐。《尚书》的《汤誓》中说：'这个太阳（指夏桀）什么时候灭亡？我们愿与你一同灭亡。'老百姓要跟他一同灭亡，那他即使有高台池沼、飞禽走兽，又怎么能独自享受下去呢？"

延伸阅读

灯下漫笔（节选）

鲁　迅

但实际上，中国人向来就没有争到过"人"的价格，至多不过是奴隶，到现在还如此，然而下于奴隶的时候，却是数见不鲜的。中国的百姓是中立的，战时连自己也不知道属于哪一面，但又属于无论哪一面。强盗来了，就属于官，当然该被杀掠；官兵既到，该是自己人了罢，但仍然要被杀掠，仿佛又属于强盗似的。这时候，百姓就希望有一个一定的主子，拿他们去做百姓——不敢，是拿他们去做牛马，情愿自己寻草吃，只求他决定他们怎样跑。

假使真有谁能替他们决定，定下什么奴隶规则来，自然就“皇恩浩荡”了。可惜的是往往暂时没有谁能定。举其大者，则如五胡十六国的时候，黄巢的时候，五代的时候，宋末元末的时候，除了老例的服役纳粮以外，都还要受到意外的灾殃。张献忠的脾气更古怪了，不服役纳粮的要杀，服役纳粮的也要杀，敌他的要杀，降他的也要杀：将奴隶规则毁得粉碎。这时候，百姓就希望来一个另外的主子，较为顾及他们的奴隶规则的，无论仍旧，或者新颁，总之是有一种规则，使他们可上奴隶的轨道。

“时日曷丧，予及汝偕亡！”愤言而已，决心实行的不多见。实际上大概是群盗如麻，纷乱至极之后，就有一个较强，或较聪明，或较狡猾，或是外族的人物出来，较有秩序地收拾了天下。厘定规则：怎样服役，怎样纳粮，怎样磕头，怎样颂圣。而且这规则是不像现在那样朝三暮四的。于是便“万姓胪欢”了，用成语来说，就叫作“天下太平”。

思考讨论

1. 同样是消耗民力和财力修建亭台楼阁，为什么文王得到拥护，夏桀却被推翻？

2. 孟子非常重视保障和改善民生，请谈谈你对这方面的看法。

五十步笑百步

梁惠王曰：“寡人之于国也[1]，尽心焉耳矣[2]。河内凶[3]，则移其民于河东，移其粟于河内。河东凶亦然[4]。察邻国之政，无如寡人之用心者。邻国之民不加少，寡人之民不加多，何也？”

孟子对曰：“王好战，请以战喻。填然鼓之[5]，兵刃既接，弃甲曳兵而走[6]。或百步而后止，或五十步而后止。以五十步笑百步，则何如？”

曰：“不可。直不百步耳，是亦走也。”

曰：“王如知此，则无望民之多于邻国也。不违农时，谷不可胜食也；数罟不入洿池[7]，鱼鳖不可胜食也；斧斤以时入山林[8]，材木不可胜用也。谷与鱼鳖不可胜食，材木不可胜用，是使民养生丧死无憾也。养生丧死无憾，王道之始也。五亩之宅，树之以桑，五十者可以衣帛矣。鸡豚狗彘之畜，无失其时，七十者可以食肉矣。百亩之田，勿夺其时，数口之家可以无饥矣。谨庠序之教[9]，申之以孝悌之义，颁白者不负戴于道路矣。七十者衣帛食肉，黎民不饥不寒，然而不王者，未之有也。狗彘食人食而不知检，途有饿莩而不知发[10]；人死，则曰‘非我也，岁也’，是何异于刺人而杀之，曰‘非我也，兵也’？王无罪岁，斯天下之民至焉。”

注释

[1] 寡人：古代君王对自己的谦称。 [2] 焉耳矣：三个语气词叠加，加重语气，表示恳挚的感情。 [3] 河内：今河南济源一带。 [4] 河东：今山西安邑一带。 [5] 填然：鼓声咚咚直响的样子。鼓：击鼓，名词作动词用。 [6] 曳兵：拖着兵器。[7] 数罟（cù gǔ）：密网。数，细密。罟，渔网。洿（wū）：低洼。[8] 斤：砍刀。 [9] 庠（xiáng）序：古代地方所设的学校。[10] 莩（piǎo）：饿死的人。

译文

梁惠王说："我对于这个国家，真是够尽心的了。河内发生灾荒，就把那里的灾民迁移到河东去，把河东的粮食运到河内去赈济。河东发生灾荒时也这么做。看邻国君主治理政事，没有哪个像我这样为百姓操心的。但是邻国的百姓并不减少，我的百姓并不增多，这是什么原因呢？"

孟子回答道："大王您喜欢打仗，请让我拿打仗作比喻。咚咚地擂起战鼓，短兵已相接，（就有士兵）丢盔弃甲，拖着兵器逃跑。有的逃了一百步停下了，有的逃了五十步停下了。逃了五十步的人因此嘲笑那些逃了一百步的人，您觉得怎样？"

梁惠王说："不可以。只不过没逃到一百步罢了，这同样是逃跑。"

孟子说："大王如果懂得这一点，就不要指望魏国的百姓会比邻国多。只要不妨碍农民耕种的时间，粮食就吃不完；不把细密的渔网放入池塘捕捞，鱼鳖就吃不完；按一定的时令采伐山林，木材就用不完。粮食和鱼鳖吃不完，木材用不完，这就使百姓养家活口、办理丧事没有什么缺憾的了。百姓养家活口、办理丧事没有什么缺憾，这就是王道的开始。在五亩的宅田上，种植桑树，五十岁的人就能穿丝织品衣服了。鸡和猪狗一类家畜，不错过它们的繁殖时节，七十岁的人就能吃上肉了。一百亩的田地，不要占夺（种田人的）农时，几口人的家庭就可以不饿肚子了。做好学校教育，不断向年轻人灌输孝顺父母、敬爱兄长的道理，头发花白的老人就不必肩挑背负地出现在路上。七十岁的人穿上丝织品衣服、吃上肉，百姓不挨冻受饿，做到这样却不能统一天下的，是绝不会有的。现在，猪狗吃着人吃的粮食却不知道制止，道路上有饿死的尸体却不知道开仓赈济；人死了，却说'与我无关，是年成不好'，这跟把人刺死了，却说'与我无关，是兵器杀的'，又有什么不同呢？大王如果不怪罪于年成不好，那么天下的百姓就会投奔到您这儿来了。"

延伸阅读

孟子的"王道"观

孟子在辩论中，常常用欲擒故纵的方法，通过比喻或者推理，设一个显而易见的提问，然后让对方主动说出自己想要的答案。这一次，孟子同样设置了一个浅显的比喻：在战场上逃跑了五十步的人，看到别人逃跑了一百步，就认为别人怎么那么怕死，这说得过去吗？跑了五十步，难道不是逃跑吗？这是"五十步笑百步"的典故由来。孟子用这个比喻来回答梁惠王治国是否尽心尽力的提问。梁惠王觉得自己已经做得够好了，其实这不过像是战场上逃跑了五十步的逃兵，去嘲笑逃了一百步的人。梁惠王和其他诸侯王相比，是没有本质差别的。

在这里，我们需要补充说明一个历史小知识：为什么梁惠王希望自己国家的百姓变多，而邻国的百姓变少呢？因为战国时代，

人口的迁徙是自由的，没有户籍的限制。哪个国家富强，可以给百姓更好的生活，人们就可以搬到哪个国家。从国家的角度来说，人口越多就能有更多的财富，国家实力就更加强大，君王更能在战国诸侯争霸中占据优势。

梁惠王认为自己执政跟邻国相比，更加先进，但是百姓却没有迁徙过来。在孟子看来，梁惠王在饥荒后，把河内百姓迁徙到河东，这种做法固然不错，但是显然做得不够，他并没有开仓赈济百姓，而是把两边的百姓迁来迁去，自己的仓库依然是满满的。他还认为自己很用心了，这显然存在问题。梁惠王的做法不过是头疼医头，脚疼医脚。而在魏国，民生问题很糟糕：富贵人家的猪狗吃了百姓的粮食，没有人制止；荒地里有饥荒的人，没有人赈济；百姓死了，国君却说不关他的事。所以，梁惠王的政策是治标不治本的。孟子从经济问题着手，解决百姓的基本生活问题，向梁惠王提出了强国三步走的“王道”计划：

第一，不违农时，保护资源的可持续利用。国家征战服役应该在农闲时节进行，以保障庄稼的按时耕种和收割。禁止细网捕鱼，这样鱼可以再生，来年仍有鱼可捕。砍伐树木应该在冬天，留得根在，来年春天树木可以再生。这样，资源不竭，民财不乏。

第二，保障和改善民生。五亩的田地，可以种桑养蚕，解决百姓穿衣问题。一百亩的土地，不占夺种田人的农时，就可以解决数口之家的吃饭问题了。这样，百姓可以“不饥不寒”、“七十者可以衣帛食肉”，解决了基本生存问题。

第三，加强对百姓的道德教育。孟子特别强调“孝悌之义”，养成尊老敬老、助人为乐的社会风气，这是第三步。

孟子说，做到这三步才是对国家真正地尽心尽力，这样才能使“天下之民至”，才会增加国家的人口。

思考讨论

1.“五十步笑百步”这个成语出自哪里？它的含义是什么？

2. 你如何看待孟子对梁惠王“五十步笑百步”的评价？

3. 孟子在这一篇中谈到了如何对待自然资源的一些观点。你对现代的生态环境有什么看法？

始作俑者

梁惠王曰：“寡人愿安承教[1]。”

孟子对曰：“杀人以梃与刃[2]，有以异乎？”

曰：“无以异也。”

“以刃与政，有以异乎？”

曰：“无以异也。”

曰：“庖有肥肉[3]，厩有肥马[4]，民有饥色，野有饿莩，此率兽而食人也！兽相食，且人恶之[5]；为民父母，行政，不免于率兽而食人，恶在其为民父母也[6]？仲尼曰：‘始作俑者[7]，其无后乎！’为其象人而用之也[8]。如之何其使斯民饥而死也？”

注释

[1] 安：安心。　[2] 梃（tǐng）：木棒。　[3] 庖（páo）：

厨房。　[4] 厩（jiù）：马棚。　[5] 且人恶（wù）之：按现在的词序，应是“人且恶之”。且，尚且。　[6] 恶（wū）：疑问副词，何，怎么。　[7] 俑（yǒng）：古代陪葬用的土偶、木偶。在用土偶、木偶陪葬之前，经历了用草人陪葬的阶段，称为“刍”。草人只是略像人形，土偶、木偶却做得非常像活人。所以孔子对最初采用土偶、木偶陪葬的人深恶痛绝。“始作俑者”就是指最初采用土偶、木偶陪葬的人。后来这句话成为成语，指首开恶例的人。[8] 象：形象或象征。古代曾经存在以象征性的处罚或礼仪来表达心理或社会诉求的现象，如“象刑”、祭礼时的“尸”。

译文

梁惠王说：“我非常乐意听取您的教诲。”

孟子回答说：“用木棒和用刀子杀死人，有什么不同吗？”

梁惠王说：“没有什么不同。”

孟子又问：“用刀子和用政治杀死人，有什么不同吗？”

梁惠王回答：“没有什么不同。”

孟子说：“厨房里有肥嫩的肉，马房里有健壮的马，可是老百姓面带饥色，郊外有饿死的人，这无异于君王驱使禽兽吃人啊！兽类自相残杀，人尚且厌恶；作为老百姓的父母官，施行政治，却不能避免驱使禽兽来吃人，那又怎么能够做老百姓的父母官呢？孔子说：‘最初采用土偶、木偶陪葬的人，该是会断子绝孙吧！’这不过是因为土偶、木偶太像活人而用来陪葬罢了。施政之人又怎么可以让老百姓活活地饿死呢？”

延伸阅读

古代的殉葬制度

这一篇出现了一个成语：始作俑者。现今，我们主要用它的引申义，就是带头做坏事的人。“俑”在古代是用来殉葬的偶人，有木制、陶制、铁制、铜制等类别。殉葬是中国古代以活人或物品与死者同葬的习俗。除了孔子批判的这种偶人陪葬，还出现过不少活人殉葬的事件。根据考古发现，商王朝的许多奴隶主都将奴隶作为殉葬品，在安阳发掘的殷陵大墓之中，人殉有数百人之多。据史料记载，在商王朝，殉葬人数最多的一次是 2656 人。到了春秋战国时，生产力水平较以前大幅提高，奴隶主认识到劳动力在生产中创造财富的重要作用，逐渐减少了活人殉葬的情况，较多地使用木俑来陪葬。

《战国策·秦宣太后爱魏丑夫》中谈到了用活人殉葬的事情。魏丑夫是宣太后的男宠，宣太后在病危之际要求死后让魏丑夫陪葬。庸芮就问太后：“死人有知觉吗？”太后说：“没有。”庸芮就说：“既然没有知觉，为什么还要平白无故把自己喜爱的人杀掉呢？如果死人有知觉，让魏丑夫陪葬，太后又如何面对先去的惠王呢？”如此，宣太后打消了陪葬的念头。战国之后，活人殉葬的习俗并未绝迹，如汉武帝、明太祖、清太祖死后均有活人殉葬，但总体而言，活人殉葬并不是主流。到康熙十二年（1673），清政府明令彻底废除活人殉葬习俗。

思考讨论

1.“始作俑者，其无后乎”这句话是什么意思？孔子为什么会这么说？

2.“率兽食人”这个典故出自哪里？孟子用它来比喻什么？

仁者无敌

梁惠王曰:“晋国[1],天下莫强焉[2],叟之所知也。及寡人之身，东败于齐，长子死焉[3]；西丧地于秦七百里[4];南辱于楚[5]。寡人耻之,愿比死者一洒之[6]。如之何则可？”

孟子对曰：“地方百里而可以王[7]。王如施仁政于民，省刑罚，薄税敛，深耕易耨[8]；壮者以暇日修其孝悌忠信，入以事其父兄，出以事其长上，可使制梃以挞秦楚之坚甲利兵矣。彼夺其民时，使不得耕耨以养其父母。父母冻饿，兄弟妻子离散。彼陷溺其民，王往而征之，夫谁与王敌？故曰：‘仁者无敌。’王请勿疑！”

注释

[1]晋国：韩、赵、魏三家分晋，被周天子和各国承认为诸侯国,称三家为三晋,所以梁惠王自称魏国为晋国。 [2]莫:没有。强:强于,省略宾语“晋国”。 [3]“东败”二句:公元前341年，魏与齐战于马陵，兵败，主将庞涓和太子申被杀。 [4]西丧地于秦七百里：马陵之战后，魏国国势渐衰，秦屡败魏国，迫使魏国献出河西之地和上郡的十五个县，约七百里地。 [5]南辱于楚：公元前324年，魏被楚将昭阳击败于襄陵，失去八邑。[6]比死者一洒：将失败的耻辱一扫而光，让死去的将士含笑九泉。

[7]地方百里：方圆百里的土地。 [8]深耕易耨(nòu)：深翻土地，精耕细作。

译文

梁惠王说："晋（魏）国曾经无敌于天下，这为您所知。可是到了我这一代，东边被齐国打败，我的大儿子也死掉了；西边丧失了七百里疆土给秦国；南边又受楚国的羞辱。我为这些事感到非常羞耻，希望替所有的死难者报仇雪恨，怎么才能做到呢？"

孟子回答说："只要有方圆一百里的土地就可以使天下臣服。大王如果对老百姓施行仁政，减免刑罚，少收赋税，督促人民深耕细作、勤于农事；青壮年在农闲时修习孝顺、尊敬、忠诚、守信的品德，在家侍奉父母兄长，出门尊敬长辈上级。如此，即使使用木棒也可以打击那些拥有精良装备的秦楚军队了。秦国、楚国的那些执政者剥夺了他们老百姓的农作时间，使他们不能够深耕细作来赡养父母。父母受冻挨饿，兄弟和妻儿颠沛流离。他们使老百姓陷入水火之中，大王去征伐他们，有谁来和您抵抗呢？所以说：'施行仁政的人是无敌的。'大王请不要疑虑！"

延伸阅读

"仁"与"仁政"

"仁"是中国儒家道德体系中的核心概念，也是儒家所尊崇的重要道德规范之一。孔子关于"仁"的观念主要是针对个人修养提出来的，孔子说："夫仁者，己欲立而立人，己欲达而达人，能近取譬，可谓仁之方也已。"（《论语·雍也》）简单地说，"仁"就是自己要立身成事，也要让他人立身成事；自己要通达事理，也

要让他人通达事理。凡事能就近以自己作比，推己及人，就是实行“仁”的方法了。如果说这样解释显得繁琐的话，孔子甚至用一句很简短的话就概括了“仁”，那就是“爱人”(《论语·颜渊》)。如果爱自己或者爱亲人被称为“爱”，由此推广开来到爱天下之人，就被称为“仁”了。在孔子那里，“仁”是人生理想的核心，是最高的道德准则。

孟子则将“仁”学的体系上升到治国层面，所以孟子很少单独地提及“仁”字，而是常说“仁政”。在孟子的政治思想中，有两个核心的词汇，一个是“王道”，一个是“仁政”。“王道”是孟子前就已经存在的词汇，而“仁政”一词是孟子的首创。

儒家崇尚用“王道”治国，《尚书》中说：“无偏无党，王道荡荡；无党无偏，王道平平；无反无侧，王道正直。”意思是：处事公正，没有偏向，圣王之道就会宽广无边；处事公正，没有偏向，圣王之道就会井然有序；处事没有反复无常，圣王之道就会正直通达不偏斜。

孟子提出的“仁政”，实际上与“王道”是同一含义，异名而同实。孟子之所以会重新造出词汇，可能是为了凸显“王道”的核心是“仁”。在孟子看来，他所身处的时代，“不仁”的事情时常发生，所以必须把“仁”凸显出来，这也是他游说诸侯国的政治理想。

简单地说，仁政就是用仁义来治理天下。仁政的具体表现是什么呢？孟子说：“省刑罚，薄税敛，深耕易耨。”

第一，减轻刑罚。战国时，刑罚很重，百姓动辄获罪。刑罚的种类繁多，从轻到重分别是棍棒、刖刑（削去双足）、宫刑（割除生殖器）、墨刑（在脸上刺字）、鼻刑（割去鼻子）、死刑。孟子提倡“仁政”，并不是跟法治精神完全相反，而是说要简明刑罚，不可量刑过重。

第二，减轻税赋。百姓的税赋和额外负担都要减轻，轻徭薄赋才能藏富于民，国家自然富足。“取之尽锱铢，用之如泥沙”，就是与民争富，这无异于杀鸡取卵。

第三，深耕易耨。“深耕”就是将泥土耕得更深一些，这样才能使植物更加充分地吸收养分，长得更好。“易耨”就是拔出杂草，以免消耗土地中的营养价值。

这一小节孟子提到“仁政”的具体内容，他分别从法律、经济、农业三个方面给梁惠王提出了具体的建议。这三方面加上前一小节孟子提出的重视道德教育方面，构成了孟子“仁政”的具体举措，这些举措不但简明易懂，而且切实可行。

思考讨论

1. “仁”的含义是什么？

2. 为什么孟子以“仁政”游说君王，却屡屡碰壁呢？

3. 中国历史上有哪些统治时期实行了“仁政”？具体的政策有哪些？

天下定乎一

孟子见梁襄王[1]。出，语人曰[2]：“望之不似人君，就之而不见所畏焉。卒然问曰[3]：‘天下恶乎定？’

吾对曰：'定于一。''孰能一之？'对曰：'不嗜杀人者能一之。''孰能与之[4]？'对曰：'天下莫不与也。王知夫苗乎？七八月之间旱，则苗槁矣。天油然作云，沛然下雨，则苗浡然兴之矣[5]。其如是，孰能御之？今夫天下之人牧[6]，未有不嗜杀人者也。如有不嗜杀人者，则天下之民皆引领而望之矣。诚如是也，民归之，由水之就下[7]，沛然谁能御之？'"

注释

[1]梁襄王：梁惠王的儿子，名嗣，公元前318年至公元前296年在位。　[2]语(yù)：动词，告诉。　[3]卒然：突然。卒，同"猝(cù)"。　[4]与：从，跟。　[5]浡然兴之：蓬勃地兴起。浡然，兴起的样子。　[6]人牧：治理人民的人，指国君。"牧"由牧牛、牧羊的意义引申过来。　[7]由：同"犹"，好像，如同。

译文

孟子去见梁襄王，出来后对人说："远远望去，不像国君的样子，走近他，也看不到威严所在。席间他突然发问：'天下要怎样才能安定？'我回答说：'要统一才会安定。'他又问：'谁能统一天下呢？'我回答说：'不以杀人为乐的国君能统一天下。'他又问：'有谁愿意跟随这样的国君呢？'我回答说：'天下的人没有不愿意跟随他的。大王知道禾苗的情况吗？当七八月间天旱的时候，禾苗就干枯了。一旦天上乌云密布，大雨忽至的时候，禾苗便会蓬勃生长起来。要是像这样，谁能够阻挡它生长呢？如今各国的国君，没有一个不喜欢杀人的。如果有一个不喜欢杀人的国君，那么天下的老百姓都会伸长脖子期待着他来。如果真是如此，那么老百姓归附他，就像河水向下奔流一样，谁能阻挡得了呢？'"

延伸阅读

大一统

《三国演义》中有一句话被广为传颂："天下大势，分久必合，合久必分。"纵观中国历史，虽然分少合多，但是确实有分合交错的规律。孟子所处的时代，正是天下分于七的战国乱世，国家分裂、战乱频繁给百姓带来了深重的灾难。孟子认为，"分"是"乱"的原因，如果要天下安定，就要实现统一。这不仅是人心所向，而且是大势所趋。

我们可以从夏开始，梳理一下中国历史上的分裂与统一：

夏（约前21世纪—前16世纪），约500年，统一的国家。

商（约前16世纪—前11世纪），约500年，统一的国家。

西周（前1046—前771），275年，统一的国家。

春秋（前770—前476），294年，分裂时期。

战国（前475—前221），254年，分裂时期。

秦（前221—前206），15年，统一的国家。

楚汉相争，5年，分裂时期。

西汉（前206—公元25，231年，统一时期。

东汉（25—220），195年，统一时期。

三国（220—280），60年，分裂时期。

西晋（265—317），52年，统一时期。

东晋（317—420），103年，分裂时期。

南北朝（420—589），169年，分裂时期。

隋（581—618），37 年，统一时期。

唐（618—907），289 年，统一时期。

五代（907—960），53 年，分裂时期。

北宋（960—1127），167 年，统一时期。

南宋（1127—1279），152 年，分裂时期。

元（1271—1368），97 年，统一时期。

明（1368—1644），276 年，统一时期。

清（1616—1911），295 年，统一时期。

从上述表格中可粗略总结出，中国历史上大致统一的时间是 3000 年左右，分裂时间为 1000 年左右，统一的时间要远远长于分裂的时间。长期的分裂后，统一是大势所趋，也是民心所向。

“大一统”一词，始见于《公羊传·隐公元年》的第一句话：“何言乎‘王正月’？大一统也。”东汉经学家何休在注解《公羊传》时，认为“大”是“推崇、重视”之义；“一统”是“元始”之义，是根基、基础的意思。“大一统”就是强调受命改制的根基，即重视重建政统和法统的根本。大一统的理念经过长期的历史演变，最终表现为政治上的高度统一，即使在分裂时期，割据政权的统治者，也多视统一为己任而为之做不懈的努力。

这种大一统思想观念的形成，根本原因在于人们在现实生活中体验到分裂割据给国家、民族带来的灾难。正如孟子所说：“争地以战，杀人盈野；争城以战，杀人盈城。”（《孟子·离娄上》）国家的分裂、频繁的战乱给百姓带来无穷无尽的灾难。相对而言，统一时期，生活安定，生产力持续发展，无疑是比较理想的局面。因此，中国历史上，对战乱的厌恶、对和平的渴望、对大一统局面的追求，不但是统治者的政治雄心，也符合百姓的意愿。

思考讨论

1. 请说说国家分裂的危害。

2. 为什么说统一符合百姓的意愿?

老吾老，以及人之老

齐宣王问曰[1]:“齐桓、晋文之事可得闻乎[2]?”

孟子对曰:“仲尼之徒无道桓、文之事者，是以后世无传焉。臣未之闻也。无以[3]，则王乎?”

曰:“德何如，则可以王矣?”

曰:“保民而王，莫之能御也。”

曰:“若寡人者，可以保民乎哉?”

曰:“可。”

曰:“何由知吾可也?”

曰:“臣闻之胡龁曰[4]，王坐于堂上，有牵牛而过堂下者，王见之，曰:‘牛何之[5]?’对曰:‘将以衅钟[6]。’王曰:‘舍之！吾不忍其觳觫[7]，若无罪而就死地。’对曰:‘然则废衅钟与?’曰:‘何可废也?以羊易之！’不识有诸?”

曰:“有之。”

曰："是心足以王矣。百姓皆以王为爱也[8]，臣固知王之不忍也。"

王曰："然。诚有百姓者。齐国虽褊小[9]，吾何爱一牛？即不忍其觳觫，若无罪而就死地，故以羊易之也。"

曰："王无异于百姓之以王为爱也[10]。以小易大，彼恶知之？王若隐其无罪而就死地[11]，则牛羊何择焉？"

王笑曰："是诚何心哉？我非爱其财。而易之以羊也，宜乎百姓之谓我爱也。"

曰："无伤也[12]，是乃仁术也，见牛未见羊也。君子之于禽兽也，见其生，不忍见其死；闻其声，不忍食其肉。是以君子远庖厨也[13]。"

注释

[1]齐宣王：姓田，名辟疆。战国时齐国国君，齐威王的儿子，约公元前319年至前301年在位。 [2]齐桓、晋文：指齐桓公、晋文公。齐桓公，姓姜，名小白。春秋时齐国国君，公元前685年至前643年在位，是春秋时第一个霸主。晋文公，姓姬，名重耳。春秋时晋国国君，公元前636至前628年在位，春秋五霸之一。 [3]无以：既然如此。 [4]胡龁（hé）：人名，齐宣王身边的近臣。 [5]之：动词，去，往。 [6]衅（xìn）钟：

新钟铸成，杀牲取血涂抹于钟的孔隙，用来祭祀。按照古代礼仪，凡是国家某件新器物或宗庙开始使用时，都要杀牲取血加以祭祀。

[7] 觳觫（hú sù）：因恐惧而战栗的样子。　　[8] 爱：吝啬。

[9] 褊（biǎn）：狭小。　　[10] 异：动词，奇怪，责怪。

[11] 隐：疼爱，可怜。　　[12] 无伤：没关系，不必大惊小怪。

[13] 庖厨：厨房。

译文

齐宣王问道：“齐桓公和晋文公的事业，可讲给我听听吗？”

孟子回答说：“孔子的门徒是不谈齐桓公和晋文公事业的，所以后世没有流传下来，我不曾听到过。如果一定要我说，就谈谈称王天下吧。”

宣王问：“要具备怎样的德行才可以称王天下呢？”

孟子答道：“安抚民众就可以称王天下，那是没有什么力量能够阻挡的。”

宣王问：“像我这样的人，能安抚民众吗？”

孟子说：“可以。”

宣王又问：“凭什么知道我可以呢？”

孟子回答：“我听您的近臣胡龁说，有一次大王坐在堂上，有人牵着牛从堂下经过，大王见了便问：‘牵牛上哪儿去？’那人说：‘准备杀了它祭钟。’大王说：‘放了它吧！我不忍心见它吓得发抖的样子，就像没有罪而被处死似的。’那人问道：‘那么，就不要祭钟了吗？’您说：‘怎么能不祭呢？拿只羊代替吧！’不知道有没有这回事？”

宣王说：“有这回事。”

孟子说：“有这种好心就足以称王天下了。百姓们都以为大王吝啬，我却知道大王是于心不忍。”

宣王说：“对，果真有老百姓这么想。齐国虽然狭小，我还不至于舍不得一头牛吧？我就是不忍心见它吓得发抖的样子，就像没有罪而被处死似的，所以才用羊去代替。”

孟子说：“大王莫怪老百姓以为您吝啬。拿小的羊去换下大的牛，他们怎么会知道您的真正用心呢？大王要是真可怜它无罪而被处死，那牛与羊之间又有什么区别呢？”

宣王不禁发笑说：“真不知道这是什么心理在起作用？但我确实不是吝惜钱财才拿羊去换牛的，也难怪老百姓要说我吝啬。”

孟子说：“没关系，这正是表现仁爱的一种方法，因为当时大王只见到牛没见到羊。君子对于那些禽兽，看到它们活着，就不忍心看着它们死去；听到它们哀叫的声音，便不忍心吃它们的肉。所以，君子总是远离厨房。”

王说曰[1]：“《诗》云：‘他人有心，予忖度之[2]。’夫子之谓也。夫我乃行之，反而求之，不得吾心。夫子言之，于我心有戚戚焉[3]。此心之所以合于王者，何也？”

曰：“有复于王者曰：‘吾力足以举百钧[4]，而不足以举一羽；明足以察秋毫之末[5]，而不见舆薪[6]。’则王许之乎[7]？”

曰：“否。”

“今恩足以及禽兽，而功不至于百姓者，独何与？然则一羽之不举，为不用力焉；舆薪之不见，为不用明焉；百姓之不见保，为不用恩焉。故王之不王，不为也，非不能也。”

曰：“不为者与不能者之形何以异[8]？”

曰：“挟太山以超北海[9]，语人曰‘我不能’，是诚不能也。为长者折枝[10]，语人曰‘我不能’，是不为也，非不能也。故王之不王，非挟太山以超北海之类也；王之不王，是折枝之类也。

“老吾老，以及人之老；幼吾幼，以及人之幼。天下可运于掌[11]。《诗》云：‘刑于寡妻，至于兄弟，以御于家邦[12]。’言举斯心加诸彼而已。故推恩足以保四海，不推恩无以保妻子。古之人所以大过人者无他焉，善推其所为而已矣。今恩足以及禽兽，而功不至于百姓者，独何与？

“权[13]，然后知轻重；度，然后知长短。物皆然，心为甚。王请度之！抑王兴甲兵[14]，危士臣，构怨于诸侯[15]，然后快于心与？”

王曰：“否。吾何快于是？将以求吾所大欲也。”

注释

[1]说：同"悦"。 [2]"他人"二句：出自《诗经·小雅·巧言》。忖度（cǔn duó），猜测、揣想。 [3]戚戚：心有所动的感觉。[4]钧：古代重量单位，三十斤为一钧。 [5]秋毫之末：指细微难见的东西。 [6]舆（yú）：车子。薪：木柴。 [7]许：赞许，同意。 [8]形：情况，状况。 [9]太山：泰山。北海：渤海。 [10]折枝：有三种解释。一、折取树枝；二、弯腰行礼；三、按摩搔痒。取第三种注者略多。 [11]运于掌：在手心里运转，比喻治理天下很容易。 [12]"刑于"三句：出自《诗经·大雅·思齐》。刑，同"型"，指树立榜样、做示范。寡妻，国君的正妻。御，治理。 [13]权：本指秤锤，这里用作动词，指称物。[14]抑：选择连词，还是。 [15]构怨：结怨，构成仇恨。

译文

宣王听后高兴地说："《诗经》里讲：'别人有想法，我能揣摩得到。'这话好像就是在说先生似的。我做了这件事，回过头来问自己为什么要这样做，却说不出所以然来。经先生这么一讲，我心里有些触动和明白了。那么，这种心思为什么就能适合于称王天下呢？"

孟子说："有个人向大王禀告：'我的力气能够举起三千斤重的东西，却拿不起一根羽毛；我的目力能够看清秋天里刚换过的兽毛的末梢，却看不见一车木柴。大王会同意他这种说法吗？"

宣王说："不会。"

孟子接着说："现在大王的恩惠已达到禽兽的身上，却不能让老百姓得到好处，这又是什么原因？这样看来，一根羽毛拿不起来，是因为不愿用力气；一车木柴看不见，是因为不愿用目力；

老百姓得不到安抚，是因为不愿施行恩惠。所以大王不能称王天下，只是不肯做，并不是没有能力做。”

宣王问：“不肯做和没有能力做，有什么不同呢？”

孟子说：“将泰山夹在腋下跳过渤海，对别人说‘我没能力做’，这确实是没能力做。替年迈的长辈折树枝，对别人说‘我没能力做’，这是不肯做，不是没能力做。所以大王不能称王天下，不是属于将泰山夹在腋下跳过渤海一类的事；大王不能称王天下，是属于不肯替年迈的长辈折树枝一类的事。

“尊敬自家的长辈，进而也尊敬人家的长辈；爱抚自家的小辈，进而也爱抚人家的小辈。那么，治理天下就像在手掌上转动一件小东西那样容易了。《诗经》里说：‘先教育自己的妻子，再教育自己的兄弟，然后推行到自己的封邑和国家。’这不过是说拿自己的好心推广运用到别人的身上而已。所以，能推广恩惠，就能保有天下；不能推广恩惠，连自己的妻儿也保护不了。古代的圣贤明君之所以能远远胜过一般人，没有别的什么，只不过善于推己及人罢了。现在大王的恩惠能施及禽兽身上，老百姓却得不到好处，这又是什么原因呢？

“称一称，然后才知道轻重；量一量，然后才知道长短。什么东西都是这样的，而人的心思尤其需要这样。请大王仔细衡量一下吧！难道大王非要兴师动众，使您的臣下和士兵冒危险，与诸侯结下怨仇，然后才感到痛快吗？”

宣王说：“不，我对此有什么痛快呢？我只是谋求我非常想得到的东西。”

延伸阅读

孟子的社会理想

“老吾老，以及人之老；幼吾幼，以及人之幼”，这句话我们可以把它看做是孔子“己欲立而立人，己欲达而达人”的进一步阐释和运用。一个社会的所有成员，如果能够像尊敬自己的长辈一样去尊敬别人的长辈，像爱护自己的孩子一样去爱护别人的孩子，那么，实现社会的公平公正就有了现实的道德基础。这样的社会关系必然是和谐的，社会成员之间的关系是融洽的。社会发展有了良好的道德基础，国家的治理也会容易得多了。这就是孟子所说的推广恩惠足以安抚四海，反之连自己的妻儿也保护不了。

《论语·颜渊》中有这样一则小故事：孔子的学生司马牛非常忧愁，因为别人都有兄弟，唯独自己是独生子。他的同学子夏劝慰说，君子只要对自己所做的事情严肃认真，不出差错，与人结交恭敬而合乎礼的要求，那么，四海之内皆是兄弟。

孟子所说的推恩而保四海，与“四海之内皆兄弟”有内在的一致性，都是把善心推广开来，将好的作为推而广之。反之，如果社会上每个人都自私自利，只为自己着想，甚至损人利己，那么，社会就会陷入“交争利”的混乱局面，而社会中的个人必然也都蒙受损失。孟子的社会理想——“老吾老，以及人之老；幼吾幼，以及人之幼”与《礼记》是一脉相承的：“故人不独亲其亲，不独子其子，使老有所终，壮有所用，幼有所长，鳏寡孤独废疾者皆有所养。”（《礼记·礼运》）这个“大同世界”是中国人千年来心中的梦想。

思考讨论

1. 你知道哪些关于“春秋五霸”的故事？

2. 孟子为什么说“春秋五霸”是王道政治的罪人？他对“春秋五霸”提出过哪些批评？

3. “老吾老，以及人之老；幼吾幼，以及人之幼”对现代社会有哪些积极的意义？

保民而王

曰：“王之所大欲，可得闻与？”

王笑而不言。

曰：“为肥甘不足于口与？轻暖不足于体与？抑为采色不足视于目与[1]？声音不足听于耳与？便嬖不足使令于前与[2]？王之诸臣皆足以供之，而王岂为是哉？”

曰：“否。吾不为是也。”

曰：“然则王之所大欲可知已。欲辟土地[3]，朝秦楚[4]，莅中国而抚四夷也[5]。以若所为[6]，求若所欲，犹缘木而求鱼也。”

王曰：“若是其甚与？”

曰：“殆有甚焉[7]。缘木求鱼，虽不得鱼，无后灾。

以若所为，求若所欲，尽心力而为之，后必有灾。”

曰：“可得闻与？”

曰：“邹人与楚人战[8]，则王以为孰胜？”

曰：“楚人胜。”

曰：“然则小固不可以敌大，寡固不可以敌众，弱固不可以敌强。海内之地方千里者九，齐集有其一。以一服八，何以异于邹敌楚哉？盍亦反其本矣[9]。今王发政施仁，使天下仕者皆欲立于王之朝，耕者皆欲耕于王之野，商贾皆欲藏于王之市，行旅皆欲出于王之涂[10]，天下之欲疾其君者皆欲赴愬于王[11]。其若是，孰能御之？”

注释

[1] 色：即彩色。 [2] 便嬖（pián bì）：君王左右被宠爱的人。[3] 辟：开辟。 [4] 朝：使动用法，使……来朝。 [5] 莅（lì）：临。[6] 若：人称代词，你。 [7] 殆（dài）：副词，表示不肯定，大概、可能之义。 [8] 邹（zōu）：国名，即当时的邾（zhū）国，国土很少，国都在今山东邹县东南的邾城。楚：即楚国，春秋和战国时期都是大国。 [9] 盍（hé）：“何不”的合音字，为什么不。[10] 涂：同“途”。 [11] 愬（sù）：通“诉”，控告。

译文

孟子问道："大王非常想得到的东西，可以说来听听吗？"

宣王只是笑，不回答。

孟子问道："是为了肥美的食品不够吃？又轻又暖的衣服不够穿？或者是艳丽的美色不够看？美妙的音乐不够听？侍奉左右的亲近宠臣不够使唤？这些，大王的臣下都能充分供给，大王难道为的是这些吗？"

宣王说："不，我不是为这些。"

孟子说："那么，大王非常想得到的东西就可以知道了。您是想扩张国土，使秦、楚等大国都来朝见，自己君临整个中原，安抚四方不同部族的地区。照您现在的所作所为，去追求您想得到的东西，简直好比爬到树上去抓鱼一样。"

宣王问："有这么严重吗？"

孟子说："恐怕还更严重呢！爬到树上去抓鱼，虽然抓不到鱼，却不会带来什么灾祸；照您的所作所为，去追求您想得到的东西，要是尽心竭力去做，一定会有灾祸在后面。"

宣王说："能把这道理讲给我听吗？"

孟子问道："假如邹国人跟楚国人开战，那么大王认为谁会得胜？"

齐宣王回答："楚国人会得胜。"

孟子说："这样说来，小国本来就不敌大国，人数少的本来就不敌人数多的，力量弱的本来就不敌力量强的。四海之内，拥有千里见方土地的国家一共有九个，齐国也只不过是其中一个。拿九分之一去征服九分之八，这和邹国与楚国对敌又有什么两样呢？为什么不回到根本上来解决问题？现在大王如果发布命令，施行仁政，使天下想做官的人们都愿意在大王的朝中任职，农民都愿

意在大王的田野里耕种，商人们都愿意到大王的集市上做生意，来往旅客都愿取道于大王的道路，各国那些对自己国君不满的人民都愿来到大王面前控诉。真能做到这样，又有谁能阻挡得了呢？”

王曰："吾惛[1]，不能进于是矣。愿夫子辅吾志，明以教我，我虽不敏，请尝试之。"

曰："无恒产而有恒心者[2]，惟士为能。若民[3]，则无恒产，因无恒心。苟无恒心，放辟邪侈无不为已[4]。及陷于罪，然后从而刑之，是罔民也[5]。焉有仁人在位，罔民而可为也？是故明君制民之产[6]，必使仰足以事父母，俯足以畜妻子；乐岁终身饱，凶年免于死亡。然后驱而之善，故民之从之也轻[7]。

"今也制民之产，仰不足以事父母，俯不足以畜妻子；乐岁终身苦，凶年不免于死亡。此惟救死而恐不赡[8]，奚暇治礼义哉[9]？

"王欲行之，则盍反其本矣？五亩之宅，树之以桑，五十者可以衣帛矣。鸡豚狗彘之畜，无失其时，七十者可以食肉矣。百亩之田，勿夺其时，八口之家可以无饥矣。谨庠序之教，申之以孝悌之义，颁白者不负戴于道路矣。老者衣帛食肉，黎民不饥不寒，然而不王者，未之有也。"

注释

[1]惛（hūn）：同“昏”，昏乱，糊涂。 [2]恒产：可以赖以维持生活的固定财产，如土地、田园、林木、牧畜等。 [3]若：转折连词，至于。 [4]放辟邪侈：指放纵邪欲违法乱纪。放，放荡。辟，同“僻”，与“邪”的意思相近，均指歪门邪道。侈，放纵挥霍。 [5]罔（wǎng）：同“网”，陷害。 [6]制：订立制度、政策。 [7]轻：轻松，容易。 [8]赡：足够，充足。 [9]奚（xī）暇：怎么顾得上。奚，疑问词，怎么，哪有。暇，余暇、空闲。

译文

宣王说：“我头脑糊涂，不能做到这种程度。希望先生帮助我坚定意志，明确地教导我。我虽然不够聪明，请让我试着做吧。”

孟子说：“没有固定的产业，而能坚持向善之心的，只有读书明理的人才能做到。至于一般老百姓，如果没有固定的产业，就不会有一贯向善的心思。假如没有一贯向善的心思，那歪门邪道，不守法纪，胡作非为，什么都干得出来。等到他们犯了罪，然后施加刑罚，这等于设下网罗陷害人民。哪有仁爱之君在位，可以干出陷害人民的事呢？所以贤明的国君规定民众的产业，一定要使他们上足以赡养父母，下足以养活妻儿；遇上好年成能够温饱，即使凶年饥岁也不至于饿死。然后引导他们走向善的正道，民众也就容易听从了。

“现在规定民众的产业，上不足以赡养父母，下不足以养活妻儿；即使年成好也一年到头困苦，遇上凶年饥岁更免不了要饿死。像这样，连救性命都来不及，哪还有闲工夫去讲究礼义道德？

“大王既然想称王天下，何不回到根本上来呢？在五亩的宅田

上，种植桑树，上五十岁的人就能穿丝织品衣服了。鸡和猪狗之类的家畜，不失时节地繁殖饲养，上七十岁的人就能经常吃肉了。每户所种的百亩田地能不耽误耕种时节，八口之家就不会饿肚子了。认真做好乡校教育，反复讲明孝敬长辈的道理，须发花白的老人就不会肩挑背负地出现在路上。年老的人穿丝绸、吃肉食，老百姓不少食缺衣，做到了这样还不能得到人民拥戴而成为王者，那还从来没有过。”

延伸阅读

孟子的“保民”观

古往今来，人们总在追求一个社会理想，然而无论是“大同世界”，还是“乌托邦”，其内涵都离不开个体的幸福康乐以及社会的安定富足。孟子提出“保民而王”，狭义的理解就是保有和安抚民众，这是中国古代十分重要的政治思想，有为的国君应该多争取劳动力，这是一国成为大国、强国的重要国策。“保民”就要从满足百姓的需要入手。老百姓最关心什么？无非是最基本的民生问题，老百姓如果对“养生葬死”这些最基本的生存问题没有什么不满足的，那就是“仁政”的开始了。

孟子从许多方面讲述过如何保障民生，总结起来，主要有以下三点：

第一，制民之产。必须保障百姓有一份固定的产业和一处安定的居所。孟子认为，有恒产者才能有恒心，要先衣食足，而后才能知礼仪，民富后才能谈兴教。一份恒产，使百姓上能赡养父母，下能抚养妻儿；遇到丰厚的年景可以衣食无忧，碰到灾荒也不至于饿死。孟子认为，只有达到使百姓有饭吃、有衣穿这个底线，才能对他们进行道德的教化。如何落实呢？孟子认为应该从划分土地开始，让每户人家拥有一小块土地，使他们能在这块土地上生活、生产以及接受教育。

第二，取民有制。向百姓收税要有节制，要藏富于民。关于古今国家的赋税问题，孟子有不少讨论。比如，孟子系统地研究了夏、商、周三代的土地赋税制度“贡”、“助”、“彻”，他很赞成“助”法，提出“耕者，助而不税”，即百姓只需服力役，帮助国家耕种一定比例的公田，而不需要向国家缴税。具体的实施办法就是“野九一而助，国中什一使自赋”（《孟子·滕文公上》）。意思是农民按九分抽一的比例帮助国家种公田，国中各种税收按十分之一的比例自动缴纳。孟子列举的上古税收例子有的可能只是猜测，但是他的总体倾向是不能向百姓乱收税和收重税，因为赋税关乎民生，所以必须对它有严格的规定。

第三，使民以时。政府动用民力要顾及时节，不能耽误农忙时节。孟子反复强调“不违农时”，众所周知，农业最讲时节，一旦错过季节，收成一定不好。实际上，不单农业，林业、牧业、渔业等许多行业都讲求季节性。孟子处于战乱时代，连年征战。统治者为打仗，频繁使用民力，耽误了农时，对生产造成很大影响，进而影响民生。所以，孟子提倡“使民以时”，在当时是具有现实性的。

思考讨论

1. 孟子所说的“无恒产而有恒心者”指的是哪个阶层？

2. 为什么孟子认为保障民生非常重要？你赞同他的观点吗？

第二章　梁惠王下

独乐乐与众乐乐

庄暴见孟子[1]，曰：“暴见于王[2]，王语暴以好乐，暴未有以对也。”曰：“好乐何如？”

孟子曰：“王之好乐甚，则齐国其庶几乎！”

他日，见于王曰：“王尝语庄子以好乐，有诸？”

王变乎色，曰：“寡人非能好先王之乐也，直好世俗之乐耳。”

曰：“王之好乐甚，则齐其庶几乎！今之乐犹古之乐也。”

曰：“可得闻与？”

曰：“独乐乐，与人乐乐，孰乐？”

曰：“不若与人。”

曰：“与少乐乐，与众乐乐，孰乐？”

曰：“不若与众。”

“臣请为王言乐。今王鼓乐于此，百姓闻王钟

乐舞汉画拓片

鼓之声，管籥之音[3]，举疾首蹙頞而相告曰[4]：‘吾王之好鼓乐，夫何使我至于此极也？父子不相见，兄弟妻子离散。’今王田猎于此，百姓闻王车马之音，见羽旄之美[5]，举疾首蹙頞而相告曰：‘吾王之好田猎，夫何使我至于此极也？父子不相见，兄弟妻子离散。’此无他，不与民同乐也。

“今王鼓乐于此，百姓闻王钟鼓之声，管籥之音，举欣欣然有喜色而相告曰：‘吾王庶几无疾病与，何以能鼓乐也？’今王田猎于此，百姓闻王车马之音，见羽旄之美，举欣欣然有喜色而相告曰：‘吾王庶几无疾病与，何以能田猎也？’此无他，与民同乐也。今王与百姓同乐，则王矣。”

齐宣王问曰：“文王之囿方七十里[6]，有诸？”

孟子对曰：“于传有之。”

曰：“若是其大乎？”

曰：“民犹以为小也。”

曰："寡人之囿方四十里，民犹以为大，何也？"

曰："文王之囿方七十里，刍荛者往焉[7]，雉兔者往焉[8]，与民同之。民以为小，不亦宜乎？臣始至于境，问国之大禁，然后敢入。臣闻郊关之内有囿方四十里，杀其麋鹿者如杀人之罪，则是方四十里为阱于国中。民以为大，不亦宜乎？"

注释

[1]庄暴（pù）：齐国大臣。 [2]王：指齐宣王。 [3]管籥（yuè）：古管乐器名。籥，似笛而短小。 [4]蹙頞（cù è）：形容愁眉苦脸的样子。蹙，紧缩。頞，鼻梁。 [5]羽旄（máo）：鸟羽和旄牛尾，古人用作旗帜上的装饰，故可代指旗帜。 [6]囿：古代畜养禽兽的园林。 [7]刍荛（chú ráo）：割草砍柴。 [8]雉（zhì）兔：这是代指打猎。

译文

庄暴去见孟子，说："我朝见宣王时，宣王告诉我他喜欢音乐，我不知道用什么话来应答。"他接着问孟子："（国君）喜欢音乐怎么样？"

孟子说："宣王要是非常喜欢音乐，那齐国差不多就会治理好了啊！"

后来有一天，孟子去见齐宣王时，问道："大王曾经告诉庄暴喜欢音乐，有这回事吗？"

宣王听后有点惭愧，脸都变了色，说："我喜欢的并不是先代帝王遗留下来的古乐，只不过是一些世俗流行的音乐罢了。”

孟子说：“大王要是非常喜欢音乐，那齐国差不多就会治理好了。时下流行的音乐和古代的音乐都一样嘛。”

宣王说：“可以把这道理讲给我听听吗？”

孟子问道：“独自一个人听音乐的乐趣，与别人一起听音乐的乐趣，哪一种更快乐些？”

宣王说：“不如与别人一起听音乐快乐。”

孟子继续问道：“与少数人一起听音乐的乐趣，与多数人一起听音乐的乐趣，哪一种更快乐些？”

宣王说：“不如与多数人一起听音乐快乐。”

孟子说：“就让我为大王讲讲娱乐吧。假如现在大王在这里演奏音乐，老百姓听到大王钟鼓之声和箫管之音，大家都感到头痛，皱着眉头，互相议论道：‘我们大王喜欢听音乐，怎么把我们弄到这样困苦不堪的地步呢？父亲和儿子不能相见，兄弟和妻儿天各一方。’假如现在大王在这里打猎，老百姓听到大王车马的声音，看到装饰华美的旗帜，大家都感到头痛，皱着眉头，互相议论道：‘我们大王喜欢打猎，怎么把我们弄到这样困苦不堪的地步呢？父亲和儿子不能相见，兄弟和妻儿天各一方。’这没有别的原因，只是由于不与百姓一同娱乐的缘故。

“假如现在大王在这里演奏音乐，老百姓听到大王钟鼓之声和箫管之音，大家都喜形于色，奔走相告，说：‘我们大王大概没有什么疾病吧，要不怎么能奏乐呢？’假如现在大王在这里打猎，老百姓听到大王车马的声音，看到装饰华美的旗帜，大家都喜形于色，奔走相告，说：‘我们大王大概没有什么疾病吧，要不怎么能打猎呢？’这没有别的原因，只是由于与百姓一同娱乐的缘故。倘若现在大王能与百姓一同娱乐，就能受到民众的拥戴，称王天下了。”

齐宣王问孟子："据说周文王养禽兽、种花木的园子方圆有七十里，有这回事吗？"

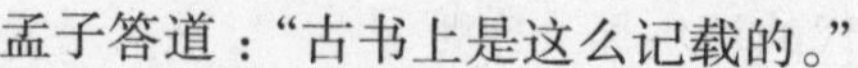

孟子答道："古书上是这么记载的。"

宣王说："真有这么大吗？"

孟子说："老百姓还觉得它小呢！"

宣王说："我的园子方圆只有四十里，老百姓还觉得它大，这是为什么？"

孟子说："周文王的园子方圆七十里，割草打柴的人能去，捕鸟打猎的人也能去，文王与百姓同享园子之利。老百姓认为它小了，不是很自然吗？我刚踏上齐国边境，先打听齐国有哪些重大禁令，然后才敢入境。我听说国都远郊有个方圆四十里的园子，如射杀园中的麋鹿，如同犯了杀人罪一样，这不就等于在国中设了个方圆四十里的大陷阱？老百姓因此嫌它大了，不也是很自然吗？"

延伸阅读

与民同乐

庄暴登门拜访孟子，请孟子劝说齐宣王不要再听世俗之乐。庄暴对音乐颇有造诣，他推崇古乐，重视宫廷雅乐，鄙视世俗之乐。而齐宣王好世俗之乐，对于这个问题，庄暴很反感。庄暴说，齐宣王为了顾全体统，不敢在宫廷内让乐师演奏世俗之乐，常常微服出宫，去听世俗之乐。庄暴请教孟子，这样对不对。

这里，我们来介绍一下古代关于音乐的规定。《周礼》规定，乐队的规模和排列为天子用八佾，诸侯用六佾，大夫用四佾，士用二佾。"佾"，指古代舞蹈奏乐，八人为一行，一行就是一佾。只有天子能够享用六十四人的乐舞，否则就是僭越。战国时，诸侯王僭越，以天子的仪仗享用音乐，齐宣王却偏好世俗之乐。“先王之乐”被称为雅乐，民间音乐难登大雅之堂，被称为俗乐，但是这些俗乐为老百姓所喜爱。

孟子认为，对待乐制，不一定要拘泥于古礼，音乐是现实的反映，时代变化了，音乐也应该跟着变化，他第一次肯定了世俗之乐。孟子是个雄辩家，他很有逻辑性地为自己的观点进行辩护：他问，一个人单独赏乐与跟他人一起赏乐，哪一种更快乐呢？齐宣王回答，跟他人一起赏乐更快乐。孟子又问，跟少数人一起赏乐的乐趣与跟多数人一起赏乐的乐趣，哪一种更为快乐呢？齐宣王回答，与多数人赏乐更快乐。

俗乐比雅乐有更广泛的群众基础，更为百姓所接受。在孟子看来，齐宣王迷恋俗乐并没有什么不好。君王与民共同欣赏音乐，打破了《周礼》关于乐舞的等级森严界定，肯定了俗乐的地位与价值，将雅乐与俗乐有机地统一起来。

如果从音乐引申开来，把享用音乐扩大到快乐之事，君王能够与民同忧乐，就是一名圣君了。孟子提到过一个盖房子的故事：周文王筹建灵台，百姓就如同子女为父母出力一样，不但主动自觉而且欢欢喜喜。在中国历史上，帝王盖房造屋的情况几乎每个朝代都有，然而可以让百姓欢天喜地的情况却极少见，隋炀帝的修迷楼、慈禧太后的颐和园，更是达到了民怨载道的程度。同样是建亭台楼阁，为什么有的让百姓欢天喜地，有的却让百姓怨声载道呢？孟子的回答是：国君以百姓的快乐为自己的快乐，百姓就会以国君的快乐为自己的快乐。国君把自己的快乐建筑在百姓的痛苦之上，百姓就会回报君主以怨恨。这就是“独乐乐”与“与民同乐”。孟子的“与民同乐”思想，后来被北宋的大儒范仲淹引申发挥为“先天下之忧而忧，后天下之乐而乐”。与民同忧乐不仅

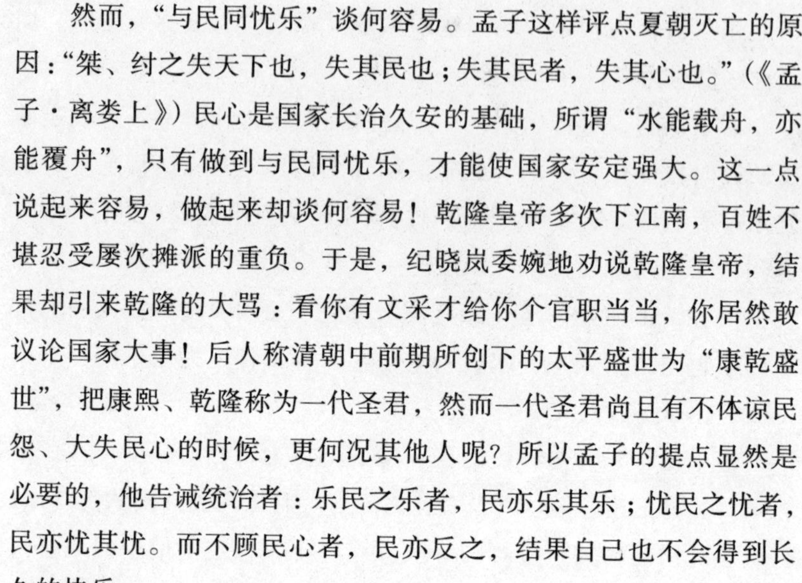

仅是君王追求的政治目标了，也成了读书人追求的理想人格。

然而，“与民同忧乐”谈何容易。孟子这样评点夏朝灭亡的原因：“桀、纣之失天下也，失其民也；失其民者，失其心也。”（《孟子·离娄上》）民心是国家长治久安的基础，所谓“水能载舟，亦能覆舟”，只有做到与民同忧乐，才能使国家安定强大。这一点说起来容易，做起来却谈何容易！乾隆皇帝多次下江南，百姓不堪忍受屡次摊派的重负。于是，纪晓岚委婉地劝说乾隆皇帝，结果却引来乾隆的大骂：看你有文采才给你个官职当当，你居然敢议论国家大事！后人称清朝中前期所创下的太平盛世为“康乾盛世”，把康熙、乾隆称为一代圣君，然而一代圣君尚且有不体谅民怨、大失民心的时候，更何况其他人呢？所以孟子的提点显然是必要的，他告诫统治者：乐民之乐者，民亦乐其乐；忧民之忧者，民亦忧其忧。而不顾民心者，民亦反之，结果自己也不会得到长久的快乐。

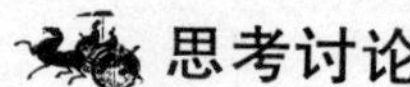

思考讨论

1. 孟子如何理解君与民之间的关系？
2. 春秋战国时期，为什么雅乐会衰落、俗乐会兴起？
3. 你认为俗乐取代雅乐是音乐的进步吗？为什么？

匹夫之勇与仁义之勇

齐宣王问曰：“交邻国有道乎？”

孟子对曰：“有。惟仁者为能以大事小，是故汤事葛[1]，文王事昆夷[2]。惟智者为能以小事大，故大王事獯鬻[3]，勾践事吴[4]。以大事小者，乐天者也；以小事大者，畏天者也。乐天者保天下，畏天者保其国。《诗》云：'畏天之威，于时保之[5]。'"

王曰："大哉言矣！寡人有疾，寡人好勇。"

对曰："王请无好小勇。夫抚剑疾视曰：'彼恶敢当我哉！'此匹夫之勇，敌一人者也。王请大之！《诗》云：'王赫斯怒，爰整其旅，以遏徂莒，以笃周祜，以对于天下[6]。'此文王之勇也。文王一怒而安天下之民。《书》曰：'天降下民，作之君，作之师，惟曰其助上帝，宠之四方有罪无罪，惟我在，天下曷敢有越厥志[7]？'一人衡行于天下[8]，武王耻之。此武王之勇也。而武王亦一怒而安天下之民。今王亦一怒而安天下之民，民惟恐王之不好勇也。"

注释

[1]汤事葛：其事详见《滕文公下·以仁服天下》。汤，即商朝的创建者成汤。葛，古国名，故址在今河南宁陵北。 [2]昆夷：殷末周初西戎国名。 [3]大（tài）王：也作"太王"，周文王的祖父古公亶（dǎn）父，周族首领。獯鬻（xūn yù）：古代北方的一个少数民族，周称猃狁（xiǎn yǔn），秦汉时称匈奴。 [4]勾践：春秋时越国君主。前494年，越被吴打败，勾践屈辱事吴，后卧

薪尝胆，发愤图强，终于灭掉吴国。 [5]“畏天”二句：出自《诗经·周颂·我将》。 [6]“王赫”五句：出自《诗经·大雅·皇矣》。莒（jǔ），殷末国名（此从赵岐说），非西周分封，前431年为楚所灭。[7]“天降”七句：《尚书》逸文，伪古文《尚书》放入《泰誓上》篇。[8]一人：指殷纣王。周武王起兵伐纣灭殷。

译文

齐宣王问道：“跟邻国交往有原则吗？”

孟子回答：“有的。只有仁爱的君主才能以大国侍奉小国，所以商汤侍奉过葛伯，周文王侍奉过昆夷。只有明智的君主才能以小国侍奉大国，所以周太王古公亶父侍奉过獯鬻族，越王勾践侍奉过吴王夫差。以大国侍奉小国，是顺应天理的人；以小国侍奉大国，是敬畏天理的人。顺应天理的人就能够保有天下，敬畏天理的人则能够保有他的国家。《诗经》中说：‘敬畏上天的威严，于是保有了国家。’”

宣王说：“说得太好了！可是我有个毛病，我喜爱勇武。”

孟子答道：“那请大王不要喜爱小勇。一个人手按佩剑、圆睁双目说：‘他怎敢抵挡我！’这只是寻常之人的勇，它只能敌对一个人。请大王把喜爱的勇武扩大开去！《诗经》中说：‘周文王勃然大怒，于是整顿好军队，阻击侵犯莒国的敌人，以增强周人的福祉，并对天下人作了交代。’这就是文王的勇武。文王一旦勃然大怒，便能使天下的民众得到安定。《尚书》中说：‘上天降生下民，替他们立了君主，也替他们安排了老师，君主和老师的责任就是帮助天帝慈爱下民。所以四方的人有罪或无罪，由我（周武王）来负责。天下有谁敢违背上天的意志起来作乱呢？’只要有一个人敢在天下横行霸道，武王便认为是自己的耻辱。这就是武王的勇武。武王也只要一旦发怒，便能使天下的民众得到安定。现在大王要是也做到一旦发怒，便能使天下的民众得到安定，那民众唯恐大王您不喜爱勇武哩。”

延伸阅读

没有勇气不行（节选）

梁漱溟

没有智慧不行，没有勇气也不行。我不敢说有智慧的人一定有勇气，但短于智慧的人，大约也没有勇气，或者其勇气亦是不足取的。怎样是有勇气？不为外面威力所慑，视任何强大势力若无物，担荷任何艰巨工作而无所怯。譬如：军阀问题，有的人激于义愤要打倒他；但同时更有许多人看成是无可奈何的局面，只有迁就他，只有随顺而利用他，自觉我们无拳无勇的人，对他有什么办法呢？此即没勇气。没勇气的人，容易看重既成的局面，往往把既成的局面看成是一不可改的。说到这里，我们不得不敬佩孙中山先生，他是一个有大勇的人。他以一个匹夫，竟然想推翻二百多年大清帝国的统治。没有疯狂似的野心巨胆，是不能作此想的。然而没有智慧，则此想亦不能发生。他何以不为强大无比的清朝所慑服呢？他并非不知其强大，但同时他知此原非定局，而是可以变的。他何以不自看渺小？他晓得是可以增长起来的。这便是他的智慧。有此观察理解，则其勇气更大。而正唯其有勇气，心思乃益活泼敏妙。智也，勇也，都不外其生命之伟大高强处，原是一回事而非二。反之，一般人气慑，则思呆也。所以说没有勇气不行。无论什么事，你总要看他是可能的，不是不可能的。无论如何艰难巨大的工程，你总要“气吞事”，而不是被事慑着你。

思考讨论

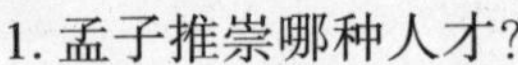

1. 孟子推崇哪种人才？

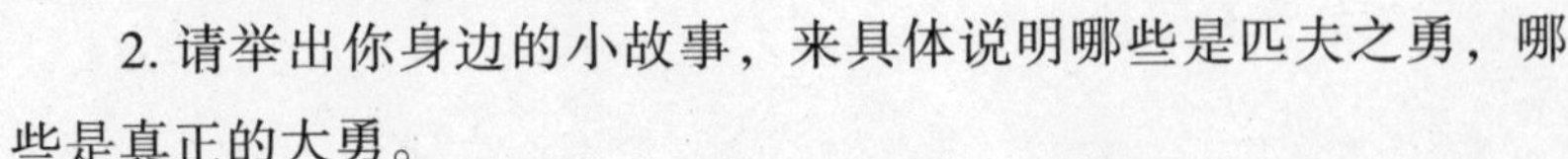

2. 请举出你身边的小故事，来具体说明哪些是匹夫之勇，哪些是真正的大勇。

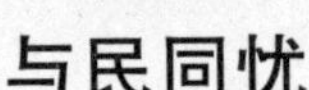

与民同忧

齐宣王见孟子于雪宫[1]。王曰：“贤者亦有此乐乎？”

孟子对曰：“有。人不得，则非其上矣。不得而非其上者，非也；为民上而不与民同乐者，亦非也。乐民之乐者，民亦乐其乐；忧民之忧者，民亦忧其忧。乐以天下，忧以天下，然而不王者，未之有也。

“昔者齐景公问于晏子曰[2]：‘吾欲观于转附、朝儛[3]，遵海而南，放于琅邪[4]。吾何修而可以比于先王观也？’晏子对曰：‘善哉问也！天子适诸侯曰巡狩。巡狩者，巡所守也。诸侯朝于天子曰述职。述职者，述所职也。无非事者。春省耕而补不足，秋省敛而助不给。夏谚曰：“吾王不游，吾何以休？吾王不豫，吾何以助？一游一豫，为诸侯度。”今

也不然，师行而粮食，饥者弗食，劳者弗息。睊睊胥谗[5]，民乃作慝。方命虐民，饮食若流；流连荒亡，为诸侯忧。从流下而忘反谓之流，从流上而忘反谓之连，从兽无厌谓之荒，乐酒无厌谓之亡。先王无流连之乐、荒亡之行。惟君所行也。'

"景公悦，大戒于国，出舍于郊。于是始兴发补不足。召大师曰：'为我作君臣相说之乐！'盖《徵招》、《角招》是也[6]。其诗曰：'畜君何尤[7]？'畜君者，好君也。"

注释

[1] 雪宫：齐宣王的离宫，相当于别墅，有亭台楼阁，畜养飞禽走兽。 [2] 齐景公：春秋时齐国君主姜杵臼，前 547 年至前 490 年在位。晏子：即齐国著名贤臣晏婴。 [3] 转附、朝儛（wǔ）：都是山名。在山东半岛，即今天的芝罘（fú）山和召石山。 [4] 琅邪（láng yá）：山名，在今山东胶南市南，面临黄海。 [5] 睊（juàn）睊：形容因愤恨而侧目而视。胥（xū）：背，相。谗：毁谤。 [6]《徵（zhǐ）招》、《角招》：古代乐曲名。 [7] 畜：匡正君主之失。

译文

齐宣王在自己的离宫——雪宫会见孟子。宣王说："贤德之人也有这种享乐吗？"

孟子答道:“有的。人们得不到这种享乐,就会埋怨他们的君主。得不到这种享乐便埋怨他们的君主，是不对的；作为民众的君主却不与民众一同享受这种快乐，也是不对的。以民众的快乐为自己的快乐的人，民众也会以他的快乐为他们的快乐；以民众的忧愁为自己的忧愁的人,民众也会以他的忧愁为他们的忧愁。乐与天下同乐，忧与天下同忧，这样还不能使天下归心而称王，还从未有过。

“从前齐景公问晏婴说：‘我打算到转附和朝儛两座山去游览一番，然后沿海岸向南走，直达琅邪。我该怎样做才能与古代圣王的巡游相比拟呢？’晏婴答道：‘问得好呀！天子到诸侯的国家去叫做巡狩。巡狩就是巡视诸侯所守的疆土。诸侯去朝见天子叫做述职。述职就是汇报自己所担负职守的情况。这些活动没有不是结合着政事进行的。春天视察耕种，借此补助贫困的农户；秋天视察收割，借此补助缺粮的农户。夏朝的谚语说：“我们大王不出游，我们怎能获休息？我们大王不闲逛，我们从何得救助？我们大王出游与闲逛，足为诸侯学习与效法。”现在就不同了，国君出游，兴师动众费粮食，闹到饥饿的人没饭吃，劳作的人不得息。人们侧目而视，怨声载道，民众都要被迫作恶了。这是放弃先王教导，虐害百姓，大吃大喝如流水。这种流连荒亡，诸侯也为之担忧。（什么叫流连荒亡呢？）顺流而下游乐忘返叫做流，逆流而上游乐忘返叫做连，打猎没个厌倦叫做荒，酗酒没个节制叫做亡。古代圣王没有这种流连的游乐、荒亡的行为。大王自己选择哪一种做法吧。’

“景公听了很高兴，在都城内作准备，然后到郊外去驻扎。于是拿出钱粮，补助缺衣少食的穷人。并把乐官召来，说：‘替我创作君臣同乐歌吧！’那就是《徵招》和《角招》。诗歌中说：‘制止君主的物欲有何不对？’制止君主的物欲，正是爱护君主呀。”

延伸阅读

晏子谏齐景公四则

在这个篇章中，孟子引用了一段晏子谏齐景公的故事，齐景公始终梦想着能光复齐桓公的霸业，对先王称霸的故事非常感兴趣。正是由于有这种政治抱负，早年的景公非常勤政，善于纳谏，关心臣民，并任用晏婴为齐相，使得齐国的国势渐渐恢复。其实，关于晏子谏齐景公的故事，《晏子春秋》中记载有好几则：

（一）

晏子入宫，看到齐景公担心得都出汗了，所以问："国君为何如此？"景公说："我去看小鸟，小鸟十分瘦弱。"晏子徘徊了一阵子，拜而祝贺道："我们的国君具备圣王之道了。"景公不解地问："寡人只是去看小鸟，这就符合圣王之道吗？"晏子回答："国君去看小鸟，小鸟弱，所以国君回来了，这就是爱护弱者啊！我们的国君对待动物尚且如此，何况是对人呢？这就是圣人之道。"

（二）

齐景公在位的时候，大雪下了三天而不停，景公披着白色的狐皮裘衣，坐在殿堂侧边的台阶上。晏子进宫拜见景公，景公说："怪啊！大雪下了三天而天气竟然不寒冷。"晏子回答说："天气果真不寒冷吗？"景公笑了笑。晏子说："我听说古代的贤德君王，吃饱的时候能知道有人在挨饿，穿暖的时候知道有人在受寒，安逸的时候知道有人在辛苦。现在君王不知道民间的疾苦啊！"景公说："说得对！我听从您的教诲。"于是下令拿出衣物和粮食，发放给饥寒交迫的人。

（三）

齐景公发动很多百姓劳动，造了一座高高的楼台，楼台建好了，

又想在楼台里安放钟。晏子劝景公说："君王不能把百姓的悲伤当成自己的快乐。您有不尽的欲望，已经有了楼台，现在又要挂钟，这是在掠夺百姓，百姓肯定会不高兴的。您以搜刮百姓为乐，不是好的做法，也不是治国的方法。"景公这才停止了。

（四）

齐景公得到了一只漂亮的鸟，于是派一个叫烛邹的人养这只鸟。可是几天后，鸟飞走了。齐景公很生气，要杀死烛邹。晏子站在一旁请求说："请先让我宣布烛邹的罪状，然后您再杀他。"齐景公答应了。晏子板着脸，严厉地对烛邹说："你犯了死罪，罪状有三条：大王叫你养鸟，你不留心让鸟飞了，这是第一条。让国君为一只鸟就要杀人，这是第二条。这件事如果让其他诸侯知道了，都会认为我们的国君只看重鸟而轻视老百姓的性命，从而看不起我们，这是第三条。所以现在要杀死你。"说完，晏子回身对齐景公说："请您动手吧。"听了晏子的一番话，齐景公明白了晏子的意思，说："算了，把他放了吧。"接着，景公走到晏子面前，拱手说："若不是您的开导，我险些犯了大错误呀！"

思考讨论

你如何理解"畜君者，好君也"？

寡人好货

齐宣王问曰："人皆谓我毁明堂[1]，毁诸，已乎？"

孟子对曰："夫明堂者，王者之堂也。王欲行王政，则勿毁之矣。”

王曰：“王政可得闻与？”

对曰：“昔者文王之治岐也[2]，耕者九一，仕者世禄，关市讥而不征，泽梁无禁，罪人不孥。老而无妻曰鳏，老而无夫曰寡，老而无子曰独，幼而无父曰孤。此四者，天下之穷民而无告者。文王发政施仁，必先斯四者。《诗》云：‘哿矣富人，哀此茕独[3]！’”

王曰：“善哉言乎！”

曰：“王如善之，则何为不行？”

王曰：“寡人有疾，寡人好货。”

对曰：“昔者公刘好货[4]，《诗》云：‘乃积乃仓，乃裹糇粮，于橐于囊，思戢用光。弓矢斯张，干戈戚扬，爰方启行[5]。’故居者有积仓，行者有裹囊也，然后可以爰方启行。王如好货，与百姓同之，于王何有？”

王曰：“寡人有疾，寡人好色。”

对曰：“昔者大王好色，爱厥妃。《诗》云：‘古公亶父，来朝走马，率西水浒，至于岐下，爰及姜女，聿来胥宇[6]。’当是时也，内无怨女，外无旷夫。王如好色，与百姓同之，于王何有？”

注释

[1]明堂：周天子东巡时接受诸侯朝见的地方，在泰山脚下。本为鲁国领地，后齐掠地所得。[2]岐（qí）：地名，在今陕西岐山一带。相传周太王古公亶父自豳（bīn，今陕西旬邑西）迁此建邑，成为周族居住之处。[3]“哿（gě）矣”二句：出自《诗经·小雅·正月》。哿，同“可”，表示称许。[4]公刘：周族早期首领，曾率部落从邰迁至豳，周族从此兴旺起来。[5]“乃积”七句：出自《诗经·大雅·公刘》。糇（hóu），干粮。橐（tuó）、囊，盛东西的口袋。戢（jí），和睦。[6]“古公”六句：出自《诗经·大雅·绵》。聿（yù），语助词。

译文

齐宣王问道：“人们都劝我拆毁明堂，是拆毁呢，还是不拆？”

孟子答道：“明堂这种建筑，是称王天下者的殿堂。大王如果想要实行王道政治，就不要拆毁它了。”

宣王说：“关于王道政治，可以讲给我听听吗？”

孟子回答说：“当年文王治理岐周时，对耕田的人只抽九分之一的税，做官的人给予世代承袭俸禄，关卡和市场仅稽查而不征税，在湖泊里捕鱼没有禁令，对犯罪者处罚不牵连妻儿。年老而无妻子的人叫做鳏，年老而无丈夫的人叫做寡，年老而无儿子的人叫做独，年幼而无父亲的人叫做孤。这四种人，是世间最无依无靠的穷苦人。文王发布政令、施行仁政时，一定把这四种人作为优先抚恤的对象。《诗经》中说：‘过得不错的还要数富人，最可哀怜的就是这些孤独者！’”

宣王说：“这话说得真好啊！”

孟子说：“大王如果认为好，那为什么不实行呢？”

宣王说："我有个毛病，我贪爱财货。"

孟子答道："从前公刘也贪爱财货，《诗经》中说：'收拾好露囤和内仓，包裹好干粮，装进大小口袋中。人民安集，国威光大。备好弓箭，拿起干戈与戚扬，于是动身向前方。'所以，要做到留下的人仓里有积谷，出征的人囊橐里有干粮，这样军队才可以出发。如果大王贪爱财货，能与老百姓一同享用，这对于实行王道政治又有什么不可以呢？"

宣王又说："我还有个毛病，我贪好女色。"

孟子回答说："从前太王也贪好女色，宠爱他的妃子。《诗经》中说：'古公亶父为立家，一大清早跨骏马，傍着西水边上走，一直来到岐山下，同来还有姜氏女，视察居处好安家。'在那个时候，内室里没有找不到丈夫的女子，外边也没有娶不到妻子的光棍。如果大王贪好女色，也能满足老百姓这方面的需求，这对于实行王道政治又有什么不可以呢？"

延伸阅读

推己之心以及民

孔子曾经提醒人们要警惕三件事情："少之时，血气未定，戒之在色；及其壮也，血气方刚，戒之在斗；及其老也，血气既衰，戒之在得。"(《论语·季氏》)这就是所谓的"好色"、"好勇"、"好货"，然而这三个缺点在齐宣王身上竟然一并存在。

无独有偶的是，类似的故事在齐国的另外一个君王身上也曾发生过。齐桓公对管仲说："我有三个很大的缺点：我喜欢打猎，常常跑出去玩，有时追捕猎物，天黑了还不肯回来。此外，我喜欢喝酒，白天晚上都喝个不停。最后，我喜欢女色，我的同宗姊妹还有尚未出嫁的。"

管仲说，这三个缺点确实很严重，但是作为君王，最忌讳的是不爱天下和不够勤政。在管仲看来，勤政爱民是一个国君最重要也是最优秀的品行，而齐桓公说的是个人的缺点。如果只是个人的缺点，并不会对国家政治和百姓造成危害，也不失为一个好国君。

齐桓公在执政前期推行改革，实行军政合一、兵民合一的制度，齐国逐渐强盛。公元前681年，齐桓公召集宋、陈等四国诸侯会盟，是历史上第一个充当盟主的诸侯。后来，齐桓公打出“尊王攘夷”的旗号，北击山戎，南伐楚国，成为中原第一个霸主，受到周天子赏赐。他选贤任能，改革齐政，使国富民强，“九合诸侯，一匡天下”，成为春秋时期的第一个霸主。

从齐桓公的政绩来讲，齐桓公不失为一个好君王。所以管仲的观点是对的——应该按照政绩来衡量君王，而不是看为人的优缺点。

同样，当齐宣王对孟子说自己“好色”、“好货”的时候，孟子并没有直接批评齐宣王，在衡量一个君王好坏的时候，孟子和管仲采用了同一个角度——按照政绩来看一个君王的得失。孟子认为，这些人性中的缺点不一定能够成为君王执行仁政的绊脚石，只要当政者把它摆在一个合理的位置上，将心比心，满足广大人民的欲望，做到“与民同忧乐”，就能赢得民心，就不失为一个好统治者。针对齐宣王说的“好货”与“好色”的问题，孟子列举了先贤的史证，得出了这样的结论：“王如好货（色），与百姓同之，与王何有？”

从孟子的回答中，有两个方面值得我们注意：

第一，孟子并不否定讲“利”。《礼记·礼运》上说：“饮食男女，人之大欲存焉。”人离不开两件大事：饮食、男女。一个是生存问题，一个是生活问题，这两件事是“人欲”中最重要的。

第二，孟子主张“与百姓同之”。君主自己想要的东西、想做的事情，让大多数百姓能够分享。如果能够与民同忧乐，君主的私欲又有什么大不了的呢？其思想根源应该来自孔子的推己及人思想，所谓“己所不欲，勿施于人”，自己不想要的，也不要施加在别人身上；自己想做的事情，让别人也能够做到。

思考讨论

请谈谈应该如何客观公正地评价一位历史人物。

弑君与伐贼

孟子谓齐宣王曰：“王之臣有托其妻子于其友而之楚游者，比其反也，则冻馁其妻子，则如之何？”

王曰：“弃之。”

曰：“士师不能治士，则如之何？”

王曰：“已之。”

曰：“四境之内不治，则如之何？”

王顾左右而言他。

译文

孟子对齐宣王说："假如大王某个臣子把妻子儿女托付给朋友照顾，自己到楚国去游历，等他回来时，妻子儿女却在受冻挨饿，对这样的朋友该怎么办？"

宣王说："不和这种人来往！"

孟子说："监狱官管不好他的下级，那该怎么办？"

宣王说："撤他的职务。"

孟子说："一个国家治理不好，那该怎么办？"

宣王四面张望，转移话题。

齐宣王问曰："汤放桀[1]，武王伐纣[2]，有诸？"

孟子对曰："于传有之。"

曰："臣弑其君，可乎？"

曰："贼仁者谓之贼，贼义者谓之残；残贼之人，谓之一夫。闻诛一夫纣矣，未闻弑君也。"

注释

[1] 汤放桀：桀，夏朝最后一个君主，暴虐无道。传说商汤灭夏后，把桀流放到南巢（今安徽巢湖一带）。　[2] 武王伐纣：纣，商朝最后一个君主，昏乱残暴。周武王起兵讨伐，灭掉商朝，纣自焚而死。

译文

齐宣王问孟子："商汤流放夏桀，周武王讨伐商纣，有这回事吗？"

孟子答道："古书上是这么记载的。"

宣王说："为臣的人杀掉他的君主，行吗？"

孟子答道："损害仁的人叫做'贼'，损害义的人叫做'残'，残贼的人叫做'独夫'。我只听说周武王杀了独夫商纣，没听说过杀掉君主。"

延伸阅读

"汤武革命"的合法性

在儒家思想中，君、臣、父、子的秩序是不可侵犯的。孔子说："君君、臣臣、父父、子子。"（《论语·颜渊》）意思是君要像君，臣要像臣，父要像父，子要像子，君、臣、父、子之间尊卑相别，各司其职。可是，商汤讨桀的时候，桀是君，汤是臣；武王伐纣的时候，纣是君，武王是臣。齐宣王问孟子："臣弑其君，可乎？"这是一个非常尖锐的问题。

于是，孟子给齐宣王讲了"弑君"与"伐贼"的区别。孟子说，"君臣有义"（《孟子·滕文公上》），"义"是君臣之间的纽带，这条纽带一方面连接着国君，一方面连接着臣民。作为君王，要维系这条纽带关系，就要对臣有礼；只有君王有礼，大臣才对君王忠诚。可是，桀纣的暴行已经割断了这条君臣纽带，所以，桀纣已经不再是君王，而是"独夫民贼"。"独夫民贼"就是残暴无道、众叛亲离的人。孟子逻辑的关键在于对"君主"与"独夫民贼"做出区分：当一个君主"贼仁残义"，沦为暴君，就已经自我放弃了君主的身份，对他征讨诛杀就是正义的行动。

孟子的这种说法在当时甚至在后世都是相当激进的，即使在后来的汉朝时，还有对这个看法的争论。有一次，汉景帝（前

188—前 141）和辕固生、黄生一起聊天，说到了“汤放桀”、“武伐纣”的事情。黄生义正词严地说汤伐桀是弑君行为。

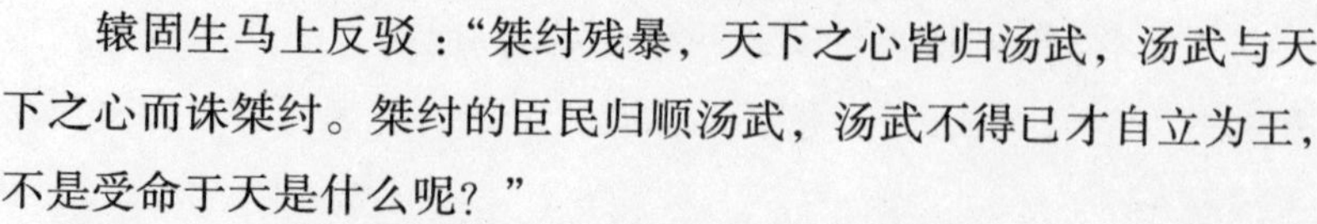

辕固生马上反驳：“桀纣残暴，天下之心皆归汤武，汤武与天下之心而诛桀纣。桀纣的臣民归顺汤武，汤武不得已才自立为王，不是受命于天是什么呢？”

黄生不以为然，他用比喻说事：“帽子虽然旧了，但还是戴在头上；鞋子虽然是新的，却一定是穿在脚上。这是因为上下有别。桀纣虽然无道，但是仍是君主；汤武虽然圣明，但是依然是臣子。臣子杀君王，不是弑君是什么呢？”

辕固生反驳说：“像你说的那样，汉高帝取代秦即天子之位，也是弑君吗？”

汉景帝马上打了个圆场，结束了这段对话。司马迁感叹说：“是后学者莫敢明受命放杀者。”此后学者再无人胆敢争辩商汤、周武王是受天命而立，还是放逐桀纣、篡夺君权的问题了。

即使过了一两百年，还有关于商汤、周武究竟是“弑君”还是“伐贼”的辩论，可见孟子当时的提法的先进性。孟子用他机智、锐利、深刻的回答，在中国的思想史上书写了浓墨重彩的一笔。

思考讨论

孟子说一个君主戕害仁义就是一个独夫，这意味着君主之所以为君主并不是一个空洞的名称。你觉得君主应该具备什么样的品质？

选贤举能

孟子见齐宣王，曰："所谓故国者[1]，非谓有乔木之谓也[2]，有世臣之谓也。王无亲臣矣，昔者所进，今日不知其亡也[3]。"

王曰："吾何以识其不才而舍之？"

曰："国君进贤，如不得已，将使卑逾尊，疏逾戚，可不慎与？左右皆曰贤，未可也；诸大夫皆曰贤，未可也；国人皆曰贤，然后察之，见贤焉，然后用之。左右皆曰不可，勿听；诸大夫皆曰不可，勿听；国人皆曰不可，然后察之，见不可焉，然后去之。左右皆曰可杀，勿听；诸大夫皆曰可杀，勿听；国人皆曰可杀，然后察之，见可杀焉，然后杀之。故曰国人杀之也。如此，然后可以为民父母。"

注释

[1]故国：历史悠久的国家。　[2]乔木：年代久远的高大树木。　[3]亡：去职。

译文

孟子去见齐宣王，说："我们平常说的历史悠久的国家，不是说它有年代久远的高大树木，而是说有累世功勋的老臣的意思。大王现

在没有亲信的臣子了，过去所进用的人，现在想不到都失去了职位。”

宣王说：“我怎样才能识别无能之人而不用他呢？”

孟子说：“国君进用贤才，如果万不得已，要使卑贱者超过尊贵者，疏远者超过亲近者，对这种事能不慎重吗？因此，左右亲信都说此人贤能，不足凭信；各位大夫都说此人贤能，不足凭信；全国的人都说此人贤能，然后对他进行考察，发现他确实贤能，再起用他。左右亲信都说此人不行，不足听信；各位大夫都说此人不行，也别听信；全国的人都说此人不行，然后对他进行调查，发现他确实不行，再罢免他。左右亲信都说此人可杀，不足听信；各位大夫都说此人可杀，也别听信；全国的人都说此人可杀，然后对他进行调查，发现他确实可杀，再杀掉他。所以说，这是全国人杀的。这样，才可以真正做百姓的父母。”

孟子见齐宣王，曰：“为巨室，则必使工师求大木[1]。工师得大木，则王喜，以为能胜其任也。匠人斫而小之，则王怒，以为不胜其任矣。夫人幼而学之，壮而欲行之，王曰‘姑舍女所学而从我’，则何如？今有璞玉于此[2]，虽万镒[3]，必使玉人雕琢之。至于治国家，则曰‘姑舍女所学而从我’，则何以异于教玉人雕琢玉哉？”

注释

[1]工师：管理各种工匠的官员。　[2]璞（pú）玉：未经雕琢加工的玉。　[3]镒（yì）：古代重量单位，二十两（一说二十四两）为一镒。

译文

孟子谒见齐宣王，说："建造大房子，就一定要叫工师去寻找大木料。工师找到了大木料，大王就高兴，认为工师是称职的。木匠加工木料，把木料砍小了，大王就发怒，认为木匠是不称职的。幼年开始通过学习而获得知识，长大后一定想去实践，大王却说'暂且放弃你所学的本领来听我发号施令'，那样行吗？设想现在有块璞玉在这里，虽然价值万金，也必定要叫玉人来雕琢加工。至于治理国家，却说'暂且放弃你所学的本领一切听从寡人安排'，如此与使玉石工匠听从大王的指点来营造玉石有什么不同呢？"

延伸阅读

国君如何用人

任何一位君主，都不会不想让国家长治久安。一个国家至少要传承几代君主之后，才能算是"故国"。这样的国家因为长期没有战乱，树木可以自然而然地成长，因此会有高大的树木，但是，只有高大的树木，却没有可亲可信、德高望重的大臣，恐怕难以持久。"世臣"不仅经验丰富，更重要的是有道德修养，足以为君主把握好治国的原则。然而，能不能得到这样的大臣，能不能使这样的大臣长期留在朝廷之中，却要看君主的态度如何。当君主对贤德的大臣无敬重之意的时候，大臣就会离开；当君主亲信奸佞之臣的时候，贤臣会身受其害。孟子告诫齐宣王，齐国已经没有这样的贤德之臣了，意味着齐国已经有亡国的隐患。

齐宣王固然也想让齐国长治久安，因此询问孟子如何才能鉴别人才而用之。孟子说：身边人都说贤能的，不一定可以；大夫们都说贤能的，也不一定可以；全国百姓都说他贤能，国君还要亲自去考察，确实贤明的才可以任用。身边人都说不行的，不一

定不可以；大夫们都说不行的，也不一定不可以；全国百姓都说他不行的，国君亲自考察，确实不行的，然后才可以贬退。身边人都说该杀的，不一定要杀；大夫们都说该杀的，也不一定要杀；全国百姓都说该杀的，国君亲自考察，确实该杀的，然后再杀他。这样才是一位知人善任、兼听则明的好国君。

孟子的这一论说是从孔子那里发展而来的。《论语·子路》里面有这样的记载：

子贡问孔子说："全乡人都喜欢他，这个人怎么样？"孔子说："不能肯定。"子贡又问孔子："全乡人都厌恶他，这个人怎么样？"孔子说："也不能肯定。最好的人是全乡的好人都喜欢他，全乡的坏人都厌恶他。"

孔子是从对人的识别方面去论述的，孟子是从国家选举人才的角度去论述的。这种"兼听则明，偏信则暗"的识人方法是有着积极的借鉴意义的。

有一则小故事：魏国大夫庞恭和魏国太子一起在赵国做人质，定于某日启程去赵国都城邯郸。临行时，庞恭对魏王说："如果有一个人对您说，我看见闹市熙熙攘攘的人群中有一只老虎，您相信吗？"魏王说："我当然不信。"庞恭又问："如果是两个人对您这样说呢？"魏王说："那我也不信。"庞恭紧接着追问了一句道："如果有三个人都说亲眼看见了闹市中的老虎，君王是否还不相信？"魏王说道："既然这么多人都说看见了老虎，肯定确有其事，所以我不能不信。"庞恭听了这话以后说："果然不出我所料，问题就出在这里！众所周知，一只老虎是决不敢闯入闹市之中的。如今君王不顾及情理、不深入调查，只凭三人说虎即肯定有虎，那么等我到了比闹市还远的邯郸，您要是听见三个或更多不喜欢我的人说我的坏话，岂不是要断言我是坏人吗？临别之前，我向您说出这点疑虑，希望君王一定不要轻信人言。”庞恭走后，一些平时对他心怀不满的人开始在魏王面前说他的坏话。时间一长，魏王果然听信了这些谗言。当庞恭从邯郸回魏国时，魏王再也不愿意召见他了。(《战国策·魏策》)

这个故事就是成语“三人成虎”的出处。我们判断一个人的好坏和一件事情的真伪，不能只听身边人的说法，必须经过细心考察和思考，否则就会出现“偏信则暗”、“三人成虎”的悲剧。

思考讨论

1. 请结合“选贤举能”小节，谈谈孟子的辩论风格。
2. 孟子对人才的考察方法有什么值得借鉴之处？

伐燕之战

齐人伐燕，胜之。宣王问曰：“或谓寡人勿取，或谓寡人取之。以万乘之国伐万乘之国，五旬而举之，人力不至于此。不取，必有天殃。取之，何如？”

孟子对曰：“取之而燕民悦，则取之。古之人有行之者，武王是也。取之而燕民不悦，则勿取。古之人有行之者，文王是也[1]。以万乘之国伐万乘之国，箪食壶浆以迎王师[2]，岂有他哉？避水火也。如水益深，如火益热，亦运而已矣。”

齐燕之战

注释

[1]文王是也：指周文王在三分天下有其二时，仍然侍奉商纣王的事。　[2]箪（dān）食壶浆：用箪装着食物，用壶装着酒浆。箪，古代盛饭的圆形竹器。

译文

齐国攻打燕国，战胜了燕国。齐宣王问道："有人劝我不要吞并燕国，有人劝我吞并燕国。以一个拥有万辆兵车的国家去攻打另一个拥有万辆兵车的国家，五十天就打了下来，光凭人力是做不到的。不吞并它，必定会有上天降下的灾祸。吞并它，怎么样？"

孟子回答说："如果吞并它而使燕国人民高兴，那就吞并它。古代有人这么做过，武王就是这样。如果吞并它而使燕国人民不高兴，那就不要吞并。古代也有人这么做过，文王就是这样。以拥有万辆兵车的国家去攻打另一个拥有万辆兵车的国家，百姓用筐盛着饭、用酒壶盛着酒浆来迎接大王的军队，难道有别的用意吗？只是想避开水深火热的生活罢了。如果水更深，火更热，百姓也就只有走避他方了。”

齐人伐燕，取之。诸侯将谋救燕。

宣王曰："诸侯多谋伐寡人者，何以待之？"

孟子对曰："臣闻七十里为政于天下者，汤是也。未闻以千里畏人者也。《书》曰：'汤一征，自葛始。'天下信之，东面而征，西夷怨；南面而征，北狄怨，曰：'奚为后我？'民望之，若大旱之望云霓也。归市者不止，耕者不变，诛其君而吊其民，若时雨降，民大悦。《书》曰：'徯我后，后来其苏。'今燕虐其民，王往而征之，民以为将拯己于水火之中也，箪食壶浆以迎王师。若杀其父兄，系累其子弟，毁其宗庙[1]，迁其重器[2]，如之何其可也？天下固畏齐之强也，今又倍地而不行仁政，是动天下之兵也。王速出令，反其旄倪[3]，止其重器，谋于燕众，置君而后去之，则犹可及止也。"

注释

[1]毁其宗庙:宗庙，天子、诸侯祭祀祖先的地方。国家保存，宗庙就得以保存。故“毁其宗庙”意味着灭其国家。 [2]迁其重器:重器，古代君王所铸造的作为传国宝器的鼎之类。“迁其重器”意味着灭亡其国家。 [3]旄倪(ní):旄，同“耄”，古时八十至九十岁称耄，这里泛指老人。倪，儿童。

译文

齐国攻打燕国，吞并了它，别的诸侯国正谋划援救燕国。

齐宣王道：“许多诸侯谋划来讨伐我，怎样来对付他们呢？”

孟子答道：“我只听说以方圆七十里疆土来统一天下的，商汤便是。没听说拥有方圆千里疆土而畏惧他人的。《尚书》中说：‘商汤当初的征讨，是从葛国开始的。’天下人都信赖他，当他东向征讨，西面的夷人就埋怨；当他南向征讨，北面的狄人也埋怨，都说：‘为什么把我们放在后面？’民众盼望他，如同大旱时盼望出现预示天将下雨的云霓一样。(他的军队所到之处)赶集的不停止买卖，种田的照常下田，诛杀残暴之君而安抚那里的民众，就像下了及时雨一样，老百姓十分高兴。《尚书》中说：‘等待我们的君王，君王一到，我们就得救了！’如今燕王虐待他的民众，大王前去讨伐，民众以为您将把他们从水深火热中拯救出来，所以他们用筐盛着饭、用酒壶盛着酒浆来迎接大王的军队。如果您杀死他们的父兄，俘虏他们的子弟，毁坏他们的祖庙宗祠，抢走他们的传国宝器，这样怎么行呢？天下的诸侯本来就畏惧齐国的强大，现在齐国土地扩大了一倍，而且不行仁政，这就不免要挑动天下诸侯兴兵动武了。大王现在赶快发布命令，释放他们的老小，停止运走他们的宝器，与燕国大众商议拥立新的燕王，然后撤出军队，那还来得及阻止各国的兴兵。”

延伸阅读

齐燕之战

早在齐威王（前356—前320在位）之时，孟子就到过齐国。齐威王是战国时比较有作为的君主，一心争霸中原，对孟子这样主张实行仁政的儒者不感兴趣。所以，第一次在齐逗留期间，孟子没有受到齐威王的任用。

公元前320年，齐威王去世，齐宣王继位。齐宣王好士，稷下学宫汇聚了大批的学者。孟子来到齐国的时候，齐宣王对孟子敬若上宾，礼遇有加。孟子在齐国先后逗留了六七年之久，本来孟子对齐国实行仁政抱有很大希望，认为齐是一个国力强盛的大国，齐宣王又有“愿夫子辅吾志，明以教我”（《孟子·梁惠王上》）的学习态度，但现实使他多次碰壁。齐宣王表面上对他十分尊敬，但从来没有认真采纳他的主张，虽然给他卿的职位，也只不过是摆摆样子而已。

公元前314年，燕国内乱，齐宣王派兵攻打燕国。齐宣王问孟子：是否应该进一步占领燕国呢？孟子劝齐宣王释放俘虏，归还重器，然后撤军，并与燕人相商，为燕国重立新君，然而齐宣王并没有听孟子的建议。“齐人取子之，醢之，遂杀燕王哙”（《资治通鉴·周纪三》），攻打下燕国之后，把作乱的相国之子剁成了肉酱，杀了燕王。

伐燕之战是齐国历史的转折点，它打破了原来国家之间稳定的政治局面，是齐国一系列军事外交失误的开始。在战国中期，秦国和齐国都是大国，立于战国版图的中西两边，两国之间也视对方为最强劲的对手。从齐威王至齐宣王，齐国被公认为五国（齐、魏、赵、韩、楚）合纵、共同抗秦的盟主，将秦国压制在函谷关以西，不敢向东进攻。

然而齐国占领燕国，不仅进一步激化了燕、齐矛盾，遭到燕国人的坚决反对，而且也引起了其他各诸侯国的不满，致使他们“将谋救燕”，三年之后，齐军被迫撤离了燕国。除此之外，齐国未能坚持同楚国的军事联盟，当楚国在秦国军队的大举进攻下损兵折将、遭到削弱时，齐国不但坐视不救，竟然目光短浅地乘人之危，逼楚割淮北之地，又与楚结怨。至齐湣（mǐn）王时，齐国吞并了宋国，此时，齐国的军事力量已经非常虚弱，成了强弩之末，而且同各诸侯国之间的关系都变得骤然紧张起来。在燕国的积极策划下，燕、赵、魏、韩、秦五国伐齐。从此齐国由盛转衰，一蹶不振。

经过伐燕之战，孟子进一步看出齐宣王无意推行其政治主张，于是辞退卿位，决意离开齐国。齐宣王亲自来看孟子，又通过臣子挽留，答应“授孟子室，养弟子以万钟”（《孟子·公孙丑下》），但被孟子拒绝。孟子离开齐国的时间大约在齐宣王八年（前312），当时孟子已经七十余岁，再无力周游列国，退而与万章之徒著书立说。

思考讨论

1. 你认为齐宣王为什么没有采纳孟子的建议？

2. 如果你是齐宣王，伐燕之后，你会怎么办？

3. 你认为孟子为什么会拒绝齐宣王“授孟子室，养弟子以万钟”的盛情挽留？

出尔反尔

邹与鲁哄[1]。穆公问曰："吾有司死者三十三人，而民莫之死也。诛之，则不可胜诛；不诛，则疾视其长上之死而不救，如之何则可也？"

孟子对曰："凶年饥岁，君之民老弱转乎沟壑，壮者散而之四方者，几千人矣[2]，而君之仓廪实，府库充，有司莫以告，是上慢而残下也。曾子曰[3]：'戒之戒之！出乎尔者，反乎尔者也。'夫民今而后得反之也。君无尤焉。君行仁政，斯民亲其上，死其长矣。"

注释

[1] 邹与鲁哄（hòng）：鲁，国名，其地在今山东西南部，国都在曲阜，前256年为楚所灭。哄，斗。 [2] 几：将近，几乎。 [3] 曾子：即曾参，字子舆，孔子弟子，以孝著称。据传《孝经》是曾子所著。

译文

邹国与鲁国发生了冲突。邹穆公问道："（这次冲突中）我的官员被打死了三十三个人，可民众却没有一个为他们死的。如果杀了这些人吧，（人太多）杀也杀不完；要是不杀吧，他们眼睁睁看着长官去死而不加救助，（实在可恨！）怎么办才行呢？"

孟子答道："在灾荒的年月里，您的百姓，年老体弱的弃尸于山沟荒野，年轻力壮的则四出逃荒，都将近千把人了。而您的粮仓盈实，库房充足，有关官员却不把这种情况上报，他们高高在上，不仅不关心民众，而且还残害他们。曾子说过：'要警惕啊，要警惕啊！你怎样对待别人，别人也会怎样回报你的。'民众如今才得到机会回报。您就别责怪他们了。如果您能施行仁政，那老百姓便会亲近他们的长官，也情愿为他们的长官去死的。"

延伸阅读

中国式的因果报应

孟子在青年时代勤奋好学，曾在十五岁时到鲁国向孔子的后代学生学习，精心研究儒家的学术思想，逐渐成为一名在邹鲁一带颇有影响的学者。孟子四十岁左右的时候，曾被邹穆公任用为士。不久，邹国与鲁国发生冲突。邹穆公问孟子："我的官员被打死了三十三个人，可民众却没有一个为他们死的……怎么办才行呢？"孟子分析了产生这种情况的原因，他批评邹穆公不施行仁政，灾荒年月百姓有很多饿死在荒野之中，还有许多人背井离乡，然而国库中的粮食却是满满的，下级官员不如实向上级报告灾情，这是在上位的人对百姓的戕害。接着，孟子引用了曾子的一段话："出乎尔者，反乎尔者也。"这句话后来变成了我们常说的一个成语，即"出尔反尔"。

"出尔反尔"最原始的意思是，你怎样对待别人，别人就会用同样的方式对待你。孟子引用这句话的原意是奉劝邹国统治者善待百姓，施行仁政，这样国家有危难的时候，百姓才会与国家共患难。清朝洪楝园的《后南柯·立约》提到："一要赔偿兵费；二要废去旧约；凡贵国所以待敝国的苛例，一一施之于贵国，此之谓出尔反尔。”这里用的就是“出尔反尔”的本意。

后来，“出尔反尔”被引申为形容人的言行反复无常，前后自相矛盾。在这个层面上，“出尔反尔”的反义词就是“诚信”。曾参杀猪的故事或许可以帮助我们更好地理解这个含义。

曾参，春秋末期鲁国有名的思想家、儒学家，是孔子门人中七十二贤之一。他博学多才，且十分注重修身养性，德行高尚。一次，他的妻子要到集市上办事，年幼的孩子吵着要去。曾参的妻子不愿带孩子去，便对他说：“你在家好好玩，等妈妈回来，将家里的猪杀了煮肉给你吃。”孩子听了，非常高兴，不再吵着要去集市了。这话本是哄孩子说着玩的，过后，曾参的妻子便忘了。不料，曾参却真的把家里的一头猪杀了。妻子看到曾参把猪杀了，就说：“我是为了让孩子安心地在家里等着，才说等赶集回来把猪杀了烧肉给他吃的，你怎么当真呢！”曾参说：“孩子是不能欺骗的。孩子年纪小，不懂世事，只得学习别人的样子，尤其是以父母作为生活的榜样。今天你欺骗了孩子，玷污了他的心灵，明天孩子就会欺骗你、欺骗别人；今天你在孩子面前言而无信，明天孩子就会不再信任你，你看这危害有多大呀。”

思考讨论

1. “出尔反尔”这个成语出自哪里？它本来的含义是什么？

2. 邹国与鲁国交战的时候，邹国的百姓为何不愿与国家的命运休戚与共？

为善之君

滕文公问曰[1]："滕，小国也，间于齐、楚。事齐乎？事楚乎？"

孟子对曰："是谋非吾所能及也。无已，则有一焉：凿斯池也，筑斯城也，与民守之，效死而民弗去，则是可为也。"

滕文公问曰："齐人将筑薛[2]，吾甚恐，如之何则可？"

孟子对曰："昔者大王居邠[3]，狄人侵之[4]。去之岐山之下居焉。非择而取之，不得已也。苟为善，后世子孙必有王者矣。君子创业垂统，为可继也。若夫成功，则天也。君如彼何哉？强为善而已矣。"

滕文公问曰："滕，小国也，竭力以事大国，则不得免焉，如之何则可？"

孟子对曰："昔者大王居邠，狄人侵之。事之以皮币，不得免焉；事之以犬马，不得免焉；事之以珠玉，不得免焉。乃属其耆老而告之曰：'狄人之所欲者，吾土地也。吾闻之也，君子不以其所以养人者害人。二三子何患乎无君？我将去之。'去

邠，逾梁山，邑于岐山之下居焉。邠人曰：'仁人也，不可失也。'从之者如归市。或曰：'世守也，非身之所能为也，效死勿去。'君请择于斯二者。"

注释

[1]滕文公：战国时滕国国君。滕立国于西周初，其地在今山东滕州西南。 [2]筑：巩筑城防。薛：国名，其地在今山东滕县东南，战国初期为齐所灭，后成为齐权臣田婴、田文的封邑。 [3]邠（bīn）：地名，在今陕西彬县。 [4]狄：即獯鬻。参看本章《匹夫之勇与仁义之勇》注[3]。

译文

滕文公问道："滕国是个小国，夹在齐国和楚国的中间，是侍奉齐国呢，还是侍奉楚国呢？"

孟子回答道："这个问题不是我的力量所能解决的。一定要我说，就只有一个办法：深挖护城河，筑牢城墙，与百姓共同守卫，百姓宁可献出生命也不逃离，这样就好办了。"

滕文公问道："齐国要修筑薛地的城池，我很担心，怎么办才好呢？"

孟子回答道："从前，太王居住在邠地，狄人侵犯那里，他便离开，迁到岐山下居住。不是他愿意选择那里居住，迫不得已罢了。（一个君主）如果能施行善政，后代子孙中必定会有称王于天下的。君子创立基业，传给后世，是为了可以继承下去。至于能否成功，那就由天决定了。您能拿齐国怎么样呢？只有努力推行善政罢了。"

滕文公问道："滕国是个小国，竭力去侍奉大国，却仍不能免除威胁，怎么办才好呢？”

孟子回答道：“从前，太王居住在邠地，狄人侵犯那里。（太王）拿皮裘丝绸送给狄人，不能免遭侵犯；拿良犬好马送给狄人，不能免遭侵犯；拿珠宝玉器送给狄人，还是不能免遭侵犯。于是太王召集邠地的长老们，对他们说：‘狄人想要的是我们的土地。我听说过这样一句话：君子不拿用来养活人的东西害人。你们何必担心没有君主？我要离开这里了。’于是他离开邠地，越过梁山，在岐山下建城邑定居下来。邠地的人说：‘这是个仁人啊，不能失去他啊。’追随他迁居的人，多得像赶集市一般。也有人说：‘（土地）是必须世世代代守护的，不是能自作主张的，拼了命也不能舍弃它。’请您在这两种办法中选择吧。”

延伸阅读

弱小之国亦有可为

滕国起源于西周，周文王第十四子姬叔绣被封滕地（今山东枣庄滕州）。《孟子·梁惠王下》记载：“滕，小国也，间于齐、楚。”《左传》记载：“取长补短之五十里。”可见滕国很小。但就是这样一个小国，却出现了一位著名的君主——滕文公。

周显王四十三年（前 326），滕文公以太子身份出使楚国，在途经宋国时，两次拜见孟子，向他请教治理国家的办法。

滕文公问：“滕，小国也，间于齐、楚。事齐乎？事楚乎？”孟子对曰：“是谋非吾所能及也。无已，则有一焉：凿斯池也，筑斯城也，与民守之，效死而民弗去，则是可为也。”（《孟子·梁惠王下》）

滕文公问为国。孟子曰：“民事不可缓也……民之为道也，有恒产者有恒心，无恒产者无恒心。苟无恒心，放辟邪侈，无不为已。及陷于罪，然后从而刑之，是罔民也。焉有仁人在位罔民而可为也？是故贤君必恭俭礼下，取于民有制。”（《孟子·滕文公上》）

周显王四十四年（前325），滕文公的父亲滕定公去世，文公继位。滕文公做国君后，礼聘孟子于上宫，推行孟子所提倡的公田制、禄之法，在国内推行仁政，实行礼制，兴办教育，改革赋税制度等。多年后，滕国人丁兴旺，国家富庶，名播四方，被誉为“善国”。

滕文公是他的谥号，根据他的谥号可见，终其一生，他是一位德高望重、正直不阿、有惠于民、好施仁政的国君。

思考讨论

1. 假设你是滕国的国君，你会怎样做，得以在齐、楚两个大国之间求得生存？

2. 简要阐述孟子的外交策略。

后丧逾前丧

鲁平公将出[1]，嬖人臧仓者请曰[2]：“他日君出，则必命有司所之。今乘舆已驾矣[3]，有司未知所之。敢请[4]。”

公曰：“将见孟子。”

曰：“何哉？君所为轻身以先于匹夫者，以为

贤乎？礼义由贤者出。而孟子之后丧逾前丧[5]。君无见焉！”

公曰：“诺。”

乐正子入见，曰：“君奚为不见孟轲也？”

曰：“或告寡人曰，‘孟子之后丧逾前丧’，是以不往见也。”

曰：“何哉君所谓逾者？前以士，后以大夫；前以三鼎，而后以五鼎与[6]？”

曰：“否。谓棺椁衣衾之美也。”

曰：“非所谓逾也，贫富不同也。”

乐正子见孟子，曰：“克告于君，君为来见也。嬖人有臧仓者沮君，君是以不果来也。”

曰：“行或使之，止或尼之[7]。行止，非人所能也。吾之不遇鲁侯，天也。臧氏之子焉能使予不遇哉？”

注释

[1]鲁平公：鲁国当时的君主。《史记·鲁世家》云：“景公二十九年卒，子叔立，是为平公。” [2]嬖人：受宠之人。[3]乘舆：天子和诸侯的车驾。 [4]敢：敬辞，无意义。[5]后丧逾前丧：后丧指丧母，前丧指丧父。 [6]三鼎、五鼎：古礼士用三鼎，大夫用五鼎。鼎，牲器，古代祭祀时盛放动物的容器。鼎的数量代表等级的尊卑。 [7]尼（nǐ）：阻止。

译文

鲁平公准备外出，他那个名叫臧仓的宠臣请示说：“平日大王外出，必定把所去的地方告知管事的臣下。现在车马都已备好了，可管事的臣下还不知道您要去哪里，我冒昧来请示一下。”

平公说：“将要去见孟子。”

臧仓说：“您不尊重自己身份而先去拜访一个普通人，为了什么呢？是认为孟子贤德吗？贤德之人的行为应该符合礼义，而孟子办母亲的丧事超过先前办父亲的丧事。您就别去见他了。”

平公说：“好吧。”

乐正子去见平公，说：“您为什么不见孟子了？”

平公说：“有人告诉我说，‘孟子办母亲的丧事超过先前办父亲的丧事’，所以我不去见他了。”

乐正子说：“您所说的超过指的是什么？是说前面办父亲的丧事用士礼，后面办母亲的丧事用大夫礼；前面设三鼎的供品祭父，后面设五鼎的供品祭母吗？”

平公说：“不，是指装殓的棺椁衣衾的精美。”

乐正子说：“这不能说是超过，只是前后贫富不同嘛。”

乐正子去见孟子，说：“我对鲁君说了，鲁君准备来见你。可有个名叫臧仓的宠臣阻止了他，鲁君因此没能来。”

孟子说：“要来，是有某种力量在促使；不来，也是有某种力量在阻止。来与不来，不是光凭人力所能决定的。我不能与鲁君相见，是出于天意。姓臧的那个人又怎能使我不与鲁君相遇呢？”

延伸阅读

丧葬之礼

中国古代的丧葬制度包括埋葬制度和居丧制度，居丧制度还可分为丧礼制度和丧服制度。无论是埋葬制度，还是丧礼制度、丧服制度，都具有等级分明、形式繁缛这两个显著的特点。

丧礼的前半部分，主要是通过小殓、大殓等方式，将遗体处理后装入棺柩。丧礼后半部分则是将棺柩安葬。《说文解字》云："葬者，藏也。"葬的目的是掩藏尸体。远古时代没有墓葬制度，人们通常将亲人遗体弃置野外，再用草掩盖。《说文解字》说："古之葬者，厚衣之以薪，故人持弓，会驱禽也。"由于亲人的遗体常常为飞禽猛兽撕咬，子女内心不忍，于是守在遗体旁，用弹弓驱赶鸟兽。相传到黄帝时开始使用棺椁，将遗体深埋，入土为安。

孟子替母亲办丧事比替先逝的父亲办丧事要隆重一些，历史上这一事件被称为"后丧逾前丧"。春秋战国时期，家庭伦理中，父亲的地位应该是最高的，母亲次之，父母的地位高于子孙。因此，礼规定：替父亲办丧事的规格应该高于替母亲办丧事。孟子替母亲办丧事的规格高于父亲，便被人认为是违礼的。乐正子将孟子逾礼的行为解释为贫富和地位不同，孟子之所以葬父薄于葬母，是因为葬父时贫，欲厚不能，葬母时富，有能力厚葬。

思考讨论

1. 你了解古代的丧葬之礼吗？你如何看待古代的丧葬礼节呢？

2. 你如何看待尊重传统与独立思考之间的关系？

第三章　公孙丑上

仁政而王

公孙丑问曰[1]："夫子当路于齐，管仲、晏子之功[2]，可复许乎？"

孟子曰："子诚齐人也，知管仲、晏子而已矣。或问乎曾西曰[3]：'吾子与子路孰贤[4]？'曾西蹴然曰：'吾先子之所畏也。'曰：'然则吾子与管仲孰贤？'曾西艴然不悦，曰：'尔何曾比予于管仲？管仲得君如彼其专也，行乎国政如彼其久也，功烈如彼其卑也。尔何曾比予于是？'"曰："管仲，曾西之所不为也，而子为我愿之乎？"

曰："管仲以其君霸，晏子以其君显。管仲、晏子犹不足为与？"

曰："以齐王，由反手也。"

曰："若是，则弟子之惑滋甚。且以文王之德，百年而后崩，犹未洽于天下；武王、周公继之[5]，然后大行。今言王若易然，则文王不足法与？”

曰：“文王何可当也？由汤至于武丁[6]，贤圣之君六七作，天下归殷久矣，久则难变也。武丁朝诸侯，有天下，犹运之掌也。纣之去武丁未久也，其故家遗俗，流风善政，犹有存者；又有微子、微仲、王子比干、箕子、胶鬲[7]，皆贤人也，相与辅相之，故久而后失之也。尺地，莫非其有也；一民，莫非其臣也。然而文王犹方百里起，是以难也。

“齐人有言曰：‘虽有智慧，不如乘势；虽有镃基[8]，不如待时。’今时则易然也。夏后、殷、周之盛，地未有过千里者也，而齐有其地矣；鸡鸣狗吠相闻，而达乎四境，而齐有其民矣。地不改辟矣，民不改聚矣，行仁政而王，莫之能御也。且王者之不作，未有疏于此时者也；民之憔悴于虐政，未有甚于此时者也。饥者易为食，渴者易为饮。孔子曰：‘德之流行，速于置邮而传命[9]。’当今之时，万乘之国行仁政，民之悦之，犹解倒悬也。故事半古之人，功必倍之，惟此时为然。”

注释

[1]公孙丑:姓公孙,名丑,孟子弟子。 [2]管仲:名夷吾,字仲,春秋初期政治家。曾任齐桓公的相,在齐国进行许多改革,增强了齐国的国力;辅佐齐桓公,使之成为春秋时第一个霸主。[3]曾西:名申,字子西,曾参之子。 [4]子路:姓仲,名由,字子路,孔子弟子。 [5]周公:姓姬,名旦,周武王之弟,因采邑在周(今陕西岐山北),称为周公。曾辅佐武王伐纣灭商,统一天下;后又辅佐成王,巩固了周初的统治。 [6]武丁:商代帝王,后被称为高宗。 [7]微子:商纣王的庶兄,名启。微仲:微启的弟弟。王子比干:纣王叔父,因多次劝谏,被纣王剖心而死。箕子:纣王叔父。胶鬲(gé):纣王之臣。 [8]镃(zī)基:锄头。[9]置邮:驿站。

译文

公孙丑问道:"老师如果在齐国当政,管仲、晏婴的功业能复兴吗?"

孟子答道:"你真是个齐国人,只知道管仲、晏婴而已。曾有人问曾西:'您与子路哪个更贤能?'曾西不安地说:'子路是我先人所敬畏的人啊。'那人又问:'那您与管仲哪个更贤能呢?'曾西怒形于色,说:'你怎么拿我和管仲来相比呢?管仲得到国君的信赖是那样的专一,主持国政的时间又是那样的长久,可成就的功业却是那样的微不足道,你怎么拿我和他来相比呢!'"孟子又说:"管仲是连曾西都不愿效法的人,你以为我愿学他的样吗?"

公孙丑说:"管仲辅佐齐桓公建立了霸业,晏婴辅佐齐景公使他名扬天下。难道管仲、晏婴这样的人都不值得效法吗?"

孟子说:"以齐国这样的条件来称王天下,就像手掌翻个转一

样容易。”

公孙丑说：“您这样说，学生就更不明白了。像周文王那样的德行，又活了近百岁才去世，都还没有做到天下一致；周武王、周公继承他的事业，然后才使王道政治大行。现在您把实行王政说得那么容易，难道文王还不足以效法吗？”

孟子说：“怎么可以与文王相比呢！从商汤到武丁，共有六七个圣贤的君主兴起，天下人归服殷商已经很久了，时间一久要变就难了。武丁使诸侯来朝见，一统天下，就像在手心里转动东西一样。商纣王与武丁相隔没多久，那些勋旧世家、传统习俗、良好作风、善政德教，当时还存留着；又有微子、微仲、王子比干、箕子和胶鬲这些贤德君子共同辅佐，所以过了很久才失去天下。那时，没有一尺土地不是殷王所有，没有一个民众不是殷王臣下。然而文王凭借方圆百里的国土起事，所以是很艰难的。

“齐国人有句俗话说：‘纵然有聪明，不如趁形势；纵然有锄头，不如待农时。’现今的时机容易称王天下。夏、商、周三代最盛时，国土都没有超过方圆千里的，而齐国却有那么广阔的辖地；（三代极盛时）鸡鸣狗叫的声音，从首都直到四方边境，处处可闻，而齐国就有那么多的民众。（在齐国目前这样的条件下）土地不必再开辟了，民众也不必再增多了，如果推行仁政以称王天下，那是没有谁能阻挡的。况且，称王天下的贤君不出现，时间没有比现在更久的了；民众被暴政的摧残迫害，没有比现在更厉害的了。饥饿的人不挑剔食物，口渴的人不苛求饮料。孔子说过：‘德政的推行，比驿站传递政令还要迅速。’现在这个时候，一个拥有万乘兵车的大国出来推行仁政，那民众的高兴，就如一个倒挂着的人被解救下来一样。所以，只要做古人一半的事，必定获得比古人多一倍的功效，这也只有现在这个时候才做得到。”

延伸阅读

管鲍之交

管仲与鲍叔牙是好朋友，他们合伙经商，但是到了分账的时候，管仲总是拿走大部分钱。鲍叔牙并不计较，反而说，管仲家境贫困需要用钱，多拿些有什么关系呢！后来，管仲和鲍叔牙同时进入齐国的政治圈，鲍叔牙侍奉公子小白，管仲侍奉公子纠。小白

管、鲍分金

和公子纠为了争夺政权大动干戈，管鲍俩人各为其主，管仲射了公子小白一剑，刚好射到带钩上，幸好带钩上的铜片抵住了箭头，所以箭没有射进腹部，否则公子小白肯定就没命了。

等到小白做了齐王，是为齐桓公，公子纠被杀死，管仲也被囚禁起来了。齐桓公想要任命鲍叔牙为国相，鲍叔牙却不肯接受，他说："您现在做了齐王，但是您还想不想称霸诸侯、拥有天下呢？"齐桓公急忙说："那是当然。"鲍叔牙说："如果这样，您不但不能杀管仲，还必须重用他。"齐桓公是个很有肚量的人，为了齐国的利益，他尽弃前嫌，拜了管仲为国相。鲍叔牙在推荐管仲辅佐齐桓公之后，甘愿身居管仲之下。鲍叔牙的子孙世代都在齐国享受俸禄，十几代人都得到了封地，往往都成为有名的大夫。所以天下人不称赞管仲的贤能，却称颂鲍叔牙能够识别人才。

管仲被任用以后，执掌齐国的政事，他说："仓库充实了，人才知道礼仪节操；衣食富足了，人才懂得荣誉和耻辱。居上位者遵循礼法行事，六亲自然和睦、关系稳固。礼义廉耻得不到伸张，国家就要灭亡。国家颁布的政令像流水的源泉一样畅通无阻，是因为它能顺应民情。"管仲积极改革内政，发展经济，重新给农民划分土地；由于他从小经商，他很重视和其他国家通商和发展手工业。他还对国家常设的军队实行严格的训练和管理，使之成为战斗力很强的一支军队。由于管仲的改革，齐国在几年内就兴盛起来，达到了"一匡天下，九合诸侯"的地位，成就了齐桓公的霸业。

有趣的是，管仲快要死的时候，齐桓公问："谁接任你的国相为好呢？"齐桓公提出让管仲的好朋友鲍叔牙来担任这一职务，想来管仲一定会同意。但是，管仲马上反对，认为不妥。他的理由是，鲍叔牙为人善良、方正，是道德上的第一等人，但是非常复杂的政治重任，并不是一个讲究方正的好人所能胜任的。后来，鲍叔牙知道了这件事，很欣慰地说：“管仲真是最了解我的人，我确实不能担当这个职位。”

后来，人们把管仲与鲍叔牙之间的情谊称为“管鲍之交”。

思考讨论

1. 孟子不能认同管仲的功业，原因何在？
2. 孟子认可文王、武王、周公的功业，原因何在？
3. 管仲、晏子与文王、武王、周公的根本差别是什么？

浩然之气

公孙丑问曰：“夫子加齐之卿相，得行道焉，虽由此霸王，不异矣。如此，则动心否乎？”

孟子曰：“否。我四十不动心。”

曰：“若是，则夫子过孟贲远矣[1]。”

曰：“是不难，告子先我不动心[2]。”

曰：“不动心有道乎？”

曰：“有。北宫黝之养勇也[3]：不肤桡，不目逃；思以一豪挫于人，若挞之于市朝；不受于褐宽博[4]，亦不受于万乘之君；视刺万乘之君，若刺褐夫；无严诸侯[5]，恶声至，必反之。孟施舍之所养勇也[6]，曰：

‘视不胜犹胜也。量敌而后进，虑胜而后会，是畏三军者也。舍岂能为必胜哉？能无惧而已矣。’孟施舍似曾子，北宫黝似子夏[7]。夫二子之勇，未知其孰贤，然而孟施舍守约也[8]。昔者曾子谓子襄曰[9]：‘子好勇乎？吾尝闻大勇于夫子矣：自反而不缩，虽褐宽博，吾不惴焉；自反而缩，虽千万人，吾往矣。’孟施舍之守气，又不如曾子之守约也。”

曰：“敢问夫子之不动心与告子之不动心，可得闻与？”

“告子曰：‘不得于言，勿求于心；不得于心，勿求于气。’不得于心，勿求于气，可；不得于言，勿求于心，不可。夫志，气之帅也；气，体之充也。夫志至焉，气次焉。故曰：‘持其志，无暴其气。’”

“既曰‘志至焉，气次焉’，又曰‘持其志，无暴其气’，何也？”

曰：“志壹则动气，气壹则动志也。今夫蹶者趋者，是气也，而反动其心。”

注释

[1]孟贲（bēn）：古代著名勇士，战国时卫国人。　[2]告

子：战国时人，名不详。其事迹见于《墨子·公孟》。年代有待考证。 [3] 北宫黝（yǒu）：姓北宫，名黝，齐国人，事迹不详。《淮南子·主术训》："握剑锋以离，北宫子司马蒯蒉，不使应战，操其角瓜，招其末，则庸人能以制胜。"高诱注云："北宫子，齐人也，孟子所谓北宫黝也。" [4] 褐宽博：指卑贱者。褐，粗布衣服。宽博，宽大的衣服。褐、宽博都是贱者之服。 [5] 严：畏惧。 [6] 孟施舍：姓孟，名施舍；一说姓孟施，名舍。事迹不详。 [7] 子夏：姓卜，名商，字子夏，孔子弟子。 [8] 约：简单易行。 [9] 子襄：曾参弟子。

译文

公孙丑问道："老师如果官居齐国卿相，能实现自己的抱负，即使成就霸业和王业，也不足为怪。如果这样，您是否会动心呢？"

孟子说："不会。我四十岁时就做到不动心了。"

公孙丑说："如此看来，老师比孟贲强多了。"

孟子说："这并不难，告子不动心比我还早。"

公孙丑说："做到不动心有方法吗？"

孟子说："有。北宫黝培养勇气的方法是：肌肤被刺不退缩，眼睛被刺不转睛，别人动了他一根毫毛，他便看做如在大庭广众之下被人鞭打一样；他既不愿受普通平民的侮辱，也不愿受大国君主的侮辱；他把刺杀大国的君主，看成和刺杀普通平民一样；他不畏惧国君侯王，谁骂他一句，他就一定要回敬一句。孟施舍培养勇气的方法，据他自己说：'我对待不能战胜的敌人和对待能够战胜的敌人一样。如果估量对方的力量后才前进，考虑有必胜的把握才交锋，这种人见了数量众多的敌军是会畏惧的。我孟施舍怎能够稳操胜券呢？我只是能够无所畏惧而已。'孟施舍有点像

曾子，北宫黝有点像子夏。这两人的勇气，我也说不准到底谁更强，但孟施舍的方法较为简约。从前曾子对子襄说：‘你爱好勇敢吗？我曾经在老师孔子那里听到过关于大勇的论述：自我反省，自己不在理上，哪怕对方是普通平民，我也不能去恐吓人家；自我反省，自己有理，哪怕面对千军万马，我也勇往直前。’孟施舍所守的是无所畏惧的勇气，这又不如曾子所守的原则简约。”

公孙丑说：“我斗胆问一声，老师的不动心和告子的不动心，能说给我听听吗？”

孟子答道：“告子说：‘对方语言的意思有弄不清的地方，不要在心上反复琢磨；对于某事的道理心里没底，不要去求助于气。’对于某事的道理心里没底，不要再去求助于气，这是可以的。而对对方语言的意思有弄不清的地方，不要在心上反复琢磨，那是不可以的。志是气的主帅，气是充满人身体的。志到哪里，气也随之到哪里，所以说：‘应该坚定自己的志，不要滥用自己的气。’”

公孙丑说：“您既然说‘志到哪里，气也随之到哪里’，又说‘应该坚定自己的志，不要滥用自己的气’，这是什么道理呢？”

孟子说：“志如果专一了就会影响到气，气如果专一了也会影响到志。现在我们看那些摔倒和奔跑的人，这都只是气，却反过来影响了他们的志（使他们心浮了）。”

“敢问夫子恶乎长？”

曰：“我知言，我善养吾浩然之气。”

“敢问何谓浩然之气？”

曰：“难言也。其为气也，至大至刚，以直养而无害，则塞于天地之间。其为气也，配义与道；

无是，馁也[1]。是集义所生者，非义袭而取之也[2]。行有不慊于心[3]，则馁矣。我故曰，告子未尝知义，以其外之也。必有事焉，而勿正，心勿忘，勿助长也。无若宋人然：宋人有闵其苗之不长而揠之者[4]，芒芒然归，谓其人曰：'今日病矣[5]！予助苗长矣！'其子趋而往视之，苗则槁矣。天下之不助苗长者寡矣。以为无益而舍之者，不耘苗者也；助之长者，揠苗者也。非徒无益，而又害之。"

"何谓知言？"

"诐辞知其所蔽[6]，淫辞知其所陷[7]，邪辞知其所离[8]，遁辞知其所穷[9]。生于其心，害于其政；发于其政，害于其事。圣人复起，必从吾言矣。"

注释

[1] 馁：气馁，缺少热情。 [2] 袭：偶然发生。 [3] 慊（qiè）：满意。 [4] 闵：担忧。揠（yà）：拔。 [5] 病：累。 [6] 诐（bì）：偏颇。蔽：遮蔽。 [7] 淫：过分。陷：失误。 [8] 离：叛离。 [9] 遁：逃避。穷：理屈。

译文

公孙丑说："我斗胆地问老师擅长于什么？"

孟子说："我善于分析了解别人的言辞，我善于培养我的浩

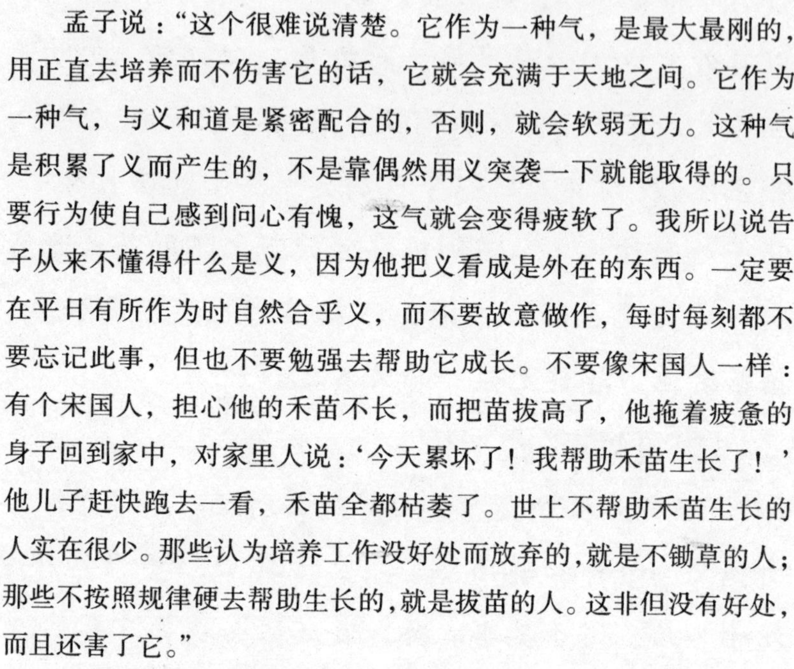

然之气。”

公孙丑说：“我再斗胆问一句，什么叫做浩然之气？”

孟子说：“这个很难说清楚。它作为一种气，是最大最刚的，用正直去培养而不伤害它的话，它就会充满于天地之间。它作为一种气，与义和道是紧密配合的，否则，就会软弱无力。这种气是积累了义而产生的，不是靠偶然用义突袭一下就能取得的。只要行为使自己感到问心有愧，这气就会变得疲软了。我所以说告子从来不懂得什么是义，因为他把义看成是外在的东西。一定要在平日有所作为时自然合乎义，而不要故意做作，每时每刻都不要忘记此事，但也不要勉强去帮助它成长。不要像宋国人一样：有个宋国人，担心他的禾苗不长，而把苗拔高了，他拖着疲惫的身子回到家中，对家里人说：‘今天累坏了！我帮助禾苗生长了！’他儿子赶快跑去一看，禾苗全都枯萎了。世上不帮助禾苗生长的人实在很少。那些认为培养工作没好处而放弃的，就是不锄草的人；那些不按照规律硬去帮助生长的，就是拔苗的人。这非但没有好处，而且还害了它。”

公孙丑又问：“什么叫做善于分析了解别人的言辞呢？”

孟子说：“听到偏颇的言辞，我知道哪里片面了；听到过分的言辞，我知道哪里失误了；听到邪僻的言辞，我知道哪里背离正道了；听到躲闪的言辞，我知道哪里理屈词穷了。这四种言辞，如果从内心产生，便会在政治上产生危害；如果体现于政治举措上，便会妨害国家各种事务。即使圣人再出现，也必定会赞同我说的这些话的。”

“宰我、子贡善为说辞[1]，冉牛、闵子、颜渊善言德行[2]。孔子兼之，曰：‘我于辞命，则不能也。’

然则夫子既圣矣乎？”

曰：“恶！是何言也！昔者子贡问于孔子曰：‘夫子圣矣乎？’孔子曰：‘圣则吾不能。我学不厌而教不倦也。’子贡曰：‘学不厌，智也；教不倦，仁也。仁且智，夫子既圣矣。’夫圣，孔子不居，是何言也？”

“昔者窃闻之：子夏、子游、子张皆有圣人之一体[3]，冉牛、闵子、颜渊则具体而微。敢问所安。”

曰：“姑舍是。”

曰：“伯夷、伊尹何如[4]？”

曰：“不同道。非其君不事，非其民不使；治则进，乱则退，伯夷也。何事非君[5]，何使非民；治亦进，乱亦进，伊尹也。可以仕则仕，可以止则止，可以久则久，可以速则速，孔子也。皆古圣人也，吾未能有行焉。乃所愿，则学孔子也。”

注释

[1] 宰我、子贡：都是孔子弟子。宰我，姓宰，名予，字子我。子贡，姓端木，名赐，字子贡。　[2] 冉牛、闵子、颜渊：都是孔子弟子。冉牛，姓冉，名耕，字伯牛。闵子，姓闵，名损，字子骞。颜渊，姓颜，名回，字子渊。　[3] 子游、子张：都是孔子弟子。子游，姓言，名偃，字子游。子张，姓颛（zhuān）孙，名师，字

子张。[4]伯夷：商末孤竹国君的长子。初，孤竹君以次子叔齐为继承人；死后，叔齐让位给伯夷，伯夷不受，后两人都投奔到周。周武王伐纣时，伯夷兄弟两人拦马谏阻武王；周灭商后，两人隐居首阳山，不食周粟而死。伊尹：商汤之相，曾辅汤灭夏。

[5]何：通“可”。

译文

公孙丑说：“宰我、子贡善于讲说言辞；冉牛、闵子和颜渊善于阐述道德。孔子兼有他们的长处，但他还是说：‘我对于辞令，并不擅长。’那么老师（既知言，又善养浩然之气）已经是圣人了吗？”

孟子说：“哎！这是什么话！以前子贡问孔子道：‘老师已经是圣人了吗？’孔子说：‘圣人，我还不能做到，我能做到的只是学习不感到满足、教人不知疲倦罢了。’子贡说：‘学习不满足，那是智的表现；教人不知疲倦，那是仁的表现。既仁又智，老师已经称得上是圣人了。’圣人的称号，孔子都不敢自居。你这是什么话！”

公孙丑说：“过去我听说过，子夏、子游和子张都各有孔子一方面的长处，冉牛、闵子和颜渊大体接近于孔子，但比不上他博大。请问老师自居于哪一种呢？”

孟子说：“暂且不谈这个。”

公孙丑说：“伯夷和伊尹怎么样呢？”

孟子说：“他们处世之道不同。不是他认可的君主不侍奉，不是他认可的民众不使唤，世道太平就出来做官，世道昏乱便退而隐居，这是伯夷的处世态度。什么君主都可以侍奉，什么民众都可以使唤，世道太平也做官，世道昏乱也做官，这是伊尹的处世态度。应该做官就做官，应该退隐就退隐，应该长久就长久，应该短暂就短暂，这是孔子的处世态度。他们都是过去的圣人，我没能做到他们那样。至于我个人的愿望，则是要学习孔子。”

“伯夷、伊尹于孔子，若是班乎[1]？”

曰：“否。自有生民以来，未有孔子也。”

曰：“然则有同与？”

曰：“有。得百里之地而君之，皆能以朝诸侯，有天下；行一不义、杀一不辜而得天下，皆不为也。是则同。”

曰：“敢问其所以异。”

曰：“宰我、子贡、有若[2]，智足以知圣人，污不至阿其所好。宰我曰：‘以予观于夫子，贤于尧、舜远矣。’子贡曰：‘见其礼而知其政，闻其乐而知其德，由百世之后，等百世之王，莫之能违也。自生民以来，未有夫子也。’有若曰：‘岂惟民哉！麒麟之于走兽，凤凰之于飞鸟，太山之于丘垤，河海之于行潦[3]，类也。圣人之于民，亦类也。出于其类，拔乎其萃。自生民以来，未有盛于孔子也。’”

注释

[1]班:同等。 [2]有若:字子有,孔子弟子。 [3]行潦:路上的积水。

译文

公孙丑问:“伯夷、伊尹相对于孔子来说,可以相提并论吗?”

孟子说:“不可以。自有人类以来,没有比得上孔子的。”

公孙丑问:“那么他们有共同之处吗?”

孟子说:“有。如果能有方圆百里的一块地方而由他们做君主,他们都能使诸侯来朝见而拥有天下;如果要他们干一件不义的事情,杀一个无辜的人而让他们得到天下,他们都是不愿去干的。这些是他们相同的地方。”

公孙丑说:“请问孔子和他们不同的地方。”

孟子说:“宰我、子贡、有若,他们的智慧足以了解孔子,即使有所夸大,也不至于阿谀吹捧他们所敬爱的人。宰我说:‘根据我对老师的观察,老师远远超过尧、舜了。’子贡说:‘见了一国礼制,就能知道一国的政治;听了一国的音乐,就能了解一国的道德。即使从一百代以后来评价这一百代的君主,也没有谁能违背孔子这个道理的。自有人类以来,没有比得上孔子的。’有若说:‘难道只有民众如此吗?麒麟对于走兽,凤凰对于飞鸟,泰山对于土丘,河海对于路上的小水潭,都是同类的。圣人对于民众,也是同类的。但远远超过了他的同类,大大高出他的同类。自有人类以来,没有比孔子更伟大的了。’”

延伸阅读

孟子的“养气说”

“气”在中国传统文化中具有十分重要的地位，它不仅是中国哲学的一个基本概念，同时也与中国传统医学、术数、养生、宗教有着千丝万缕的联系。

在孟子之前，中国早就有了关于“气”的学说：

一、阴阳二气失和是产生地震的原因。公元前780年，西周发生了地震，伯阳父做出了这样的解释：“夫天地之气，不失其序，若过其序，民乱之也。阳伏而不能出，阴迫而不能烝，于是有地震。今三川实震，是阳失其所而镇阴也。”（《国语·周语上》）

二、“气”是影响身体健康的致病因素。晋侯患病后向秦国求医，秦伯让秦国名医医和为晋侯诊病后，提出了著名的“六气病源”学说：“天有六气，降生五味，发为五色，徵为五声。淫生六疾。六气曰阴、阳、风、雨、晦、明也。分为四时，序为五节，过则为灾：阴淫寒疾，阳淫热疾，风淫末疾，雨淫腹疾，晦淫惑疾，明淫心疾。”（《左传·昭公元年》）此学说是“六气以阴阳为纲，而淫生六疾统于阴阳”，被后世称为病因理论的始祖。

三、“气”是天地万物的本源。“道生一，一生二，二生三，三生万物。万物负阴而抱阳，冲气以为和。”（《老子·第四十二章》）老子认为，混沌未分的“道”，自我分化生长出“一”，“一”就是统一的气；“一生二”，从统一的气中分化出对立的阴阳二气；“二生三”，阴阳二气互相激荡产生“和”，于是万物依次生成了。后来，“气”是万事万物的构成因素，为中国许多思想家所接受。

孟子的“养气说”，是孟子人格塑造的一部分。他认为，人体内充盈着“气”，这种“气”养到一定境界就是“浩然之气”。他

说这种气至大至刚，用道德培养而不加伤害，就会充盈天地之间；它源于正义的长期积累，而不是心血来潮偶尔为之。而一旦做了问心有愧的事情，“气”便衰弱了，这就叫“气馁”。孟子的“养气说”对后世知识分子的修养功夫产生了巨大影响。

南宋文天祥在狱中写下了非常有名的《正气歌》。《正气歌》序中讲到了文天祥当时的精神力量来源于孟子。他说：

“我被囚禁在一个小土牢里，土牢很小，宽八尺，深四寻，窗子又低又小，光线昏暗。在这间牢房里有七种气：第一，‘水气’，也就是说牢房很潮湿。第二，土气，潮湿的土地散发出臭味。第三，日气，太阳照射着房子非常热。第四，火气，因为在房檐下，有人做饭，烟火之气会飘到这间牢房里面来。第五，米气，牢房靠近仓库，仓库里粮食腐烂了，臭味一阵阵飘过来。第六，人气，囚牢里有很多的囚犯，囚犯因常年不洗澡，身上有臭味，所以有人气。第七，秽气，各种各样腐烂的东西，包括腐烂的尸体、腐臭的老鼠等。

“一般人面对这么多伤身之气，很少不生病、身上不生疮的，但是，我这样一个身体瘦弱的人，在这里已经待了两年了，竟然身体健康，没有生病，是什么东西让我的身体这么强壮呢？是什么东西帮助我抵挡这七种臭气的侵袭呢？孟子说：‘吾善养吾浩然之气。’我内心里有浩然之气，这一种气可以抵挡七种气。我又怎么会生病呢？”

“浩然之气”是人格修养的最高境界。有了这种“气”，才能有“富贵不能淫，贫贱不能移，威武不能屈”的气节；有了这种“气”，才能有“为天地立心，为生民立命，为往圣继绝学，为万世开太平”的壮志；有了这种“气”，才能有“我自横刀向天笑，去留肝胆两昆仑”的慷慨就义。孟子追求的人格理想是中国传统文化的精华，在中国历史上，无数的仁人志士为追求真理和正义勇于献身的壮举，可以说在不同程度上都受到了孟子思想的感染。

思考讨论

1. 孟子所说的“不动心”究竟是指什么？

2. 你是如何理解“浩然之气”的呢？

3. 孟子认为孔子超越前人的贡献是什么？

4. 孟子用“揠苗助长”的寓言来指什么？

以德服人

孟子曰：“以力假仁者霸，霸必有大国；以德行仁者王，王不待大——汤以七十里，文王以百里。以力服人者，非心服也，力不赡也；以德服人者，中心悦而诚服也，如七十子之服孔子也[1]。《诗》云：‘自西自东，自南自北，无思不服[2]。’此之谓也。”

注释

[1] 七十子：传说孔子有弟子三千，其中优秀者七十二人，这里是举其整数。《史记·孔子世家》曰：“孔子以诗书礼乐教，弟子盖三千焉，身通六艺者七十有二人。” [2]“自西”三句：出自《诗经·大雅·文王有声》。思，助词，没有意义。

译文

孟子说："凭借武力之实假托仁义之名可以称霸，如此称霸必须具备大国的条件；依靠道德施行仁政的可以称王，称王不一定要有大国的条件——商汤凭方圆七十里的地方，文王凭方圆百里的地方就称王了。靠武力使人服从，别人不是真心服从，只是力量不够罢了；靠道德使人服从，别人就会心悦诚服，就像七十位弟子敬服孔子那样。《诗经》上说：'从西到东，从南到北，无不心悦诚服。'说的正是这层意思。"

孟子曰："仁则荣，不仁则辱。今恶辱而居不仁，是犹恶湿而居下也。如恶之，莫如贵德而尊士，贤者在位，能者在职。国家闲暇，及是时，明其政刑，虽大国，必畏之矣。《诗》云：'迨天之未阴雨，彻彼桑土，绸缪牖户。今此下民，或敢侮予[1]？'孔子曰：'为此诗者，其知道乎！能治其国家，谁敢侮之？'今国家闲暇，及是时，般乐怠敖[2]，是自求祸也。祸福无不自己求之者。《诗》云：'永言配命，自求多福[3]。'《太甲》曰[4]：'天作孽，犹可违；自作孽，不可活。'此之谓也。"

注释

[1]"迨天"五句：出自《诗经·豳风·鸱鸮》。桑土，指桑根的皮。土，通"杜"。《方言》："东齐谓根曰杜"。绸缪（chóu

móu),缠结。牖(yǒu)户,窗门。这里指巢穴洞口。 [2] 般(pán)乐:作乐,享乐。怠:怠惰。敖:同“遨”,出游。 [3]“永言”二句:出自《诗经·大雅·文王》。《毛诗外传》曰:“永,长也。”言,语中助词,无意义。配命,与天命相配。 [4]《太甲》:《尚书》中的一篇,但《今文尚书》、《古文尚书》中都失传此篇。现在《尚书》中的《太甲》,系晋人梅赜所伪作。

译文

孟子说:“国君如能施行仁政就会有荣耀,不施行仁政就将遭屈辱。现在这些人既厌恶屈辱,可仍然安于不仁的现状,这好比讨厌潮湿却甘心居住在低下的地方。如果真的厌恶屈辱,不如以德为贵而尊重士人,使贤德的人治理国家,让有才能的人担任官职。国家安定,趁这个时机,修明政教法典,哪怕是大国,也一定会对此感到畏惧了。《诗经》中说:‘趁着天还没阴雨,剥取桑根上的皮,把那门窗修理好。那住在下面的人,又有谁敢欺侮我?’孔子说:‘作这首诗的人,懂得治国的道理啊!能治理好他的国家,谁还敢欺侮他们?’现在国家安定,趁这个时机,追求享乐,怠惰游玩,这简直是自取祸害。祸和福没有不是自己找来的。《诗经》中说:‘应该念念不忘与天命配合,自己去多寻求点幸福。’《太甲》中说:‘天降祸害,还可以躲避;自己作孽,逃也没法逃。’说的正是这个意思。”

延伸阅读

修养一则——宽容（节选）

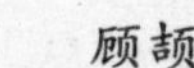

顾颉刚

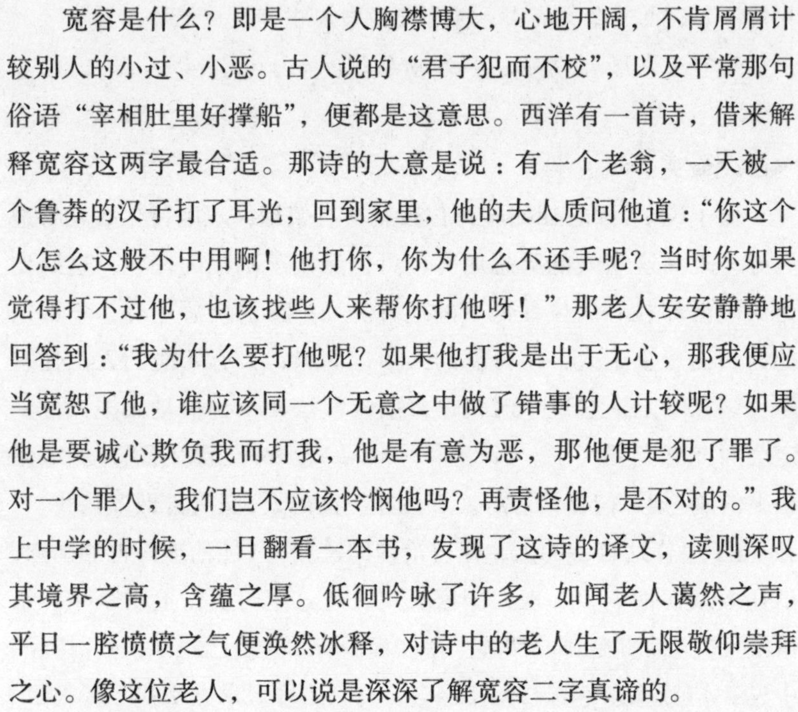

宽容是什么？即是一个人胸襟博大，心地开阔，不肯屑屑计较别人的小过、小恶。古人说的“君子犯而不校”，以及平常那句俗语“宰相肚里好撑船”，便都是这意思。西洋有一首诗，借来解释宽容这两字最合适。那诗的大意是说：有一个老翁，一天被一个鲁莽的汉子打了耳光，回到家里，他的夫人质问他道：“你这个人怎么这般不中用啊！他打你，你为什么不还手呢？当时你如果觉得打不过他，也该找些人来帮你打他呀！”那老人安安静静地回答到：“我为什么要打他呢？如果他打我是出于无心，那我便应当宽恕了他，谁应该同一个无意之中做了错事的人计较呢？如果他是要诚心欺负我而打我，他是有意为恶，那他便是犯了罪了。对一个罪人，我们岂不应该怜悯他吗？再责怪他，是不对的。”我上中学的时候，一日翻看一本书，发现了这诗的译文，读则深叹其境界之高，含蕴之厚。低徊吟咏了许多，如闻老人蔼然之声，平日一腔愤愤之气便涣然冰释，对诗中的老人生了无限敬仰崇拜之心。像这位老人，可以说是深深了解宽容二字真谛的。

说到宽容二字，人人都知道，却极不容易做到，原因有二端。

第一，由于忌妒心重，许多人都是卑琐儇薄、心地狭小，自己无能，却又怕别人超过了他。遇到有才干的人，只想将这人打倒，那人有得罪他的行为，自然会触怒了他；即使是小心翼翼地低头做事，毫无过咎，他也要整天对这个人吹毛求疵，挑刺拨眼的。偶然寻出那人一丝疏忽处，他便如抓住了这个人的小辫子，再也不肯放手了。于是他把那一丝小过失故意延展扩大，再添上种种罪名，到处宣传张扬，恨不得将那个人下到阿鼻地狱才甘心。只要能将这个人打倒，什么手段他都肯用。在这种心理的支配之下，借了别人的斧子，砍杀自己家人的事，古往今来，不知演出过了多少，说起来真叫人痛心。社会上这种忌妒心重的人一多，害得一些人做事时，终日战战兢兢，如蹈虎尾，如履薄冰，不知何时会获重咎。结果，要做事的也不敢做事了，有才能的也不敢表现了，造成了死气沉沉的社会。

第二，由于利欲心重，那心头终日横亘着利欲之念的人，也不会有宽容的美德的。这种人，只贪利禄而不顾道义，愿做贵人而不想做好人。假使天底下只有一个这样的人还不要紧，到两个这样的人一碰头，便要产生出无限的是非争吵来了。譬如说，张三和李四两个人，都想将某一批钱财弄到自己手里，或都想获得某一个地位。在这种情形下，两个人便会结下怨仇，张三觉得李四是自己的仇敌，李四见了张三也会埋怨上天为什么会生了这样一个讨厌的人，两人一相见时，少不得要厮杀一番，拼个你死我活。结果，为了各人都想将对方消灭，宁自做个相争的蚌鹬，使别人坐收渔人之利，而自己是同归于尽。

思考讨论

1. 请举出几个你所知道的中国历史上推行“王道”和“霸道”的君王。你认为哪种统治好呢？

2. 请结合中国历史上的盛世，说说哪些政治举措属于“仁政”。

无敌于天下

孟子曰："尊贤使能，俊杰在位，则天下之士皆悦，而愿立于其朝矣；市，廛而不征，法而不廛，则天下之商皆悦，而愿藏于其市矣；关，讥而不征，则天下之旅皆悦，而愿出于其路矣；耕者，助而不税[1]，则天下之农皆悦，而愿耕于其野矣；廛[2]，无夫里之布[3]，则天下之民皆悦，而愿为之氓矣。信能行此五者，则邻国之民仰之若父母矣。率其子弟，攻其父母，自有生民以来，未有能济者也。如此，则无敌于天下。无敌于天下者，天吏也。然而不王者，未之有也。"

注释

[1] 助：指助耕公田。相传殷周时代实行一种叫"井田制"的土地制度。一里见方的土地划作"井"字形，成九块，每块百亩，其中一块作为公田，其余八块分给八家，八家同养公田。

[2] 廛（chán）：市中储藏、堆放货物的场所。

[3] 夫里之布：即"夫布"、"里布"。夫布，一夫的劳役税；里布，一户的地税。布，古代的一种货币。

译文

孟子说："尊重有道德的人，使用有能力的人，让杰出的人为官来治理国家，那么天下的士人都会高兴，愿意到这样的朝廷里来做官。市场上，提供藏货的货栈而不征税，遇上货物滞销按法定价格征购，不让它们长期积压在货栈中，那么天下的商人都会高兴，愿意把货物存放到这样的市场上；关卡上，只稽查而不征税，那么天下的旅客都会高兴，愿意取道于这样的国家；耕田的人，只须帮着耕种公田而不必另交租税，那么天下的农民都会高兴，愿意到这样的田里来耕种；居民不必交纳额外的赋税和服额外的徭役，那么天下民众都会高兴，愿意到这样的地方来居住。要是真能做到上面五点，那么邻国的老百姓，便会对这样的国君像对父母般的仰慕了。（邻国之君如想侵犯这样的国家，就好比）率领儿女们去攻打自己的父母，这种事从有人类以来，还没有谁成功过。这样，就是无敌于天下。无敌于天下的人，就叫做‘天吏’。做到这样而不能称王天下，还从来没有过。”

延伸阅读

井田制

井田制是中国古代的土地所有制形态，《诗经》、《周礼》、《孟子》等古籍中都有记载，井田制实际上是一种农村公社。

“井田”一词，最早见于《谷梁传·宣公十五年》：“古者三百步为里，名曰井田。井田者，九百亩，公田居一。”所谓“井田”，是指将九百亩土地，划为九块，每块一百亩，八家共耕中间的一百亩公田，每家都有一百亩私田。井田制由原始氏族公社土地公有制发展演变而来，其基本特点是实际耕作者对土地无所有权，而只有使用权，土地在一定范围内实行定期平均分配。

春秋晚期，井田制逐渐瓦解。促成这一变革的因素，是生产力水平的提高。铁器的使用和牛耕的推广，为人们开辟广阔的山林、

兴修大型水利工程带来了方便，耕地面积和农业产量大幅度增长。井田制的“千耦其耘”、“十千维耦”的集体劳动形式已经不适应生产发展，而分散的、以一家一户为单位的封建经济形式兴起了。公元前361年，商鞅在秦国实施改革，主要内容有“废井田”，“开阡陌”，“民得买卖”，承认土地私有。这些举措大大提高了秦国的生产力，后为战国时期许多国家所效仿。

思考讨论

1. 你认为什么样的国家才会吸引百姓移居到那里？

2. 孟子曾多次论述一个国家如何才能天下无敌，请简要概括孟子的治国思想。

3. 你赞同孟子的治国思想吗？为什么？

人心四端

孟子曰：“人皆有不忍人之心。先王有不忍人之心，斯有不忍人之政矣。以不忍人之心，行不忍人之政，治天下可运之掌上。所以谓人皆有不忍人之心者，今人乍见孺子将入于井[1]，皆有怵惕恻隐之心[2]。非所以内交于孺子之父母也[3]，非所以要誉于乡党朋友也[4]，非恶其声而然也。由是观之，无恻隐之心，非人也；无羞恶之心，非人也；无辞

让之心，非人也；无是非之心，非人也。恻隐之心，仁之端也；羞恶之心，义之端也；辞让之心，礼之端也；是非之心，智之端也。人之有是四端也，犹其有四体也。有是四端而自谓不能者，自贼者也；谓其君不能者，贼其君者也。凡有四端于我者[5]，知皆扩而充之矣，若火之始然[6]，泉之始达。苟能充之，足以保四海[7]；苟不充之，不足以事父母。”

注释

[1] 乍：犹“忽”，忽然。 [2] 怵（chù）：《说文解字》：“怵，恐也。”惕：犹“惧”，害怕。恻：《说文解字》：“痛也。”隐：怜悯。 [3] 内（nà）交：纳交，结交。 [4] 要：求，谋求。 [5] 我：自己。 [6] 然：同“燃”。 [7] 保：安定。

译文

孟子说：“人人都有怜悯他人的心。古代帝王有这种怜悯别人的心，这样才有怜悯百姓的仁政。拿这种怜悯别人的心，去施行怜悯百姓的仁政，治理天下就像在手掌上转动一件小东西那样容易了。我之所以说人人都有怜悯他人的心，（譬如）现在人们突然看见小孩将要掉入井里去，都会立即产生一种惊惧和同情之心。这不是为了想跟孩子的父母攀交情，不是为了要在邻里朋友中获得好名声，也不是由于厌恶孩子的啼哭声才这样做的。由此看来，没有同情之心，不能算是人；没有羞耻之心，不能算是人；没有礼让之心，不能算是人；没有是非之心，不能算是人。同情之心，

是仁的开端；羞耻之心，是义的开端；礼让之心，是礼的开端；是非之心，是智的开端。人有这四个开端，就如同他有四肢一样。有这四个开端却自认不行的人，是自己损害自己；说他的国君不行的人，是损害他的国君。凡是具有这四个开端的人，要是知道把它们都扩充起来，那就会像火刚开始点着、泉水刚开始流出一样。如果能够扩充它们，就足以安定天下；如果不去扩充它们，那就连自己的父母也无法奉养。”

延伸阅读

四端之心

战国时期，人性问题成了学者们讨论的一个热门问题，大体分为三种观点：

一、孟子的性善论。孟子认为，人生而有恻隐之心、羞恶之心，辞让之心、是非之心，这四心是仁、义、礼、智的开端。孟子还把人性比作流水，“人性之善也，犹水之就下也。人无有不善，水无有不下”（《孟子·告子上》）。

二、荀子的性恶论。荀子认为，人性就是人与生俱来的天性，不是后天学来的，也不是后天修饰的。他说：“今人之性，生而有好利焉，顺是，故争夺生而辞让亡焉；生而有疾恶焉，顺是，故残贼生而忠信亡焉；生而有耳目之欲，有好声色焉，顺是，故淫乱生而礼义文理亡焉。”（《荀子·性恶篇》）那么为什么会有道德君子呢？他认为“人之性恶，其善者伪也”，善是后天环境和教化学习的结果。

三、告子的性无善恶说。他说：“人性之无分于善不善也，犹水之无分于东西也。”（《孟子·告子上》）人性好比湍急的水，在东边开个口就往东流，在西边开个口就往西流。人性本来就不分善与不善，就像水流本来不分向东向西一样。

孟子的性善论后来成了中国思想的主流，《三字经》第一句话就说："人之初，性本善。"下面我们来简单解读一下作为孟子性善论基础的"四心说"：

第一，人都有恻隐之心。"恻"是伤之切，"隐"是痛之深。"恻隐之心"是不忍之心，表示一个人对另外一个生命个体的怜惜，是"仁"的表现。正是有了恻隐之心，人才会相互关爱。

第二，人都有羞恶之心。"羞"是感到耻辱，"恶"是厌恶。羞恶之心是人的道德底线，有了羞恶之心才能远离违背道德之事。

第三，人都有辞让之心。"辞让"就是谦让的意思。对别人谦让就是有礼。谦让可以化解冲突，使社会井然有序，让人们和谐共处。

第四，人都有是非之心。是非是价值判断，每个人天生都应该有分辨是非、判断善恶的能力，这样才能远恶近善。

这"四心"人皆有之，是仁、义、礼、智的发端。这四端就像我们心中的小苗，需要我们后天不断地扩充培养，将这些德性进一步发展扩充，使我们的道德逐渐完善。

思考讨论

1. 什么是"不忍人之心"？

2. 孟子讲的"四心"，你有过体会吗？

3. 孟子认为，有没有"四心"是人与"非人"的根本差别。你认同这种说法吗？为什么？

里仁为美

孟子曰："矢人岂不仁于函人哉[1]？矢人唯恐不伤人，函人唯恐伤人。巫匠亦然[2]。故术不可不慎也。孔子曰：'里仁为美[3]。择不处仁，焉得智？'夫仁，天之尊爵也，人之安宅也。莫之御而不仁，是不智也。不仁不智、无礼无义，人役也。人役而耻为役，由弓人而耻为弓[4]，矢人而耻为矢也。如耻之，莫如为仁。仁者如射：射者正己而后发，发而不中，不怨胜己者，反求诸己而已矣。"

注释

[1] 函：铠甲。《周礼·考工礼》："燕无函。"郑玄注："函，铠也。"[2] 巫：以装神弄鬼替人祈祷为职业的人。有的兼给人治病，称为"巫医"。匠：《说文解字》："匠，木工也。" [3] 里：居住之地。[4] 由：同"犹"，如同。

译文

孟子说："造箭的人难道比制甲的人更不仁吗？造箭的人唯恐自己造的箭不锋利而不能射伤人，制甲的人唯恐自己制的甲不坚固而让人受伤。专为人求福的巫人和专为人制棺材的匠人也是这样。所以一个人选择职业不可不谨慎。孔子说：'居住的地方要有仁厚之风才算美好。选择住处而不知选有仁厚风俗的地方，怎能说是明智呢？'仁，是上天最尊贵的爵位，是人们最安逸的住宅。

没有什么阻碍却不去行仁，这便是不明智。不仁、不智、无礼、无义，这种人只能做别人的仆役。当了仆役又以供人役使为耻，那就像造弓的人以造弓为耻，造箭的人以造箭为耻一样。要是觉得可耻，就不如去行仁。行仁就好比射箭一样：射箭的人都是先端正自己射箭的姿势然后发箭，如果射不中，不去埋怨胜过自己的同行，而是反回来从自身去找原因罢了。”

延伸阅读

新的修养（节选）

成仿吾

我们是背负着时代的使命而存在。我们非始终与罪恶对敌不可。“恶”欲强，我们的兵备也要愈加尖锐。必胜的战术，是不肯后退的决心。为了战胜，我们要有不肯后退的决心，为了保存这种不肯后退的决心，我们要有新的修养。

新的修养之要点有四：

一、养成疾恶如仇的毅力。我们的任务在芟除一切的恶，所以我们不仅对于“恶”的暴虐要以一只眼报一只眼，我们直要捉住它的颈项，掷在地下，把它屠了。我们对于一切恶的东西，要常存十二分的嫌恶。我们不赞成消极的无抵抗，对于一切的恶我们没有容忍，有的只是嫌恶与征服。

二、养成忠于正义的毅力。各人要有他所应有的“正义”，我们要使正义为一切行为的标准。我们要使一切不离正义，我们要能不离正义。我们要能为正义尽我们的精勤，不要为利欲所诱惑了。

三、养成爱护真理的毅力。真理是我们生存的要素，真理没而不彰的人间，那才值得咒诅。一切要依真理而存在。我们要永与真理为友。我们要能爱护真理，犹如爱护我们的友人。我们要不辞为真理而战。

四、养成不畏痛苦的毅力。与恶的势力斗争，免不了要有痛苦，这与我们做苦工要劳身体是一样的。所以不畏痛苦是一切事业的先决问题。我们要能泰然忍受一切痛苦。我们要能以痛苦为每天的粮食。

概括起来，我们应有的新的修养，可以归为真勇之一字，我们的新的修养，便是这种真勇之养成。一个民族的盛衰，常与民族的道德的生活有重大的关系。道德的生活衰颓，民族的精神便也死灭。我们这庞大的民族，逶移至今，仅存一具苍白的死尸了！让我们全来由这种真勇之养成，恢复我们道德的生活。

思考讨论

孟子认为，只有遵从儒家提倡的“仁义”观念，才是“成人”或“成圣”的途径。你认同这种说法吗？

与人为善

孟子曰：“子路，人告之以有过则喜，禹闻善言则拜[1]。大舜有大焉，善与人同，舍己从人，乐取于人以为善。自耕稼、陶、渔以至为帝，无非取于人者。取诸人以为善，是与人为善者也。故君子莫大乎与人为善。”

注释

[1]禹：传说中古代部落联盟的领袖，曾奉舜命治理洪水，后成为夏朝开国君主。

译文

孟子说："子路，别人指出他的过错他很高兴，禹听到有益的话就向人拜谢。大舜比他们两个又更伟大，他愿与别人一起行善，能舍弃自己的不足，听从别人对的，乐于吸取别人的优点来行善。他从种田、制陶、打鱼一直到被推举为领袖，没有一项优点不是从别人那里吸取来的。吸取别人的优点来行善，就是与别人一起行善。所以，君子的所作所为没有比与别人一同行善更伟大了。"

延伸阅读

中国的国民思想

周作人

中国国民的思想，说来说去，无论人喜欢不喜欢，根本思想还是儒家的思想。再具体一点说，就是孔孟的思想。为什么呢？这道理很简单，因为孔子是中国人，他的学问特别高，思想特别好，可以做我们的代表，无论什么人，有学问的，没有学问的，他的根本思想完全根据孔子的思想，即是所谓儒家的思想。这是两千年来，由种种方面可以看出来的。

儒家的思想哪一点最重要呢？简单地说，就是利人——这是我假定的名称，对于他人，对于民众，要给他幸福，为民众求福利，这是古今的中国国民思想，也就是儒家的思想。我从前念过"四书"，记得《孟子》里有一段，讲禹稷，禹是治水的，"三过其门而不入"，

治水是禹的责任，天下只要有一个人被水淹死，就是禹自己的不好，如同禹淹死这个人一样。稷是种田的，天下只要有一个人挨饿，就是稷自己的不好，如同稷叫这个人挨饿一样。所以禹稷都是圣人的心理，再如孟子与梁惠王讲仁政——所谓王道，孟子说得很简单，只要人民不饥不寒，年老的人有绸衣可穿，有肉可吃，等到人民的生活安定了，然后办学校，申之以孝悌之义，这样就是王道。简单地说，我以为中国思想的优点，完全在为人谋福利，并不是为自己。我是圣人圣王，责任就很重大，所有的人民，有一个没饭吃，没有衣穿，都是我的责任，绝没有“我是皇帝，我应该享福”的思想。这种享福的思想，是后来才有的，孔孟的利人思想，拿这两个例子就可以代表了。

思考讨论

在生活中，你是如何对待别人的批评意见的?

伯夷与柳下惠

孟子曰 :“伯夷，非其君不事，非其友不友。不立于恶人之朝，不与恶人言。立于恶人之朝，与恶人言，如以朝衣朝冠坐于涂炭。推恶恶之心，思与乡人立，其冠不正，望望然去之，若将浼焉。是故诸侯虽有善其辞命而至者，不受也。不受也者，是亦不屑就已。柳下惠不羞污君[1]，不卑小官；进不隐贤，必以其道；遗佚而不怨，厄穷而不悯。故曰：'尔为尔，我为我，虽袒裼裸裎于我侧[2]，尔焉能浼我哉？'故由由然与之偕而不自失焉[3]，援而止之而止。援而止之而止者，是亦不屑去已。"

孟子曰："伯夷隘，柳下惠不恭。隘与不恭，君子不由也[4]。"

注释

[1] 柳下惠：春秋时鲁国大夫，姓展，名获，字禽。因封邑在柳下，谥号"惠"，故称为柳下惠。 [2] 袒裼（xī）裸裎（chéng）：袒裼，肉体袒露；裸裎，露身。 [3] 由由然：愉悦的样子。 [4] 由：效仿。

译文

孟子说："伯夷，不是他认可的君主不侍奉，不是他认可的朋友不结交；不在恶人的朝廷里做官，不与恶人讲话。在恶人的朝廷里做官，与恶人讲话，（他认为）就像穿着礼服、戴着礼帽坐在污泥和炭灰上。把这种憎恶坏人的心思推广开去，他感到和一个乡下人站在一起，要是那人帽子没戴正，他便会愤然离去，就像自己会被玷污似的。所以，当时各国国君尽管用好言好语来聘他去做官，他却不接受。他之所以不接受，就是由于他（认为那些国君不干净而）不屑于接受。柳下惠不以侍奉肮脏的君主为耻，

也不嫌弃做小官；进到朝廷不隐瞒自己的才干，但一定根据自己的原则办事；不被上面任用也无怨言，困于贫穷也不忧伤。所以他说：‘你是你，我是我。哪怕你在我旁边赤身露体，你又怎能玷污我呢？’因此他怡然自得地与他人共处而不失常态，别人挽留他叫他留下，他便留下。他之所以被挽留就留下，就是由于他（认为自己能洁净自好而）不屑于离去。”

孟子说：“伯夷狭隘，柳下惠不够恭敬。狭隘和不恭敬，君子是不会这样的。”

延伸阅读

有德行的圣人亦有不足

伯夷和弟弟叔齐生活在殷纣失道、西周兴起的王朝更替之时。他们本来是辽西诸侯孤竹君的儿子，伯夷排行老大，叔齐排行第三。孤竹君打算立叔齐为国君，可他一去世，叔齐就让位给伯夷。伯夷不肯接受，说：“让你做国君是父亲的命令。”于是逃走。叔齐也不肯继位，国人只好拥立中子。后来伯夷、叔齐听说周文王尊养老人，便去投奔。可是到了姬昌那，姬昌去世了，武王继承王位，准备东向伐纣。伯夷和叔齐拦住武王的战车，说：“你父亲刚死，还没有下葬，你就用刀兵，这能说得上孝吗？以臣子的身份竟然要动武杀害自己的君主，这能称得上仁吗？”武王没有听伯夷、叔齐的劝谏，用武力灭掉殷商，夺得了整个天下。伯夷、叔齐两人认为这样做有违道德，于是“不食周粟”，隐居到首阳山里采野菜而食，最终饿死在山中。(《史记·伯夷列传》)

柳下惠在鲁国做士师（掌管刑罚狱讼之事的小官），当时鲁国公室衰败，朝政把持在臧文仲等人手中。柳下惠生性耿直，不事逢迎，自然容易得罪权贵，竟接连三次受到黜免，很不得志。柳下惠虽然屡受打击排挤，仕途坎坷，他的道德学问却名满天下，各国诸侯都争着以高官厚禄礼聘他，但都被他一一拒绝了。有人问其故，他答道："直道而事人，焉往而不三黜？枉道而事人，何必去父母之邦？"意为自己在鲁国之所以屡被黜免，是因为坚持了做人的原则。如果一直坚持下去，无论到哪里都难免被黜免；如果放弃做人的原则，在鲁也可以得到高官厚禄，那又何必离开生我养我的故乡呢？（《论语·微子》）

《孟子·万章下》中提到，伯夷、伊尹、柳下惠、孔子是四位圣人。伯夷是圣人中清高的人，伊尹是圣人中勇于担当的人，柳下惠是圣人中随和的人，孔子是圣人中随时而动的人。本节中，孟子点出了即使是圣人，伯夷和柳下惠也有不足之处。

思考讨论

你如何评价伯夷与柳下惠？

第四章　公孙丑下

天时　地利　人和

孟子曰："天时不如地利，地利不如人和[1]。三里之城，七里之郭[2]，环而攻之而不胜。夫环而攻之，必有得天时者矣，然而不胜者，是天时不如地利也。城非不高也，池非不深也[3]，兵革非不坚利也[4]，米粟非不多也，委而去之[5]，是地利不如人和也。故曰：域民不以封疆之界[6]，固国不以山溪之险，威天下不以兵革之利。得道者多助[7]，失道者寡助。寡助之至，亲戚畔之[8]；多助之至，天下顺之。以天下之所顺，攻亲戚之所畔，故君子有不战，战必胜矣。"

注释

[1]天时：指先乘之机，顺承之业，即老天的恩赐。地利：地产的便利，即人力和物力的丰富。人和：指众望所归。　[2]"三里"二句：《战国策·齐策》曰"三里之城，五里之郭"，又言"五里之城，

七里之郭”，都言城郭之小。城，内城。郭，外城。 [3]池：城壕。《集韵》：“壕，城下池也。” [4]兵：武器。革：甲胄，多用皮革做成。[5]委：放弃。 [6]域：界限。这里指把人民固定下来，防止迁徙。[7]得道：懂得推行仁政。 [8]亲戚：指关系最密切的亲人。

译文

孟子说：“得天时不如得地利好，得地利又不如得人和好。譬如有座内城方圆三里、外城方圆七里的城邑，敌人包围攻打却无法取胜。既能围攻，一定有得天时之处，可无法取胜，这说明得天时不如得地利好。再譬如，有一座城邑，它的城墙不是不高，护城河不是不深，守城的武器装备不是不锐利坚固，粮食也不是不多，可是军民们弃城不守而逃，这说明得地利又不如得人和好。所以说，限制民众不必靠国家的疆界，巩固国防不必凭山河的险要，威服天下不必恃武器装备的锐利。拥有正义的人援助就多，失掉正义的人援助便少。援助少到极点时，连自己的亲戚也会背叛他；援助多到极点时，整个天下的人都顺从他。让天下都顺从他的人，去攻打连亲戚也背叛他的人，所以那些圣君不用战争，若要战争就一定取胜。”

延伸阅读

决定战争胜负的因素

春秋时期，诸侯争霸，战争不断。《左传》共记载了242年的事件，其中记录的战争有480多起，平均一年有两场战争。战国时期，诸侯兼并加速，战争也更加频繁，武器的进步使人们为战争所付出的代价更为惨烈。孟子说：“争地以战，杀人盈野；争城以战，杀人盈城。”（《孟子·离娄上》）孟子亲眼目睹了战争给百姓带来的灾难，所以对战争有很多深入性的思考。

孟子总结了战争中决定胜负的三个因素：

一、天时：天气阴晴寒暑是否有利于攻占。

三国时期，曹操打败了董卓、袁绍，统一了北方，三分天下而有其二。曹操欲乘胜追击，一举拿下南方的孙权和西蜀的刘备。曹操亲自带兵，与孙刘联军对峙于赤壁。曹操将战船首尾相连，结为一体，以利演练水军，伺机攻战。周瑜采纳部将黄盖所献火攻计，并令其致书曹操诈降，曹操中计。黄盖趁着风向改为东南风，驶入曹军水寨纵火。曹军船阵被烧，火势延及岸上营寨，孙刘联军乘势出击，曹军死伤过半，败走华容道。此战为日后魏、蜀、吴三国鼎立奠定了基础。这场战役决胜的关键之一，就是利用了东南风向，有句成语“万事俱备，只欠东风”便是典出于此。

二、地利：城墙高度、水池深浅以及是否有高山阻隔等地形因素。

《孙子兵法·地形》中提出：“夫地形者，兵之助也。料敌制胜，计险厄远近，上将之道也。知此而用战者必胜，不知此而用战者必败。”

《资治通鉴》里有个以地形因素取胜的小故事。五代后梁太祖开平四年（910），赵王熔、义武节度使王处直等共推晋王李存勖为盟主，合兵攻梁。梁太祖命大将王景仁等率领四万大军讨伐赵王熔，赵王熔向晋王告急。于是晋王亲自率领一支精锐部队前去救援，与梁军相拒于离河北柏乡五里的地方，在野河的北岸安营扎寨。当时晋军人数少，梁军人数多，晋军将领周德威勉励大家说：“梁军虽多，但大部分是受雇佣的商贩，他们十个人也打不过我们一个人。”晋王李存勖有些忧虑，他说：“我们孤兵出千里，利在速战，现在不乘势而急击之，让敌人知道我军人少，我们就无计可施了。”周德威说：“依我之见，不如退军鄗邑，诱敌出营，彼出我归，彼归我出，扰乱敌军，就有机会取胜了。”不久，周德威俘获了一个走散了的梁兵，从他嘴里得知，梁军将领王景仁正到处找船，准备渡河。周德威向晋王汇报了这一情况。晋王笑道：“果然不出周公所料。”一切准备妥当后，周德威派三百骑兵到梁营挑战，自己和李嗣源等将领率精骑三千紧随其后，王景仁被激怒，率领全部梁军作战，周德威边战边退，将梁军引至鄗邑的南面。两军都摆好了决一胜负的阵势。

晋王策马登上高地，看见眼前的地形开阔平坦，对左右说："平原浅草，可前可却，真吾制胜之地也。”于是派人告诉周德威赶快与敌军展开决战。周德威却一点也不急，他认为，梁军远道而来，必然没有准备足够的粮草，即使带了一些，也来不及吃，到了中午时分，人马饥渴，必然会撤退，在敌军撤退时再发动进取，定可稳操胜券。于是按兵不动，与梁军相持。到了中午时分，梁军未食，士无斗志，至申时（下午三时至五时），王景仁下令撤退。周德威见梁军中尘起，知敌军已开始撤退，便率领骑兵鼓噪而进，大败梁军。

三、人和：人心向背。

项羽和刘邦原来约定以鸿沟（今河南荥县境贾鲁河）为界，互不侵犯。后来刘邦听从张良和陈平的建议，觉得应该趁项羽衰弱的时候消灭他，就和韩信、彭越、刘贾会合兵力追击正在向东去往彭城的项羽部队，把项羽紧紧围在垓下。但是项羽军队骁勇善战是非常出名的，而且此时他的军队仍然有一战之力。为了打击项羽军队的士气，韩信让士兵们大声高唱楚歌，让项羽军队产生思乡之情从而士气大跌。夜里，项羽和他的军队听见四面都唱起楚地的民歌，不禁非常吃惊地说：“刘邦已经得到了楚地了吗？

为什么他的部队里面楚人这么多呢？”说着，心里已丧失了斗志，便从床上爬起来，在营帐里面喝酒，并和他最宠爱的妃子虞姬一同唱歌。后来，虞姬自刎于项羽的马前，项羽最终自刎于江边。项羽的军队虽然仍有极强的凝聚力，但是韩信利用了项羽军队久战思乡的心情，瓦解了人心与抵抗意志，最后将其消灭。这也是利用“人和”扭转战争形势的一个案例。

孟子认为，天时不如地利，地利不如人和，人心的向背是战争中最重要的决定因素。怎样才能“人和”呢？孟子认为：“得道者多助，失道者寡助。”这句话已经成为千古名句，无论是对国家、集体，还是对个人，都是永恒的真理。

思考讨论

1. 请列举你身边的例子，尝试说明天时、地利、人和对事情成败的作用。

2. 在中外历史中，有哪些“得道多助，失道寡助”的事例？

以德抗位

孟子将朝王[1]，王使人来曰：“寡人如就见者也[2]，有寒疾，不可以风。朝，将视朝[3]，不识可使寡人得见乎[4]？”

对曰：“不幸而有疾，不能造朝[5]。”

明日，出吊于东郭氏[6]。公孙丑曰：“昔者辞以病，

今日吊，或者不可乎？”

曰：“昔者疾，今日愈，如之何不吊？”

王使人问疾，医来。孟仲子对曰[7]：“昔者有王命，有采薪之忧[8]，不能造朝。今病小愈，趋造于朝，我不识能至否乎。”使数人要于路[9]，曰：“请必无归，而造于朝！”

不得已而之景丑氏宿焉[10]。景子曰：“内则父子，外则君臣，人之大伦也。父子主恩，君臣主敬。丑见王之敬子也，未见所以敬王也。”

曰：“恶！是何言也！齐人无以仁义与王言者，岂以仁义为不美？其心曰‘是何足与言仁义也’云尔，则不敬莫大乎是。我非尧舜之道，不敢以陈于王前，故齐人莫如我敬王也。”

景子曰：“否，非此之谓也。《礼》曰：‘父召无诺[11]，君命召不俟驾[12]。’固将朝也，闻王命而遂不果，宜与夫礼若不相似然[13]。”

曰：“岂谓是与？曾子曰：‘晋楚之富，不可及也。彼以其富，我以吾仁；彼以其爵，我以吾义，吾何慊乎哉[14]？’夫岂不义而曾子言之？是或一道也。天下有达尊三：爵一，齿一，德一。朝廷莫如爵，

乡党莫如齿，辅世长民莫如德。恶得有其一以慢其二哉？故将大有为之君，必有所不召之臣，欲有谋焉，则就之。其尊德乐道，不如是，不足与有为也。故汤之于伊尹，学焉而后臣之，故不劳而王；桓公之于管仲，学焉而后臣之，故不劳而霸。今天下地丑德齐[15]，莫能相尚。无他，好臣其所教，而不好臣其所受教。汤之于伊尹，桓公之于管仲，则不敢召。管仲且犹不可召，而况不为管仲者乎？”

注释

[1]王：指齐王。　[2]如：宜，当，应当。　[3]朝，将视朝：第一个“朝”，即清晨的意思；第二个“朝”，即朝廷，视朝即在朝廷处理政务。　[4]不识：不知。　[5]造：到，上。　[6]东郭氏：齐国的大夫。　[7]孟仲子：孟子的堂兄弟，跟随孟子学习。　[8]采薪之忧：本意是说有病不能去打柴，引申为自称生病的代词。薪，柴草。　[9]要（yāo）：拦截。　[10]景丑氏：齐国的大夫。　[11]父召无诺：听到父亲叫，不等说“诺”就要起身。《礼记·曲礼》：“父召无诺，先生召无诺，唯而起。”“唯”和“诺”都表示应答，急时用“唯”，缓时用“诺”。　[12]不俟（sì）驾：不等到车马备好就起身。　[13]宜：义同“殆”，大概，恐怕。　[14]慊（qiàn）：不满，怨恨。　[15]丑：类似，相近。

译文

孟子正打算去朝见齐王，却碰上齐王派人来传话说："我本应该来看望你的，但得了感冒，不能吹风。如果你来朝见，我便临朝听政，不知道能让我见到你吗？"

孟子答道："我也不幸得了点病，不能上朝堂来。"

第二天，孟子到齐国大夫东郭氏家去吊丧。公孙丑说："昨天刚托病不去朝见，今天却去吊丧，也许不大合适吧？"

孟子答道："昨天有病，今天病好了，怎么不能去吊丧呢？"

齐王派人来询问病情，医生也来了。孟仲子只能应付说："昨天王命召见，恰好先生病了，不能上朝。今天病稍好了点，已上朝去了，我不知道他能否到达朝中。"于是派了几个人到路上拦住孟子说："请您一定别回家，上朝去一趟吧！"

孟子没办法，只得在景丑氏家借住一宿。景丑说："在家有父子，在外有君臣，这是最重大的人与人之间的关系。父子之间以慈爱为主，君臣之间以尊敬为主。我只看到齐王对你的尊敬，却没有看到你怎样尊敬齐王。"

孟子说："哎！这是什么话！齐国人没有一个拿仁义之道去跟齐王谈论的，难道真认为仁义不好吗？他们只是心里在想：'他哪里配得上谈仁义之道呢？'没有比这种态度更不尊敬齐王的了。而我，不是尧舜之道不敢在齐王面前陈述，所以齐国人中没有比我更尊敬齐王的了。"

景丑说："不，我说的不是这个。《礼记》中说：'父亲召唤，不等答应便立即起身；君命召唤，不等驾好马车立即动身。'你本来准备上朝，听到齐王传唤反而不去了，似乎与礼不相合吧？"

孟子说："原来你说的是这个呀！曾子说过：'晋国和楚国的富有，是我们无法比的。但他们仗的是财富，我仗的是仁；他们

仗的是爵位，我仗的是义，我又有什么可遗憾的呢！’这话如果不合义，曾子会这么说吗？这也许是有道理的。天下有三个东西是为人们所普遍尊敬的：爵位是一个，年龄是一个，德行是一个。朝廷上没有比爵位更重的，乡里没有比年龄更重的，辅佐君王统治百姓没有比德行更重的。怎能仗着自己有爵位就轻视怠慢其他两项呢？因此，将要大有作为的君主，一定有他不敢召唤的臣子，要是有重大国事须商议，就亲自去请教。国君重视德行、乐行仁政，如果不是这样，就不足以与他有所作为。所以，商汤对于伊尹，先向他学习，然后用他为臣，因此能不费辛劳就称王天下；桓公对于管仲，也先向他学习，然后再用他为臣，因此能不费辛劳就称霸天下。现在天下的大国，土地大小差不多，国君的德行也不相上下，谁也超不过谁。没有别的原因，就是因为他们喜欢用听从自己的人为臣，而不喜欢用能够教导他的人为臣。商汤对于伊尹，齐桓公对于管仲，就不敢召唤。管仲这样的人都不可以召唤，更何况不屑做管仲的人呢？”

延伸阅读

孟子不赴召

本节讲述了孟子故意不赴齐王召见之事，这在常人看来，似乎有点过分，认为是对国君的不尊重。因为“君命召，不俟驾行矣”是孔子所认可的古礼，而孟子并没有遵从这一传统。孟子认为，读书人应该有人格的自尊。对君主的尊重有两种表现，一种是听从命令，而另一种是敢于批评时政和陈说大道，读书人应该选择后者。

在本节中，孟子提出了儒家的一个重要政治思想——“以德抗位”。在孟子看来，“爵”、“齿”、“德”三者，代表了不同类型的价值标准：

爵：在权力体系里，以权力的大小和爵位的高低为标准；

齿：在社会生活和家庭生活中，以年龄的大小和辈分的高低为标准；

德：在道德理想层面，应该以德行的高下为标准，即“以德为本”。

在《告子上》中，孟子还提出了“天爵”和“人爵”，“天爵”指仁义道德，“人爵”指权势地位，前者应高于后者。

把“德”置于“位”之上，是对古礼的超越。这一方面说明，到了孟子所处的时代，所谓的古礼已经不合潮流；另一方面则说明，孟子在政治思想上确有超越孔子之处。孟子“以德抗位”的思想，在以后的宋明理学中发展为“以理抗势”之说，其基本的价值取向是一致的。

需要指出的是，无论是“以德抗位”还是“以理抗势”，在中国封建社会的漫长时期中，其所起的作用实在微乎其微。而敢于践行这一信条的勇者，其结局往往是悲剧性的，这一现象在明清皇权高度集中时期越来越明显。但是我们判断某一思想的价值，不能以效果来计量。正是因为这一思想实践上的艰难，反而反映出了它的价值。

思考讨论

1. 你认为孟子为什么会以病告假不见齐王？

2. 在历史上，有许多君臣相处之道被传为美谈，你能说出相关的例子吗？

君子不可货取

陈臻问曰[1]："前日于齐，王馈兼金一百而不受[2]；于宋，馈七十镒而受；于薛，馈五十镒而受。前日之不受是，则今日之受非也；今日之受是，则前日之不受非也。夫子必居一于此矣。"

孟子曰："皆是也。当在宋也，予将有远行，行者必以赆[3]，辞曰：'馈赆。'予何为不受？当在薛也，予有戒心，辞曰：'闻戒，故为兵馈之。'予何为不受？若于齐，则未有处也。无处而馈之，是货之也。焉有君子而可以货取乎？"

注释

[1] 陈臻（zhēn）：孟子弟子。　[2] 金：古代所说的金，多是指黄铜。赵岐《孟子注》："兼金，好金也，其价兼倍于常者，故谓之兼金。"王夫之《孟子稗疏》："兼者，杂也，杂青金、赤金、白金，可以铸泉布器用也。"　[3] 赆（jìn）：临别时赠送的路费。

译文

陈臻说："以前在齐国，齐王送您一百镒好金您不接受；在宋国，送您七十镒您就接受了；在薛，送您五十镒您就接受了。如果以前不接受是对的，那么后来接受就是错的；如果后来接受是对的，那么以前不接受就是不对的。在这两种情况中，您必定处于其中的一种了。”

孟子说：“都是对的。当在宋国的时候，我将要远行，远行的人必然要用些路费，宋君说：‘送点路费（给你）。’我为什么不接受？当在薛地的时候，我有防备（在路上遇害）的打算，主人说：‘听说需要防备，所以送点钱给你买兵器。’我为什么不接受？至于在齐国，就没有（送钱的）理由。没有理由而赠送，这是收买我啊。哪有君子可以用钱收买的呢？”

延伸阅读

授受礼物的原则

孟子的学生陈臻问孟子，为什么有的国君给孟子礼金，他收下了，而有的国君给孟子礼金，他却没有收下。孟子向学生解释了收受礼金的原则：

一、宋国送给孟子的帖子上写的是“馈赆”，“馈赆”意思是临别时赠送的路费。远行赠送路费，是中国的古礼，宋国依礼送孟子，他当然要接受。

二、薛地民风强悍，良莠不齐，孟子存有戒心。薛地当政者尊重孟子是客卿，身居异地，听说他有戒心，所以馈赠他一些钱财让他加强自我保护，这是薛地的一番诚意，孟子当然应该接受。

三、齐湣王的馈赠孟子没有接受，也有他的理由。齐宣王在位时，孟子是客卿，给了齐宣王很多中肯的建议，所以齐宣王赠送孟子宫殿和黄金万两，孟子是可以接受的。但是齐湣王是个昏君，历史上有名的燕齐之战，乐毅率领燕兵反攻，取下齐国七十二座城池，就发生在齐湣王的时候。在齐湣王当政的时候，他并没有尊重孟子并认真聆听孟子的建议，所以孟子说，他没有立场和名义收受齐湣王的馈赠。孟子说，如果齐湣王随便送钱给他，“是货之也”，就好像要收买他一样，君子是不能接受别人的收买的。

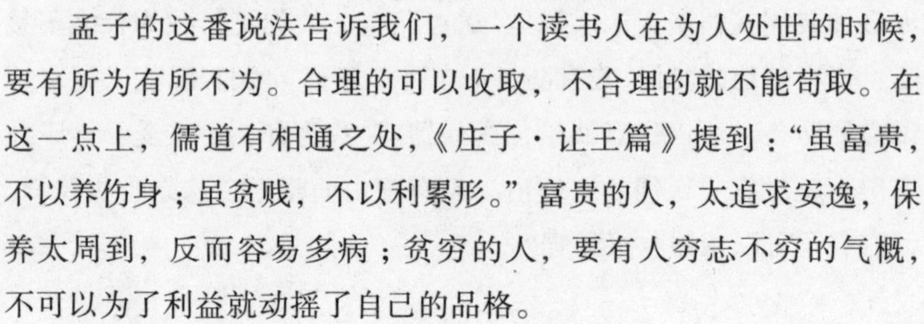

孟子的这番说法告诉我们，一个读书人在为人处世的时候，要有所为有所不为。合理的可以收取，不合理的就不能苟取。在这一点上，儒道有相通之处，《庄子 · 让王篇》提到：“虽富贵，不以养伤身；虽贫贱，不以利累形。”富贵的人，太追求安逸，保养太周到，反而容易多病；贫穷的人，要有人穷志不穷的气概，不可以为了利益就动摇了自己的品格。

陶渊明（约 365—427）最后一次做官，是义熙元年（405），当时他四十来岁。在朋友的劝说下，他再次出任彭泽县令。到任八十一天，陶渊明碰到浔阳郡派遣督邮来检查公务，浔阳郡的督邮刘云以贪婪远近闻名，每年以巡视为名向辖县索要贿赂，每次巡视必是满载而归。县吏对陶渊明说：“当束带迎之。”就是应当穿戴整齐、备好礼品，恭恭敬敬地去迎接督邮。陶渊明叹道：“我岂能为五斗米向乡里小儿折腰！”我怎能为了县令的五斗薪俸，就低声下气去向这些小人贿赂献殷勤。说完，挂冠而去，辞职归乡。此后，他隐居田园，再没有出仕。

在利益的受与不受、辞与不辞的问题上，孟子给了我们一个很好的解释，就是通权达变，当受就受，当辞则辞。合理的可以收取，不明不白的就坚决推辞。作为一个人格上的君子，是不可“货取”的。

思考讨论

作为一名君子，什么样的馈赠可以接受，什么样的馈赠是不能接受的呢？

寡人之罪

孟子之平陆[1]，谓其大夫曰[2]：“子之持戟之士[3]，一日而三失伍[4]，则去之否乎[5]？”

曰：“不待三。”

“然则子之失伍也亦多矣。凶年饥岁，子之民，老羸转于沟壑，壮者散而之四方者，几千人矣。”

曰：“此非距心之所得为也。”

曰：“今有受人之牛羊而为之牧之者，则必为之求牧与刍矣[6]。求牧与刍而不得，则反诸其人乎？抑亦立而视其死与？”

曰：“此则距心之罪也。”

他日，见于王曰：“王之为都者[7]，臣知五人焉。知其罪者，惟孔距心。”为王诵之[8]。

王曰：“此则寡人之罪也。”

注释

[1]平陆：齐国边境的邑，在今山东汶上北。　[2]大夫：这里指地方上的行政长官。　[3]持戟之士：代指士兵。戟，古代兵器。　[4]失伍：赵岐《孟子注》云：“失其行伍。”明代郝敬认为：“伍，班次也，失伍，不在班也。”即开小差的意思。[5]去之：郝敬认为“去之，罢去也”，就是开除。　[6]牧：牧场。

[7] 都：根据杨伯峻《孟子译注》考证，《左传·庄公二十八年》云："凡邑，有宗庙先君之主曰都，无曰邑。"阎若璩《四书释地续》云："都与邑虽有大小，君所居，民所聚，有宗庙及无之别，其实古多通称。如'商邑翼翼，四方之极'，'即伐于崇，作邑于丰'，此都称邑之明征也。赵良曰'君何不归十五都'，孟子曰'王之为都者'。此邑称都之明征也。"这番论述表明，都并非仅指国都，亦可泛指地方城邑，"为都者"也可指地方官。 [8] 诵：复述。

译文

孟子到平陆，对那里的地方官孔距心说："你手下的战士，如果一天之内三次擅离职守，是不是要将他开除呢？"

地方官说："不必等待三次才开除他。"

孟子紧接着说："可是你失职的地方也有不少。在饥荒的年岁里，你治下的老百姓们，老弱病残辗转抛尸于山沟中的，体力较强些的青壮年散走四方的，几乎近千人了。"

地方官说："这不是我孔距心力所能及的事。"

孟子说："现在假如有个人接受了替人放牧牛羊的任务，他就一定要替人家找到牧地和草料。万一找不到牧地和草料，那么，是把牛羊还给人家呢，还是站在那里眼看着牛羊死去呢？"

地方官说："这就是我孔距心的罪过了。"

过了些时日，孟子朝见齐王，说："大王的地方长官，我结识了五个，其中能认识自己失职罪过的，只有孔距心一人。"于是把自己与孔距心的谈话对齐王复述了一遍。

齐王听后说："这也是我的罪过。"

孟子谓蚳鼃曰[1]："子之辞灵丘而请士师[2]，似也，为其可以言也。今既数月矣，未可以言与？"

蚳鼃谏于王而不用，致为臣而去。

齐人曰："所以为蚳鼃则善矣；所以自为，则吾不知也。"

公都子以告[3]。

曰："吾闻之也：有官守者，不得其职则去；有言责者，不得其言则去。我无官守，我无言责也，则吾进退，岂不绰绰然有余裕哉？"

注释

[1] 蚳鼃（chí wā）：齐国大夫。 [2] 灵丘：齐国边境邑名。士师：官名，管禁令、狱讼、刑罚等，是法官的通称。 [3] 公都子：孟子的学生。

译文

孟子对蚳鼃说："你辞掉灵丘的官职，请求去做治狱官，这事做得似乎有道理，因为治狱官可以向君上进言。现在你当治狱官已经几个月了，还不可以进言吗？"

蚳鼃向齐王进了言却没有被采纳，便辞职离去了。

齐国有人议论此事道："（孟子）替蚳鼃打算是好的，可为自己打算得怎样，我就不知道了。"

公都子把这些话告诉了孟子。

孟子说："我听说过：有官职的人，不能履行他的职责，可以辞职不干；有进言责任的人，进了言上面不采纳，也可以辞职不干。我既没有官职，也没有进言的责任，那我的出处进退，难道不是宽宽绰绰、有很大的余地吗？"

延伸阅读

齐宣王事迹三则

齐宣王广开言路，勇于认错，善于纳谏。他说："寡人忧国忧民，因愿得士以治之。"（《战国策·齐策》）他不惜耗费巨资招天下各派文人学士来到齐国"稷下学宫"，使稷下学宫进入鼎盛。

齐宣王善于纳谏的事迹在先秦其他文献中有许多记载，下面列举三则。

（一）

王斗求见齐宣王，齐宣王吩咐侍者迎接，王斗说："我赶上前去见大王是趋炎附势，而大王主动来见我，则是求贤礼士，不知大王是怎么想的？"侍者将这番话转告宣王，宣王说："先生慢行，寡人亲自过去迎接。"于是迎见王斗入宫。

齐宣王向王斗求教治国之道。王斗说："我生于乱世，侍奉昏君，怎么能直言进谏？"宣王极为不快。过了一会儿王斗说："先主齐桓公有五个爱好，其中一个爱好就是称霸诸侯，后来就果然实现了九合诸侯、一匡天下的霸业。因匡扶周室，周天子不得不赐给他封地，承认他为诸侯领袖。现在大王有四种爱好与先主相同。"宣王自谦地说："寡人怎能有四种爱好与先主相同呢？"王斗说："当然有。先主好马，王也好马；先主好狗，王也好狗；先主好酒，王也好酒；先主好色，王也好色。在喜欢马、狗、酒、色方面，王是与先主相同的。”

齐宣王问：“那么寡人哪一种爱好与先王不同呢？”王斗说：“先主好士，王却不是。”齐宣王说：“当今世上没有优秀的人才，让寡人如何喜爱他们呢？”王斗说：“这要看大王是否真心喜欢。当世没有骐骥这样的骏马、卢氏那样的良犬，可大王的马匹、猎狗已经够多的了；当世没有毛嫱、西施那样的美女，可大王的后宫早已美女充盈。大王只是不喜欢贤士，哪里是因为当今没有贤士呢？”

宣王说：“寡人忧国忧民，盼望聘得贤士共同治理齐国。”王斗进一步说:“臣以为大王忧国忧民远不如爱惜一尺纱布。”宣王问:“此话怎讲？”王斗说：“大王做帽子，为什么不用身边的人而请能工巧匠呢？就是因为能工巧匠手艺高超。可是现在大王治理齐国，却任用亲近的人，而没有任用懂得治理国家的贤士，所以我以为在大王心中，国家社稷不如一尺纱布。齐宣王说：“寡人于国有罪。”于是，选拔五位贤士任政职。(《战国策·齐策》)

（二）

齐国有个刚满十八岁的小伙子，叫闾丘卬，他大胆地站在路当中，拦住了齐宣王的马车，对齐宣王说：“我家穷，为了奉养老人，希望在您身边干点差使。”齐宣王说：“你年龄太小了，交代给你事情，你也干不了。”闾丘卬说：“古时候的颛顼十二岁就治理天下，秦国的项橐七岁就成为圣人的老师。由此看来，我只是没有能耐，不是年龄小。”齐宣王说：“谁都知道千里马的能耐，但是谁也没有见过没长足身体的千里马能负重日行千里的。”闾丘卬说：“常言说，尺有所短，寸有所长。千里马虽然是天下闻名的骏马，让它与野狸、黄鼬在厨房锅灶旁边赛跑，未必能跑得过野狸、黄鼬；黄鹄、白鹤能高飞千里以外，如果让它与燕子在屋檐下、

房屋内比试飞翔起落，黄鹄、白鹤未必能比燕子敏捷；辟闾和钜阙是闻名天下的锐利武器，用来击石，既不断缺也不锉钝，如果用它们与细小的干木比试清除眼中的沙砾，它们肯定不如细小的干木。由此看来，白发长者和我这未成年的闾丘印，与上述各例一样，也是各有短处和各有长处。”

齐宣王听了闾丘印的一番话，觉得他年纪虽小，但是见解颇深，于是问：“你为何这么晚才来见我呢？”闾丘印毫无顾忌地说：“因为您身边谗谀小人太多，我不愿意与他们为伍，所以这么晚才来见您。”齐宣王当众承认了自己的过失，并决定起用闾丘印。齐宣王派闾丘印去治理东阿，东阿出现了前所未有的大治景象。后来，闾丘印又向齐宣王献策：选好官执行既定法度；赈灾要及时，不能烦扰老百姓；年轻人必须尊敬长辈、长者……齐宣王都一一采纳了，并且还拜闾丘印为相。（《新序·杂事》）

（三）

钟离春是个长相丑陋不堪的女子。因她生得太丑，又出生在无盐，大家就都把她叫做无盐，反而忘记了她的本来姓名。有一天，钟离春鼓足勇气，前往临淄求见齐宣王。见到齐宣王后，大言不惭地说：“我倾慕大王的美德，情愿拿着簸箕笤帚，听从大王差遣！”

齐宣王听了钟离春的话，禁不住哈哈大笑。钟离春镇静自若，环顾宫殿后，说：“危险啊！危险啊！”齐宣王问：“是什么危险？请详细说说。”钟离春侃侃道来：“秦、楚环伺齐国，虎视眈眈，而齐国内政不修，忠奸不辨，太子不立，众子不教，大王你专好声色犬马、嬉戏玩耍，这是第一件危险的事情。一心修筑高耸入云的渐台，并用彩缎丝绢装饰，用黄金珠王镶嵌，如此玩物丧志，利令智昏，这是第二件危险的事情。贤良志士都逃进山林藏起来了，环伺您左右的都是些谄谀小人，想进谏的人来不到您身边，您听不到治国安邦的高论，这是第三件危险的事情。宫廷内夜以继日地花天酒地，奏乐的乐女和装扮妖艳的舞女充斥宫廷，对外没与诸侯搞好关系，对内没有实施治国安邦的政策，这是第四件危险的事情。如此危机四伏，可谓危险之至呀！”

齐宣王听得目瞪口呆，虔敬地说：“得聆教言，犹如暮鼓晨钟，如果我今后还有一点点进步的话，都是你教给我的。”齐宣王立刻下令拆除渐台，罢去女乐，斥退谄佞，摒弃浮华，然后励精图治。齐宣王不仅聘娶了丑女钟离春，而且将她封为王后，从此齐国国势蒸蒸日上。(《列女传·齐钟离春》)

思考讨论

孟子认为地方官员的责任是什么？这对当代社会有什么借鉴意义呢？

周公摄政

沈同以其私问曰[1]：“燕可伐与？”

孟子曰：“可。子哙不得与人燕，子之不得受燕于子哙。有仕于此[2]，而子悦之，不告于王而私与之吾子之禄爵；夫士也，亦无王命而私受之于子，则可乎？何以异于是？”

齐人伐燕。

或问曰："劝齐伐燕，有诸？"

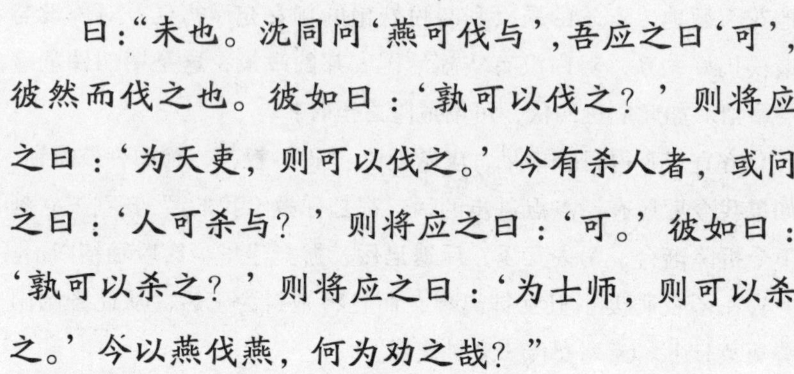

曰："未也。沈同问'燕可伐与'，吾应之曰'可'，彼然而伐之也。彼如曰：'孰可以伐之？'则将应之曰：'为天吏，则可以伐之。'今有杀人者，或问之曰：'人可杀与？'则将应之曰：'可。'彼如曰：'孰可以杀之？'则将应之曰：'为士师，则可以杀之。'今以燕伐燕，何为劝之哉？"

注释

[1]沈同：齐国大臣。　[2]仕：同"士"。

译文

沈同以个人的身份问道："燕国可以讨伐吗？"

孟子说："可以。子哙不得把燕国让给别人，（他的相国）子之也不得从子哙那里接受燕国。比方说，这里有个士人，您喜欢他，就不禀告君王而私自把自己的俸禄、爵位让给他；那个士人也不经君王同意，私自从您那里接受俸禄和爵位，这样行吗？（子哙让君位的事）同这有什么两样？"

齐国讨伐燕国。

有人问道："你建议齐王讨伐燕国，有这回事吗？"

孟子说："没有。沈同问'燕国可以讨伐吗'，我答复他说'可以'，他们认为这个说法对便去打燕国。他如果问：'谁能去讨伐燕国？'那我将答复他说：'奉了上天使命的人才可以去讨伐。'就好比这里有个杀人犯，如果有人问我：'这个人该杀吗？'我就回答说：'可以。'他如果再问:'谁可以去杀这个杀人犯?'那我就会回答他:'做治狱官的才可以杀他。'现在，让一个跟燕国一样无道的国家去讨伐燕国，我为什么要劝他们呢？"

燕人畔。王曰："吾甚惭于孟子[1]。"

陈贾曰[2]："王无患焉。王自以为与周公孰仁且智？"

王曰："恶！是何言也！"

曰："周公使管叔监殷，管叔以殷畔[3]。知而使之，是不仁也；不知而使之，是不智也。仁智，周公未之尽也，而况于王乎？贾请见而解之。"

见孟子，问曰："周公何人也？"

曰："古圣人也。"

曰："使管叔监殷，管叔以殷畔也，有诸？"

曰："然。"

曰："周公知其将畔而使之与？"

曰："不知也。"

"然则圣人且有过与？"

曰："周公，弟也；管叔，兄也。周公之过，不亦宜乎？且古之君子，过则改之；今之君子，过则顺之。古之君子，其过也，如日月之食，民皆见之；

及其更也，民皆仰之。今之君子，岂徒顺之，又从为之辞。”

注释

[1]吾甚惭于孟子：齐国占领燕国时，孟子曾向齐宣王提出为燕立一君主而后撤离。齐王不听。两年内，燕人不服，赵国等诸侯国也反对齐吞并燕，怕齐国因此而变得更强大，于是立燕昭王，燕人拥护，迫使齐军败退撤回。　[2]陈贾：齐国大夫。　[3]“周公”二句：周武王灭商后，封纣王之子武庚于其旧都，派其弟管叔、蔡叔、霍叔去监视殷的遗民。武王死后，成王幼，周公执政，管叔等和武庚反叛，后周公平定了叛乱。

译文

燕国人背叛齐国。齐王说：“我对孟子感到很惭愧。”

陈贾说：“大王别难过。大王如果在仁和智方面同周公相比较，自己觉得谁强一些？”

齐王说：“咳！这是什么话！”

陈贾说：“周公派管叔去监察殷人，管叔却带着殷人叛乱。（如果周公）知道他会反叛还派他去，这是不仁；如果不知道他会反叛而派他去，这是不智。仁和智，周公尚且未能完全具备，何况大王您呢？请允许我见到孟子时向他作些解释。”

陈贾见到孟子，问道：“周公是怎样一个人？”

孟子说：“古代的圣人。”

陈贾说：“他派管叔监察殷人，管叔却带着殷人叛乱，有这回事吗？”

孟子说：“是这样。”

陈贾说：“周公是知道他会反叛而派他去的吗？”

孟子说：“（周公）不知道。”

“既然这样，那么（岂不是）圣人也会有过错吗？”

孟子说：“周公是弟弟，管叔是哥哥。周公的过错，不也是合乎情理的吗？况且，古代的君子，犯了过错就改正；现在的君子，有错都不思悔改呀！古代的君子，他的过错就像日食月食一样，从不对百姓遮遮掩掩，等他改正错误时，民众就会发自内心地敬仰他。现在身居高位的君子，非但将错就错，而且还千方百计找借口来为自己的错误作辩护。”

延伸阅读

周公之德

周公（约前1100—？）姓姬名旦，是周文王姬昌的第四子。因封地在周（今陕西宝鸡岐山北），故称周公或周公旦。他是孔子一生最崇敬的古代圣人之一。

周公辅政汉画像

周武王死后，其子成王年幼，由周公摄政。《韩诗外传》里记载了周公摄政期间的一个小故事：在周成王把鲁分封给周公之子伯禽时，周公就告诫伯禽："你去吧。你不要因为你拥有鲁国，就骄傲自大，不尊重士人。你看看我，我是周文王的儿子，周武王的弟弟，周成王的叔父，如今摄政当国，可以说我的地位是一人之下万人之上，但是我从不自大。当我在沐浴的时候，听说有士人求见，我马上中止沐浴，不等头发干，直接提着头发就出去见士人，如此一来，我每次沐浴往往要中断三次；在吃饭的时候，听说有士人求见，我马上中止吃饭，把口中的肉吐出来，马上就出去见士人，如此一来，我每次吃饭往往要中断三次。即便是如此，我还担心失去天下的士人。"

周公吸取殷纣王众叛亲离的教训，意识到用暴力无法统治人心，提出了"敬德保民"，他制礼作乐，建立典章制度，实行德治。《尚书大传》记载，周公摄政期间成绩卓然："一年救乱，二年克殷，三年践奄，四年建侯卫行书，五年营成周，六年制礼作乐，七年致政成王。"

周公思想中，最核心的是天命王祚的兴衰继绝问题。一个王朝是怎样丧失自己的王祚的？而另外一个王朝又是怎样获得自己的天命的？这个问题的意义，小而言之，只是一个政治哲学问题；大而言之，则是对家、国的群体生存问题的思考。这个问题的思考结果，便是周公在中国历史上首次系统地阐述了德治思想，周公提出了"天一王一民"相互制衡的三角结构，这个理论包括三个方面：以德配天，用德祈天，敬德保民。而其核心就是"德"，这后来发展为儒家的"德治"思想。

思考讨论

后人常常将周公与孔子并称，可见周公在儒家文化中的重要地位，请谈谈周公对儒家的影响。

舍我其谁

孟子致为臣而归。王就见孟子，曰："前日愿见而不可得，得侍同朝，甚喜。今又弃寡人而归，不识可以继此而得见乎？"

对曰："不敢请耳，固所愿也。"

他日，王谓时子曰[1]："我欲中国而授孟子室，养弟子以万钟[2]，使诸大夫国人皆有所矜式。子盍为我言之？"

时子因陈子而以告孟子[3]，陈子以时子之言告孟子。

孟子曰："然，夫时子恶知其不可也？如使予欲富，辞十万而受万，是为欲富乎？季孙曰[4]：'异哉子叔疑[5]！使己为政，不用，则亦已矣，又使其子弟为卿。人亦孰不欲富贵？而独于富贵之中有私龙断焉[6]。'古之为市也，以其所有易其所无者，

有司者治之耳。有贱丈夫焉，必求龙断而登之，以左右望，而罔市利。人皆以为贱，故从而征之。征商自此贱丈夫始矣。”

注释

[1]时子:齐国大夫。 [2]钟:古代容量单位。据杨伯峻《孟子译注》考证,《左传·昭公三年》晏婴云:“齐旧四量,豆、区、釜、钟,四升为豆，各自其四以登于釜，釜十则钟。”则区为一斗六升，釜为六斗四升,钟为六石四斗。 [3]陈子:即陈臻。 [4]季孙:人名,事迹不详。 [5]子叔疑:人名,事迹不详。 [6]龙断:垄断，即网垄之断而高者。

译文

孟子辞去官职准备返回故乡。齐王登门去见孟子，说：“以前我希望见到你都不可能，后来有幸能和你同朝共事，我很高兴。现在你又将抛下我而要回故乡去了，不知以后我们还能相见吗？”

孟子答道：“我只是不敢提出这样的要求罢了，其实这本是我很希望的。”

另一天，齐王对时子说：“我想在国都的中心地区送幢房子给孟子，用万钟粟米来养活他的弟子们，使我国的官员和百姓都有所效法。你何不替我向孟子说说！”

时子托陈臻转告孟子，陈臻将时子的话告诉了孟子。

孟子说：“哦，那位时子又哪里知道这种事情做不得呢？假如我想发财，辞去十万钟粟米的官俸却去接受这万钟的赐予，这是想发财吗？季孙说过：‘子叔疑这人真奇怪！自己去做官，别人不用，也就罢了，还让他的儿子、兄弟去做国卿。谁不想做官发财，他却独独想把做官发财私下垄断起来。’古代的集市贸易，人们都是拿自己有的东西，去交换自己没有的东西，有关部门对此加以管理罢了。有个低贱的男人，一定要找个唯一突出的高丘登上去，以便四面张望，把集市上贸易的赢利都网罗过来。人们都觉得此人卑鄙下贱，因此便对他征税。向商人征税，就是从这个卑鄙低贱的男人开始的。”

孟子去齐，宿于昼[1]。有欲为王留行者，坐而言。不应，隐几而卧。

客不悦曰："弟子齐宿而后敢言[2]，夫子卧而不听，请勿复敢见矣。"

曰："坐！我明语子。昔者鲁缪公无人乎子思之侧，则不能安子思[3]；泄柳、申详无人乎缪公之侧，则不能安其身[4]。子为长者虑，而不及子思。子绝长者乎？长者绝子乎？"

注释

[1]昼：齐国邑名，在今山东临淄附近。据《孟子译注》考证：一说为孟子自齐返邹必经之路，一说为燕破齐时军队所经之地。两地一南一北，故此地还有待考证。　[2]齐：同"斋"，斋戒。古人在有重大事情前，沐浴更衣，不饮酒，不吃荤，以示诚敬，称斋戒。　[3]"昔者"二句：鲁缪公尊敬子思，常派人在子思

身边伺候致意，使子思安心。鲁缪公，鲁国国君，名显，前 409 年至前 377 年在位。子思，名孔伋，孔子之孙。　[4] 泄柳、申详：同为鲁缪公时贤人。泄柳，亦称子柳。申详，孔子弟子子张之子。他们二人认为，如果没有贤者在左右维护君主，自身就感到不安。

译文

孟子离开齐国，在昼邑住宿。有个来想替齐王挽留孟子的人，恭坐着劝说孟子。孟子不加理会，靠在小桌子上打盹。

那人不高兴地说："学生先一天斋戒存敬然后才敢前来进言，先生却睡而不听，这我就不再敢求见您了。"

孟子说："坐下！我明白地告诉你。从前，鲁缪公如果没有人留在子思身边，就不能够使子思安心；泄柳和申详如果没有人在鲁缪公身边，他们也就不能安下身来。你为我这个长辈打算，还及不上鲁缪公对待子思。是你与长辈决绝呢，还是我这个长辈与你决绝呢？"

孟子去齐。尹士语人曰[1]："不识王之不可以为汤武，则是不明也；识其不可，然且至，则是干泽也[2]。千里而见王，不遇故去，三宿而后出昼，是何濡滞也？士则兹不悦。"

高子以告[3]。

曰："夫尹士恶知予哉？千里而见王，是予所欲也；不遇故去，岂予所欲哉？予不得已也。予三宿而出昼，于予心犹以为速，王庶几改之[4]。王如改诸，则必反予。夫出昼，而王不予追也，予然后浩然有归志[5]。予虽然，岂舍王哉？王由足用为善[6]。王如用予，则岂徒齐民安，天下之民举安。王庶几改之！予日望之！予岂若是小丈夫然哉？谏于其君而不受，则怒，悻悻然见于其面[7]，去则穷日之力而后宿哉？”

尹士闻之，曰：“士诚小人也。”

注释

[1]尹士：齐国人，事迹不详。 [2]干泽：贪图富贵。干，求。泽，禄。 [3]高子：齐国人，孟子弟子。 [4]庶几：副词，表示希望的语气。 [5]浩然：痛下决心。朱熹《孟子集注》云：“如水流不可止也。” [6]由：同“犹”。 [7]悻（xìng）悻然：杨伯峻《孟子译注》引赵岐注引《论语》之“硁硁然小人焉”，以解此“悻悻然”为器量狭小之貌。王夫之《四书训义》作“怒意也”，应指怨愤的表情。

译文

孟子离开了齐国。尹士对别人说：“不知道齐王成不了商汤、周武那样的圣君，那是（孟子）缺乏眼力；知道他不行，可还是要来，那就是（孟子）贪图富贵。不远千里来见齐王，不相融洽而离去，却在昼邑留宿三夜才走，为什么这样慢腾腾地呢？我就对这一点不高兴。”

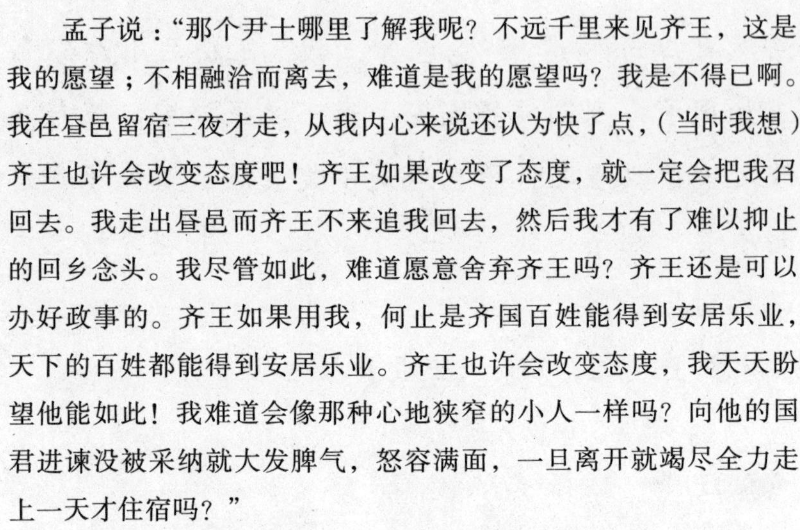

高子把这些话告诉了孟子。

孟子说："那个尹士哪里了解我呢？不远千里来见齐王，这是我的愿望；不相融洽而离去，难道是我的愿望吗？我是不得已啊。我在昼邑留宿三夜才走，从我内心来说还认为快了点，（当时我想）齐王也许会改变态度吧！齐王如果改变了态度，就一定会把我召回去。我走出昼邑而齐王不来追我回去，然后我才有了难以抑止的回乡念头。我尽管如此，难道愿意舍弃齐王吗？齐王还是可以办好政事的。齐王如果用我，何止是齐国百姓能得到安居乐业，天下的百姓都能得到安居乐业。齐王也许会改变态度，我天天盼望他能如此！我难道会像那种心地狭窄的小人一样吗？向他的国君进谏没被采纳就大发脾气，怒容满面，一旦离开就竭尽全力走上一天才住宿吗？"

尹士听到这些话后，说："我真是个小人。"

孟子去齐，充虞路问曰[1]："夫子若有不豫色然。前日虞闻诸夫子曰：'君子不怨天，不尤人[2]。'"

曰："彼一时，此一时也[3]。五百年必有王者兴，其间必有名世者。由周而来，七百有余岁矣。以其数，则过矣；以其时考之，则可矣。夫天未欲平治天下也，如欲平治天下，当今之世，舍我其谁也？吾何为不豫哉？"

注释

[1]充虞:孟子弟子。　　[2]“君子”二句:孔子之语,见《论语·宪问》。　　[3]彼一时,此一时:比喻时过境迁。

译文

孟子离开齐国,充虞在路上问道:“先生好像有点不愉快的样子。以前我听先生说过:‘一个有道德修养的人是不埋怨天、不责怪人的。’”

孟子说:“那时是那时,现在是现在。每五百年一定会有称王天下的人兴起,其间一定有以才德闻名于世的人出现。从周朝开国以来,已有七百多年了。论年数,已超过了(五百年);以时势来考察,该有圣贤出现了。上天大概还不想让天下太平和治理,要是想使天下太平和治理,那当今世上,除了我还有谁(能担当这重任)呢?我为什么不愉快呢?”

孟子去齐,居休[1]。公孙丑问曰:“仕而不受禄,古之道乎?”

曰:“非也。于崇[2],吾得见王,退而有去志,不欲变[3],故不受也。继而有师命[4],不可以请。久于齐,非我志也。”

注释

[1]休:地名,在今山东滕州北,距孟子家约百里。
[2]崇:地名,不可考。　　[3]不欲变:赵岐《孟子注》:“志欲去矣,

不欲即去，若为诡见，见非泰甚。”杨伯峻《孟子译注》:“以‘诡变’释‘变’，意思是以为孟子之欲走而不马上走者，乃不想作诡弄之行，被别人责骂太甚。”朱熹《孟子集注》云:“变，谓变其去志，是也。”联系上下文，“变”应该是指改变自己的政治理念而对齐王委曲求全。　[4]师命：军旅之事，军事行动。

译文

孟子离开齐国，在休地住下。公孙丑问道：“做官却不受俸禄，这是古代的规范吗？”

孟子说：“不是的。在崇地时，我见到了齐王，回来后便有了离开的念头，我不想改变这种念头，所以不受俸禄。接着齐国发生战事，不能请求离去。长久留在齐国，并不是我的意愿。”

延伸阅读

孟子升格运动

我们常称儒家的学说为“孔孟”之道，然而在两宋以前，孟子的地位并不高。在孟子生活的战国时代，孟子的思想并不被当时的统治者所重视。从秦汉一直到两宋以前，孟子只是被视为一般的儒家学者，孟子其书只能归入“子部”。在官私文献中，多是“周孔”或“孔颜”并称，很少有“孔孟”合称的。

唐高祖、唐太宗、唐高宗三朝在争论国子学当祭“周孔”还是“孔颜”时，唐太宗增加从左丘明到范宁二十二位儒者从祀孔庙时，唐玄宗封颜渊为“亚圣”、封“孔门十哲”和“七十子”为侯、伯时，都对孟子只字未提。当时科举考试的“明经”科目中只有“三礼”(《周礼》、《仪礼》、《礼记》)、“三传”(《左传》、《公羊传》、《谷梁传》)以及《周易》、《尚书》、《毛诗》这“九经”，《论语》和《孝经》

则被列入了"兼通",而《孟子》一书没有资格入选。此时的《孟子》一书，尚不如《老子》、《庄子》、《文子》、《列子》这四部道家著作，后者在唐玄宗时被列入科举，称之为"道举"。

但是中唐开始，情况发生了变化。渐渐地，孟子之名置于孔子之后，成为仅次于孔子的"贤人";孟子其人被朝廷加封了爵号，从祀孔庙;孟子其书被增入儒经之内,不久超越"五经"跻身于"四书"，变成中国士人必读的官方教科书。这个变化过程，就是历史上的"孟子升格运动"。

真正揭开孟子升格运动序幕的是韩愈。韩愈在《原道》一文中首次提出了儒家的"道统"，并把孟子的名字上升到孔子之后，与那些"古圣先贤"相提并论。韩愈以尊"孔孟"取代唐初的尊"孔颜"，在当时引起了一些学者的关注。但是"孔孟"的称呼仅限于当时的少数文人，并没有受到最高统治者的重视。

孟子升格运动被重新唤起，是在宋仁宗庆历之际。当时学坛上出现了一股社会思潮，而"尊孟"成为该思潮的取向之一。庆历思潮的领袖人物是范仲淹和欧阳修。如范仲淹发挥孟子"乐以天下，忧以天下"的思想，标举出"先天下之忧而忧，后天下之乐而乐"的宋代新儒家的理想人格风范。欧阳修推崇孟子,认为"孔子之后，唯孟子最知道"。

自庆历以后，孟子升格进入了快速发展期，孟子升格此时在政治上已获得朝廷支持，其进程时间表如下：

熙宁四年（1071）二月,《孟子》一书首次被列入科举考试的科目之中。

熙宁七年（1074)，支持王安石变法的经学家常秩，请立孟子像于朝廷。

元丰六年（1083）十月,孟子首次受到官方的封爵,被封为"邹国公"。

元丰七年（1084）五月，官方首次批准，允许孟子配享孔庙。

政和五年（1115），政府方面承认邹县所建的孟庙，诏以乐正子配享，公孙丑以下十七人从祀。

宣和年间（1119—1125），《孟子》一书首次被刻成石经，成为“十三经”之一。

嘉定五年（1212），朱熹的《论语集注》、《孟子集注》成为官方之学。同年，目录学家陈振孙撰写《直斋书录解题》，正式从目录学上把《孟子》一书由“子部”升格至“经部”。

元朝至顺元年（1330），元文宗加封孟子为“亚圣公”。至此，孟子升格运动结束。

思考讨论

1. 孟子为何谢绝齐国的挽留呢？

2. 孟子的一句“舍我其谁”表现出了何等的气魄。在中国的历史中，你能说出别的有“舍我其谁”这等气魄的人吗？

第五章　滕文公上

三年之丧

滕文公为世子[1]，将之楚，过宋而见孟子。孟子道性善，言必称尧舜。

世子自楚反，复见孟子。孟子曰："世子疑吾言乎？夫道一而已矣。成瞯谓齐景公曰[2]：'彼，丈夫也；我，丈夫也。吾何畏彼哉？'颜渊曰：'舜，何人也？予，何人也？有为者亦若是。'公明仪曰[3]：'文王，我师也，周公岂欺我哉？'今滕，绝长补短，将五十里也，犹可以为善国。《书》曰[4]：'若药不瞑眩，厥疾不瘳[5]。'"

注释

[1]世子：即太子，天子或诸侯的嫡长子。"世"、"太"古音相同，可通用。据杨伯峻《孟子译注》考，《公羊传·庄公三十二年》语："君存称世子。"何休注云："明当世父位为君。"　[2]成瞯：齐国勇士。[3]公明仪：曾参弟子。其事迹见于《礼记》中的《檀公》和《祭

义》篇。 [4]《书》:《尚书》之《逸》篇。 [5]“若药”二句：赵岐《孟子注》云：“瞑眩，药反人疾，先使瞑眩愦乱，乃得瘳（chōu）愈也。”瘳，痊愈。

译文

滕文公在做世子时，将要去楚国，路过宋国，去看望孟子。孟子讲了人性本善的观点，言谈之中不离尧舜。

世子从楚国回来，又去见了孟子。孟子说：“世子怀疑我的话吗？真理只有一个罢了。成覸曾对齐景公说：‘他是男子汉大丈夫，我也是男子汉大丈夫，我干吗要怕他呢？’颜渊说过：‘舜是什么样的人，我也是什么样的人，有作为的人也像他一个样子。’公明仪曾说：‘文王是我的老师，周公难道会骗我吗？’现在的滕国，把土地截长补短（进行丈量），将近有五十里见方，还是能治理成一个好国家。《尚书》中说：‘如果药服了后不使人头晕目眩的话，那病是不会痊愈的。’”

滕定公薨[1]，世子谓然友曰[2]：“昔者孟子尝与我言于于宋，于心终不忘，今也不幸至于大故[3]，吾欲使子问于孟子，然后行事。”

然友之邹问于孟子[4]。

孟子曰：“不亦善乎！亲丧，固所自尽也[5]。曾子曰[6]：‘生，事之以礼；死，葬之以礼，祭之以礼，可谓孝矣。’诸侯之礼，吾未之学也。虽然，吾尝闻之矣。三年之丧[7]，齐疏之服[8]，饘粥之食[9]，

自天子达于庶人，三代共之。”

然友反命，定为三年之丧。父兄百官皆不欲，曰：“吾宗国鲁先君莫之行[10]，吾先君亦莫之行也，至于子之身而反之，不可。且《志》曰[11]：‘丧祭从先祖。’曰：‘吾有所受之也。’”

谓然友曰：“吾他日未尝学问，好驰马试剑。今也父兄百官不我足也，恐其不能尽于大事，子为我问孟子！”

然友复之邹问孟子。

孟子曰：“然，不可以他求者也。孔子曰：‘君薨，听于冢宰[12]，歠粥[13]，面深墨，即位而哭，百官有司莫敢不哀，先之也。’上有好者，下必有甚焉者矣。君子之德，风也；小人之德，草也。草尚之风，必偃[14]。是在世子。”

然友反命。

世子曰：“然，是诚在我。”

五月居庐[15]，未有命戒。百官族人可，谓曰知。及至葬，四方来观之，颜色之戚，哭泣之哀，吊者大悦。

注释

[1]滕定公：滕文公的父亲。薨（hōng）：死。古代称侯王死叫“薨”，唐代以后用于指二品以上官员死。　[2]然友：人名，太子的老师。　[3]大故：重大的事故，指大丧、凶灾之类。[4]之：至，到。邹与滕相距只有四十余里，所以可以问后行事。[5]自尽：尽自己最大的心力。　[6]曾子曰：以下几句话在《论语·为政》中是孔子对樊迟说的。　[7]三年之丧：指子女为父母、臣下为君主守孝三年。　[8]齐（zī）疏之服：用粗布做的缝边的丧服。齐，指衣服缝边。古代丧服叫做衰（cuī），不缝衣边的叫“斩衰”，缝衣边的叫“齐衰”。　[9]饣（zhān）：稠粥。粥：稀粥。这里是偏义复词，指稀粥。　[10]宗国：鲁、滕诸国的始封祖都是周文王的儿子，而周公封鲁，于行辈较长，所以其余姬姓诸国都以鲁为宗国。　[11]《志》：记国家世系等的一种书。[12]冢（zhǒng）宰：官名。在君王居丧期间代理朝政。[13]歠（chuò）：饮。　[14]“君子之德”六句：出自《论语·颜渊》。尚，同“上”。偃（yǎn），倒下。　[15]五月居庐：居住在丧庐中五个月。

译文

滕定公去世了，世子对老师然友说：“前些时候孟子在宋国曾与我交谈过，我心里始终不能忘记。现在不幸遭到了这样的大变故，我想派你去问问孟子，然后再举办丧事。”

然友到邹国去向孟子请教。

孟子说：“这不是很好吗！父母的丧事，本来就应该竭尽自己的心力。曾子说过：‘（父母）在世时，依礼去侍奉；去世时，依礼去安葬、去祭祀，这可说是尽孝了。’有关诸侯的礼仪，我没有学习过。但我曾听说过，守丧期三年，穿缝了边的粗布丧服，喝稀粥，从天子到老百姓，夏、商、周三代都是一样的。”

然友回去复命，于是定为三年丧期。滕国的父老百官都不愿意，说：“我们的宗国鲁国的历代国君都没有实行过，我们的历代国君也没有实行过，到你这里却要改变祖先的做法，这事不能做。何况《志》书里说过：‘丧葬和祭祀要照祖先的成规办事。’这样就可说：‘我们是上有所承的。’”

世子对然友说：“我以前不曾学礼问仪，而喜欢跑马击剑。现在父老百官们都对我不满，恐怕这次丧事不能做到尽心竭力了，你再替我去问问孟子吧。”然友又到邹国去向孟子请教。

孟子说：“是呀，这事不能求之于别人的。孔子说过：‘国君去世，（太子）将一切朝事委托首相去办理，喝稀粥，面色深黑，一临孝子之位便痛哭，大小官吏便没有敢不悲哀的，因为太子带了头。’在上位者有什么爱好，下面的人便一定会爱好得更厉害。君子的德，是风；小人的德，是草。风吹到草上，草一定会随风而倒。这事取决于世子。”

然友回去复命。

太子说：“对，这事的确取决于我。”

于是世子住在丧庐里整整五个月，不曾发号施令。朝中百官和族中亲属都表示满意，说世子懂礼。等到下葬时，四方的人都来观礼，世子容颜的悲伤，哭泣的哀痛，使前来吊丧的客人都十分满意。

延伸阅读

儒家的“三年之丧”

滕定公去世，滕世子想根据儒家的丧礼来行事，结果遭遇了很大的阻力。经过孟子的启发，他认识到一切事情取决于自己做得怎样。这其中，本人意志、信心具有很大的作用。

此节引出一个问题，即儒家所谓的“三年之丧”。按儒家的观点，“三年之丧”乃是指子女为父母、妻妾为夫、诸侯为天子、臣为君的守丧期。“三年之丧”始于何时？有人将其追溯得很早，如《孟子》本节中认为夏、商、周三代已然。现在可知的上古文献最早记载“三年之丧”的是《左传》。《左传》记鲁昭公十一年时，叔向曾对鲁昭公不行“三年之丧”大加非议。但征诸史实，“三年之丧”至少在孟子时代还很不普遍，否则滕国的父兄百官不会这么反对滕世子，而反对的理由之一是儒风最盛的鲁国也从来不实行“三年之丧”。从现有的资料来看，我们只能说，“三年之丧”在周代或有实行，但决不普遍，只是儒家学者如孔子、孟子、荀子等非常强调。荀子在其《礼论》中对“三年之丧”有较详细的论述，还提出了“三年之丧”实际上是“二十五月而毕”。

秦始皇统一后，曾规定“臣为君服斩衰三年”（《晋书·礼志中》）。汉代起，“三年之丧”逐渐流行起来。王莽改制，“三年之丧”开始大行。进入东汉以后，“三年之丧”在民间也开始流行起来。

思考讨论

1. 孟子坚持厚葬的理由有哪些？

2. 你如何看待儒家的“厚葬”、“久丧”？

民事不可缓

滕文公问为国。

孟子曰："民事不可缓也。《诗》云：'昼尔于茅，宵尔索绹，亟其乘屋，其始播百谷[1]。'民之为道也，有恒产者有恒心，无恒产者无恒心。苟无恒心，放辟邪侈，无不为已。及陷于罪，然后从而刑之，是罔民也。焉有仁人在位罔民而可为也？是故贤君必恭俭礼下，取于民有制。阳虎曰[2]：'为富不仁矣，为仁不富矣。'

"夏后氏五十而贡，殷人七十而助，周人百亩而彻，其实皆什一也。彻者，彻也[3]；助者，藉也[4]。龙子曰[5]：'治地莫善于助，莫不善于贡。'贡者，挍数岁之中以为常。乐岁，粒米狼戾，多取之而不为虐，则寡取之；凶年，粪其田而不足[6]，则必取盈焉。为民父母，使民盻盻然，将终岁勤动，不得以养其父母，又称贷而益之，使老稚转乎沟壑，恶在其为民父母也？夫世禄，滕固行之矣。《诗》云：'雨我公田，遂及我私[7]。'惟助为有公田。由此观之，虽周亦助也。

"设为庠、序、学、校以教之。庠者，养也；校者，教也；序者，射也。夏曰校，殷曰序，周曰庠，学则三代共之，皆所以明人伦也。人伦明于上，小民亲于下。有王者起，必来取法，是为王者师也。《诗》云：'周虽旧邦，其命惟新[8]。'文王之谓也。子力行之，亦以新子之国。"

注释

[1]"昼尔于茅"四句：出自《诗经·豳风·七月》。于茅，取来茅草。于，取。索绹，编绳子。绹，绳索。亟，急。乘，修缮。 [2]阳虎：又作阳货，春秋末鲁国大夫季氏的家臣。曾经长期把持国政，挟持季氏，后来出逃。 [3]彻者，彻也：是说这种税制在周是天下通行的税制。彻，通。 [4]助者，藉也：意思是借助民力来耕种公田。藉，借。 [5]龙子：古代贤人，事迹不详。 [6]粪：扫除。 [7]"雨我"二句：出自《诗经·小雅·大田》。 [8]"周虽旧邦"二句：出自《诗经·大雅·文王》。

译文

滕文公询问治国的事情。

孟子说："与百姓有关的事是刻不容缓的。《诗经》上说：'白天赶紧割茅草，晚上要把绳索搓，快快修缮旧房舍，开春就把谷种播。'老百姓的一般规律是：有固定的产业就会有一贯向善的心思，没有固定的产业就不会有一贯向善的心思。假如没有一贯向善的心思，那歪门邪道，不守法纪，胡作非为，什么都干得出来。

等到他们犯了罪，然后施加刑罚，这等于设下网罗陷害人民。哪有仁爱之君在位，可以干出陷害人民的事呢？所以贤明的君主必定恭谨俭朴，对臣下有礼，向百姓征收赋税有定制。阳虎曾说过：'要想发财就别讲仁爱，要讲仁爱就别想发财。'

"夏朝每家五十亩而行贡法，商朝每家七十亩而行助法，周朝每家一百亩而行彻法，实际征的税率都是十分抽一。彻是抽取的意思，助是借助的意思。龙子说：'管理土地没有比助法更好的，没有比贡法更不好的。'贡法就是计量、比较几年的收成而定出一个税收的定数。丰收之年，粮食到处抛撒，多征收一点也不算苛暴，却征得不多；凶年饥岁，田里的收获连购买来年的肥料都不够，却一定要征足这个定数。作为百姓父母的国君，使百姓整年辛勤劳动，结果却无法养活自己的父母，还得靠借贷来凑足纳税的数字，致使老老小小弃尸于山沟荒野之中，哪里还算得上是百姓的父母呢？官员世代承袭田租收入的'世禄'制度，滕国早就实行了。《诗经》上说：'首先降雨到公田，然后再把私田泽。'只有实行助法才会有公田，由此来看，就是周朝，也是实行助法的。

"（百姓的生活问题基本解决后）要设立庠、序、学、校来教育他们。庠是教养的意思，校是教导的意思，序是训导的意思。夏朝叫校，殷朝叫序，周朝叫庠。至于（大）学三代都叫学，（它们）都是用来向学生阐明并教导他们明白人与人之间的各种伦常关系的。在上位者明白人与人之间的伦常关系，小百姓们在下面自然也就亲密无间了。如有能称王天下的人兴起，一定会来学习仿效的，这样就成了称王天下者的老师了。《诗经》上说：'岐周虽是个古老之国，接受的天命却是常新的。'这是赞美文王的。你努力践行下去，也可以使你的国家焕然一新。"

使毕战问井地[1]。

孟子曰："子之君将行仁政，选择而使子，子必勉之！夫仁政,必自经界始。经界不正,井地不均，谷禄不平，是故暴君污吏必慢其经界[2]。经界既正，分田制禄可坐而定也。

"夫滕，壤地褊小，将为君子焉，将为野人焉。无君子，莫治野人；无野人，莫养君子。请野九一而助，国中什一使自赋。卿以下必有圭田[3]，圭田五十亩，余夫二十五亩。死徙无出乡，乡田同井，出入相友，守望相助，疾病相扶持，则百姓亲睦。方里而井，井九百亩，其中为公田。八家皆私百亩，同养公田。公事毕，然后敢治私事，所以别野人也。此其大略也。若夫润泽之，则在君与子矣。"

注释

[1] 毕战：滕国的臣子。井地：即井田，相传为古代奴隶社会的一种土地制度。以方九百亩的地为一个单位，划成九区，其中为公田，八家均私田百亩，同养公田。因形如井字，故名。

[2] 经界："经"与"界"同义，边界的意思。

[3] 圭田：孔颖达《孟子正义》云："圭，洁也。士以洁白而升，则与以圭田，使供祭祀。若以不洁白而黜，则收其田里，故士无田则不祭。有田以表其洁，

无田以罚其不洁也。”杨伯峻《孟子译注》认为：“零星不整者为圭田。”即零星的农田。

译文

滕文公派毕战来询问井田制度。

孟子说：“你的国君将要实行仁政，经过挑选派你来问我，你要努力呀！要实行仁政，必须要从划分和理清田界开始。田界没有划分理清，井田的大小就不均衡，作为俸禄所分的谷物就不能做到公平。因此，那些暴君和贪吏总是要千方百计把正确的田界搞乱。田界如果划分理清了，分配田地给老百姓、制定俸禄便可不费气力地决定下来了。

“滕国国土狭窄，但也要有执政的君子，也要有种田的百姓。没有执政的君子，便不能治理种田的百姓；没有种田的百姓，便不能养活执政的君子。建议你们在郊野实行九分抽一的助法，在都城实行自行缴纳十分之一的赋税。国卿以下的官吏一定要有供祭祀用的圭田，圭田为五十亩，剩余劳动力就每人另给田二十五亩。（这样）埋葬或搬家都不用走出乡里，每个乡同耕一井之田，平日出入互相友爱，防守盗贼互助互帮，一家有病人大家照顾，那百姓间便真正友爱团结了。每一里见方的土地为一个井田，一个井田共有九百亩，中间百亩是公田，八家各耕一百亩私田，共同耕种好公田。公田里的活完了，然后才敢去干私田的活，这样做就是为了使老百姓跟官吏有所区别。这只是井田制的大概情况。至于怎样做得更完善、更理想，那就得靠你的国君和你了。”

延伸阅读

上古教育制度

一般认为，我国上古时代的教育制度是“王官之学”，即官学。关于夏朝和商朝的学校我们知道的内容很少，比较清楚的学校教育制度多从周朝讲起。从学校设置的地点上看，周朝的学校可以分为三类：

乡校。设在周朝各地，孟子称之为“庠”，《汉书·儒林传》称作“序”。乡校供普通贵族子弟就学。

泮宫。设在诸侯国都城内，是供大贵族子弟学习的地方。

辟雍。设在周朝王都，和泮宫一样，也是供大贵族子弟学习的地方。辟雍是西周时期的圆形建筑物，四面环水为雍。《礼记·王制》曰：“大学在郊，天子曰辟雍，诸侯曰泮宫。”

也有的学者认为，乡校的性质属于“小学”，而后二者的性质属于“大学”。“小学”即基础教育，主要是对贵族子弟进行知识和技艺的必要教育和训练，培养能文能武的初级人才。当时贵族子弟所学的“六艺”，即礼、乐、射、御、书、数，属于“小学”的内容。

与“小学”相比，“大学”中的“诗”是新设的课程；“书”不再只是造字原则，而是读训典一类（历史文献）；“礼”和“乐”也不仅是礼仪、音乐，而且还要学习理论。后来又陆续加进了《易》和《春秋》（泛指历史）两门课。所以，“大学”课程合计也是六门（各诸侯国并不统一），其沿用“小学”的“六艺”之名，据说就是后来儒家经典中“六经”的最初源头。当然，学术界对这一观点并不一致认同。

思考讨论

1. 你如何看待孟子的“有恒产者有恒心”的说法？

2. 你了解中国古代的土地制度和税赋制度吗？

一人之身百工之所为备

有为神农之言者许行[1]，自楚之滕，踵门而告文公曰："远方之人闻君行仁政，愿受一廛而为氓。"

文公与之处。其徒数十人，皆衣褐，捆屦织席以为食。

陈良之徒陈相与其弟辛[2]，负耒耜而自宋之滕[3]，曰："闻君行圣人之政，是亦圣人也，愿为圣人氓。"

陈相见许行而大悦，尽弃其学而学焉。

陈相见孟子，道许行之言曰："滕君则诚贤君也。虽然，未闻道也。贤者与民并耕而食，饔飧而治[4]。今也滕有仓廪府库，则是厉民而以自养也，恶得贤？"

孟子曰："许子必种粟而后食乎？"

曰："然。"

"许子必织布而后衣乎？"

曰："否，许子衣褐。"

"许子冠乎？"

曰："冠。"

曰："奚冠？"

曰："冠素。"

曰："自织之与？"

曰："否，以粟易之。"

曰："许子奚为不自织？"

曰："害于耕。"

曰："许子以釜甑爨[5]，以铁耕乎？"

曰："然。"

"自为之与？"

曰："否，以粟易之。"

"以粟易械器者，不为厉陶冶。陶冶亦以其械器易粟者，岂为厉农夫哉？且许子何不为陶冶，舍皆取诸其宫中而用之？何为纷纷然与百工交易？何许子之不惮烦？"

曰："百工之事，固不可耕且为也。"

"然则治天下独可耕且为与？有大人之事，有小人之事。且一人之身而百工之所为备，如必自为而后用之，是率天下而路也。故曰：或劳心，或劳力。劳心者治人，劳力者治于人；治于人者食人，治人者食于人。天下之通义也。"

注释

[1]神农：上古传说中的人物，相传他首先制造农具，教导人民种田。战国时，提倡重视农业的学派标榜自己奉行神农学说。许行：战国时农家学派的代表人物。　[2]陈良：楚国的儒者。梁启超考证即《韩非子·显学》所指的仲良之儒。　[3]耒耜（lěi sì）：古代一种像犁的农具，木柄叫“耒”，犁头叫“耜”。[4]饔飧（yōng sūn）：早饭叫“饔”，晚饭叫“飧”，这里用作动词，做饭。朱熹《孟子集注》考证：“饔飧，熟食也，朝曰饔，夕曰飧。”[5]甑（zèng）：古代做饭用的一种陶器。爨（cuàn）：烧火做饭。

译文

有一个奉行神农氏学说的人叫许行，从楚国来到滕国，登门谒见滕文公，说：“我这个远方来的人，听说您施行仁政，愿能得到一处住所，做您的百姓。”

文公给了他一处住所。他的门徒有几十个人，都穿粗麻布衣，靠编草鞋织席子为生。

陈良的弟子陈相和他的弟弟陈辛，背着农具从宋国来到滕国，（对滕文公）说：“听说您施行圣人的政治，这样，您也就是圣人了，我愿做圣人的百姓。”

陈相见到许行后十分高兴，就完全抛弃了自己原来所学的东西，改向许行学习。

陈相见到了孟子，转述许行的话说：“滕文公倒确实是贤明的君主。虽然如此，他还不懂得（贤君治国的）道理。贤君应当与人民一起耕作养活自己，一面烧火做饭，一面治理天下。现在，滕国有堆满粮食钱财的仓库，这是侵害百姓来供养自己，哪能称得上贤明呢？”

孟子问："许行一定是自己种了粮食才吃饭的吗？"

陈相说："是的。"

孟子问："许行一定是自己织了布才穿衣的吗？"

答道："不是，许子穿粗麻编织的衣服。"

孟子问："许行戴帽子吗？"

答道："戴的。"

孟子问："戴什么样的帽子？"

答道："戴白绢帽子。"

孟子问："自己织的吗？"

答道："不，用粮食换来的。"

孟子问："他为什么不自己织呢？"

答道："会妨碍农活。"

孟子又问："他用锅、甑烧饭，用铁农具耕田吗？"

答道："是的。"

孟子问："自己造的吗？"

答道："不是，用粮食换来的。"

孟子说："农夫拿粮食交换（生活、生产所需的）器具，不算是侵害陶工冶匠。陶工冶匠也拿他们的器具交换粮食，难道就是侵害了农夫利益了吗？再说，他为什么不自己制陶冶铁，停止交换，样样东西都从自家屋里取来用？为什么要忙忙碌碌同各种工匠交换呢？为什么他这样不怕麻烦呢？"

陈相答道："各种工匠的活计本来就不可能一边种地一边兼做的。"

孟子说："既然是这样的道理，那么治理天下的难道独独可以一边种地一边兼做的吗？有官吏们做的事，有小民们做的事。再说一个人身上（所需的用品）要靠各种工匠来替他制备，如果一定要自己制作而后使用，这会导致天下的人疲于奔走。所以说：有些人动脑筋，有些人用体力。动脑筋的人统治别人，动用体力的人被人统治；被人治理的人养活别人，统治别人的人被别人养活。这是天下通行的法则。”

“当尧之时，天下犹未平，洪水横流，泛滥于天下，草木畅茂，禽兽繁殖，五谷不登，禽兽逼人，兽蹄鸟迹之道，交于中国。尧独忧之，举舜而敷治焉。舜使益掌火[1]，益烈山泽而焚之，禽兽逃匿。禹疏九河，瀹济、漯而注诸海[2]；决汝、汉，排淮、泗而注之江。然后中国可得而食也。当是时也，禹八年于外，三过其门而不入，虽欲耕，得乎？

“后稷教民稼穑[3]，树艺五谷，五谷熟而民人育。人之有道也，饱食暖衣、逸居而无教，则近于禽兽。圣人有忧之，使契为司徒[4]，教以人伦：父子有亲，君臣有义，夫妇有别，长幼有序，朋友有信。放勋曰[5]：‘劳之来之，匡之直之，辅之翼之，使自得之，又从而振德之。’圣人之忧民如此，而暇耕乎？

“尧以不得舜为己忧，舜以不得禹、皋陶为己忧[6]。夫以百亩之不易为己忧者，农夫也。分人以财谓之惠，教人以善谓之忠，为天下得人者谓之仁。

是故以天下与人易，为天下得人难。孔子曰：'大哉，尧之为君！惟天为大，惟尧则之。荡荡乎，民无能名焉！君哉，舜也！巍巍乎，有天下而不与焉！'尧、舜之治天下，岂无所用其心哉？亦不用于耕耳。"

注释

[1]益：舜的臣子。 [2]瀹（yuè）：疏导。漯（tà）：古代河名。[3]后稷：古代周族的始祖，名弃。善于种植各种粮食作物，曾在尧、舜时代做农官，教民耕种。 [4]契（xiè）：传说中商的始祖，曾任舜的司徒，掌管教化。 [5]放勋：帝尧之名。 [6]皋陶（gāo yáo）：相传是舜时掌管刑法的官。

译文

"在尧的时代，天下还不太平，洪水横流，到处泛滥，草木遍地丛生，禽兽大量繁殖，庄稼没有收成，禽兽危害人民，它们的足迹遍布中原各地。尧为此独自忧虑，提拔舜来全面治理。舜派益掌管火政，益在山冈沼泽燃起大火，烧掉草木，禽兽逃窜躲藏。大禹疏通九条河道，治理济水、漯水，将它们导流入海；开通汝水、汉水，疏浚淮水、泗水，将它们导入长江。这样，中原百姓才能耕种庄稼吃上饭。在那时候，大禹八年在外，三次经过自己家的门口都没有进去，即使想亲自耕种，能办到吗？

"后稷教人民各种农事，种植五谷，五谷成熟了才能养育人民。人类生活有其规律，吃饱、穿暖、安居而没有教育，便同禽兽差不多。圣人又为此忧虑，任命契担任掌管教育的司徒，把伦理道德教给人民：父子相亲相爱，君臣讲道义，夫妇讲内外之别，长幼讲尊

卑次序，朋友讲真诚守信。尧说：‘鼓励他们，纠正他们，帮助他们，使他们自得其所，又从而加以提携与施以恩德。’圣人为人民操心到这般程度，还有空闲耕作吗？

“尧把得不到舜当做自己的忧虑，舜把得不到禹、皋陶当做自己的忧虑。把耕种不好百亩田地当做自己忧虑的，是农夫。把财物分给人叫惠，教人行善叫忠，为天下物色贤才叫仁。因此，把天下让给别人是容易的，为天下物色到贤才是困难的。孔子说：‘尧作为君主真是伟大啊！只有天是伟大的，只有尧能效法天。（尧的功德）浩荡无边啊，人民简直无法用言语来形容！舜不愧为一位真正的君主！他拥有天下而不占有它，真是崇高伟大！’尧舜治理天下，难道是无所用心的吗？只是不用在耕作上罢了。”

“吾闻用夏变夷者[1]，未闻变于夷者也。陈良，楚产也，悦周公、仲尼之道，北学于中国。北方之学者，未能或之先也。彼所谓豪杰之士也。子之兄弟事之数十年，师死而遂倍之。昔者孔子没，三年之外，门人治任将归，入揖于子贡，相向而哭，皆失声，然后归。子贡反，筑室于场，独居三年，然后归。他日，子夏、子张、子游以有若似圣人，欲以所事孔子事之，强曾子。曾子曰：‘不可。江、汉以濯之，秋阳以暴之[2]，皓皓乎不可尚已[3]！’今也，南蛮鴃舌之人[4]，非先王之道，子倍子之师而学之，亦异于曾子矣！吾闻‘出于幽谷，迁于乔

木’者，未闻下乔木而入于幽谷者。《鲁颂》曰：‘戎狄是膺，荆舒是惩[5]。’周公方且膺之，子是之学，亦为不善变矣。”

“从许子之道，则市贾不贰，国中无伪。虽使五尺之童适市，莫之或欺。布帛长短同，则贾相若；麻缕丝絮轻重同，则贾相若；五谷多寡同，则贾相若；屦大小同，则贾相若。”

曰：“夫物之不齐，物之情也。或相倍蓰[6]，或相什百，或相千万。子比而同之[7]，是乱天下也。巨屦小屦同贾，人岂为之哉？从许子之道，相率而为伪者也，恶能治国家？”

注释

[1] 夏：指当时居住中原地区的民族。夷：古代对东部各族的统称，这里泛指居住于中原地区以外的部族。 [2] 秋阳：秋天的太阳。周历比现在的农历早两个月，故“秋阳”相当于农历夏季的太阳。 [3] 皓皓：赵岐《孟子注》曰：“甚白也。”可理解为意志坚定。 [4] 鴃（jué）：即伯劳鸟。 [5]“戎狄”二句：出自《诗经·鲁颂·閟宫》。 [6] 倍：一倍。蓰（xǐ）：五倍。[7] 比：排列。

译文

我只听说以中土的文化习俗去影响改变边远落后民族的事，没听说过被边远落后民族影响改变的。陈良，原是生长在楚国的，因喜爱周公、孔子的学说，跑到北方来向中土学习。北方的学者，还没有能够超过他的。他真算得上是杰出的人物。你们兄弟向他学习了几十年，老师死了竟背叛他的学说。从前孔子去世，守丧三年已满，弟子们整理行李将要各自回去，进屋向子贡行礼告别，相对痛哭，都泣不成声，然后才回去。子贡又回到墓地筑屋，在那里独住了三年，这才回去。过了些日子，子夏、子张和子游因为有若长得有点像孔子，想用侍奉孔子的礼节侍奉他，强求曾子同意。曾子说：‘不行，就如用江汉的水洗濯过那样，用盛夏的太阳曝晒过那样，老师的那种纯净洁白是无法达到的。’现在许行这个说话像鸟叫的南方蛮子，居然指责我们古圣先王之道，你们却背叛自己的老师向他学习，这与曾子就完全不同了。我只听说鸟儿总是从幽暗的山谷飞迁到高大的树木上去，却没听说过从高大的树木上飞迁下来到幽暗的山谷中去。《鲁颂》上说：‘攻击戎狄，痛惩荆舒。’周公还要攻击他们，你们却赞同他们的学说，这真是越变越坏了。”

陈相说：“听从许子的学说，就可以使市场上物价一律，都市中没有弄虚作假的。哪怕是身高五尺的孩子去市场，也不会有人欺骗他。布匹和丝绸长短一样，价钱也就一样；麻线和丝絮的轻重一样，价钱也就一样；各种谷物的多少一样，价钱也就一样；鞋的大小一样，价钱也就一样。”

孟子说：“货物的品种质量不一致，是货物本然的情形。有的相差一倍五倍，有的相差十倍百倍，有的相差千倍万倍。你强把它们等同起来，这是要淆乱天下。好鞋坏鞋一样价钱，又有谁肯干呢？听从许子的学说，就是引导大家去弄虚作假，这怎么能治理国家呢？”

延伸阅读

社会分工的必要性

这一小节阐述了孟子与农家对社会分工的不同看法。

农家对社会分工采取了否定的态度，认为无论是君王还是百姓，都应当自食其力，通过耕种、织布来解决个人的衣食问题。这虽然体现了农家对社会平等的向往，却忽视了随着社会的进化，必然会出现不同形式的社会分工，这种分工不仅存在于不同生产部门（比如农耕与手工艺），而且表现在体力劳动、脑力劳动、社会的管理机构等方面。分工是社会发展到一定阶段所必然出现的个体职能分化。

在后面的章节中，有一段孟子与弟子彭更的问答。彭更也许是受了农家思想的影响，对读书人不自食其力的生活方式产生了不解，因此问孟子读书人不劳动而吃白饭，这样做是否妥当。孟子于是进一步从社会分工的角度做出了解释：如果不互相服务，不彼此交换不同行业的产品，以多余的换取不足的，那么农民就会有多余的粮食，纺织业者就会有用不完的布匹，如果能互通有无，那么，木匠、车工等不从事农耕行业的，也可以获得粮食。除了木匠、车工等人，社会上还有一种人，他们虽然不从事农耕劳动，却在家孝敬父母，外出尊重长辈，严格遵循圣王之道培育年轻后代，难道这种人不能获得衣食吗？

孟子所说的这种人，就是士人，即知识分子。战国时期，随着社会的发展，“士”已成为引人注目的阶层。孟子认为，士是社会分工中的一个重要环节，与农、工阶层同样是社会上不可缺少的。

没有从直接的社会生产中解脱出来的知识分子群体，科学、艺术、教育的发展必然受到限制。《孟子》一书中关于“士”的论述非常多，我们在这里列举一些，以便进一步了解这个社会阶层的具体使命、社会地位：

无恒产而有恒心者，惟士为能。(《孟子·滕文公上》)

莫如贵德而尊士。(《孟子·公孙丑上》)

士无事而食，不可也。(《孟子·滕文公下》)

处士横议。(《孟子·滕文公下》)

盛得之士，君不得而臣，父不得而子。(《孟子·万章上》)

下士与庶人在官者同禄。(《孟子·万章下》)

故士穷不失义，达不离道。(《孟子·尽心上》)

在孟子所处的时代，如此明确地将社会分工视为文明存在的必要条件的说法，并不多见。从这方面看，孟子确实表现出一种超乎同时代人的眼光。

思考讨论

你认同孟子的“劳心”与“劳力”之说吗？为什么？

儒墨之争

墨者夷之因徐辟而求见孟子[1]。孟子曰：“吾固愿见，今吾尚病，病愈，我且往见。”夷子不来。

他日，又求见孟子。孟子曰：“吾今则可以见矣。不直，则道不见，我且直之。吾闻夷子墨者，墨之治丧也，以薄为其道也。夷子思以易天下，岂以为非是而不贵也？然而夷子葬其亲厚，则是以所贱事亲也。”

徐子以告夷子。

夷子曰：“儒者之道，古之人若保赤子[2]，此言何谓也？之则以为爱无差等，施由亲始。”

徐子以告孟子。

孟子曰：“夫夷子信以为人之亲其兄之子为若亲其邻之赤子乎？彼有取尔也。赤子匍匐将入井，非赤子之罪也。且天之生物也，使之一本，而夷子二本故也。盖上世尝有不葬其亲者，其亲死，则举而委之于壑。他日过之，狐狸食之，蝇蚋姑嘬之[3]。其颡有泚[4]，睨而不视。夫泚也，非为人泚，中心达于面目，盖归反虆梩而掩之[5]。掩之诚是也，则孝子仁人之掩其亲，亦必有道矣。”

徐子以告夷子。夷子怃然为间，曰：“命之矣。”

注释

[1] 墨者：墨家学派的人。墨家学派的创始人是墨翟。墨家主张“兼爱”、“尚贤”、“尚同”等，提倡“节用”、“节葬”，反对“厚葬”。墨家学说反映了当时小生产者的利益。夷之：姓夷名之。徐辟：

孟子弟子。 [2]若保赤子:见于《尚书·康诰》。 [3]蝇蚋(ruì)姑嘬(chuài)之:苍蝇蚊虫都来群聚而食。嘬,吃。 [4]泚(cǐ):赵岐《孟子注》云:"汗出泚泚然也。"焦循《孟子正义》认为"泚"通"疵",即有疾病。杨伯峻《孟子译注》认为皆可。此处应指人因激动或痛苦,额头不禁失汗。 [5]蘽(léi):盛土的筐。梩(lí):铁锹。

译文

墨家信徒夷之通过徐辟的关系求见孟子。孟子说:"我本来愿意见他,但现在我还病着,病好了,我将要去看他。"夷子就没去。

过了些日子,夷之又来求见孟子。孟子说:"我现在可以和他见面了。不直率地说,道理就显现不出,我就直率地说吧。我听说夷子是墨家的信徒,墨家办丧事,以节俭作为他们的准则。夷子想拿它来改变天下的礼俗,难道以为不这样就不足贵吗?可是夷子厚葬他父母,这是拿自己看不起的东西来侍奉父母亲。"

徐子把这些话告诉了夷子。

夷子说:"按儒家信徒的说法,古代的君王对待百姓如同爱护婴儿一般,这话是什么意思呢?我认为就是爱人没有亲疏厚薄的差别,只是实施却从自己的父母开始罢了。"

徐子又把这些话转告孟子。

孟子说:"夷子难道真的认为人们爱他侄儿与爱他邻居的婴儿是一样的吗?他只是抓住了这一点:婴儿在地上爬着快要掉进井里去时,这并不是婴儿的罪过。上天生养万物,使它们都只有一个本源,而夷子(这么说)是认为有两个本源的缘故。大概上古时曾有过不埋葬父母的人,父母死了,就把尸体抬到山沟里扔了。后来路过那里,看见狐狸在吃尸体,苍蝇蚊子在叮咬尸体。那人额角直冒汗，斜着眼睛不敢正视。那人的流汗，不是流给别人看的，而是内心愧疚难过而自然流露在面目上的，可能他回去取了畚箕和铁锹掩埋了尸体。掩埋尸体确实是对的，那么孝子仁人埋葬自己的父母亲，一定也是有道理的。”

徐子把孟子的话告诉了夷子。夷子茫然若有所失，过了片刻，说：“孟子教育了我。”

延伸阅读

儒墨“争鸣”的观点

墨家是中国古代主要哲学派别之一，约产生于战国初期。创始人墨翟主张兼爱（人与人平等相爱）、非攻（反对侵略战争），但是相信有天志（天的意志）、明鬼（鬼神）存在。前期墨家在战国初期有很大影响，与杨朱学派并称显学。

儒家和墨家在思想上有许多对立的观点，并产生过争论，是先秦“百家争鸣”的重要环节。

首先，墨家提倡“兼爱”，儒家认为爱有差等。儒、墨两家都提倡“仁”，但是两家“仁”的含义不相同。儒家的“仁”，虽然也主张“爱人”，但是受宗法制的制约，强调“亲亲、尊尊、长长”的区别，有亲疏厚薄。因此，儒家是主张爱有差等的。墨家主张的“仁”，是“兼爱”，是理想化了的人与人之间的关系。它强调爱别人要像爱自己的亲人一样，对陌生人和对亲人的爱是没有差别的。

其次，儒家提倡“天命论”，墨家提倡“非命”。儒家认为人的寿命长短、贫穷或富贵、国家治与乱等等，都是由天命决定的，是不可改变的。《论语·颜渊》所说：“死生有命，富贵在天。”墨家否定儒家的这种“天命论”，重视发挥人的主观能动性，使人奋

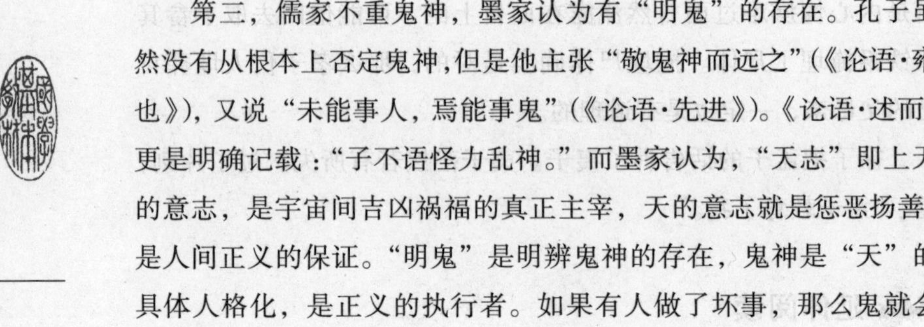

发图强，“不敢怠倦”。

第三，儒家不重鬼神，墨家认为有“明鬼”的存在。孔子虽然没有从根本上否定鬼神，但是他主张“敬鬼神而远之”（《论语·雍也》），又说“未能事人，焉能事鬼”（《论语·先进》）。《论语·述而》更是明确记载：“子不语怪力乱神。”而墨家认为，“天志”即上天的意志，是宇宙间吉凶祸福的真正主宰，天的意志就是惩恶扬善，是人间正义的保证。“明鬼”是明辨鬼神的存在，鬼神是“天”的具体人格化，是正义的执行者。如果有人做了坏事，那么鬼就会来惩罚他；如果有人做了好事，那么神就会来奖励他。

第四，儒家提倡“厚葬”，墨家提倡“节葬”。儒家重视礼仪，特别是古代“厚葬”、“久丧”之礼。《荀子·礼论》记载了古代的葬礼，“天子棺椁七重，诸侯五重，大夫三重，士再重”。关于守丧的时间，据《礼记·曾子问》记载，是实行“三年之丧”。墨家主张“节葬”、短丧。其出发点是节约社会财富，因为“厚葬”、“久丧”会造成“国家必贫，人民必寡，刑政必乱”的后果。墨子制定的埋葬办法是仅用三寸厚的桐木棺材，穿两件衣服就可以了。埋葬之后，照常从事劳动，主张不因丧葬而影响物质财富的生产。

第五，儒家重乐，墨家“非乐”。儒家不仅重礼，而且重乐，孔子教授弟子的“六艺”之中就包括了“乐”。而墨家主张“非乐”，认为享受音乐要花费人力、物力和财力，而且影响从事国家的管理和参与生产劳动。因此他得出结论：要想“兴天下之利，除天下之害”，就必须禁止音乐。

思考讨论

1. 儒家和墨家的观点针锋相对，你是怎么看待的？

2. 在治丧问题上，墨家和儒家的理念有什么区别？

第六章　滕文公下

何谓大丈夫

陈代曰[1]："不见诸侯，宜若小然。今一见之，大则以王，小则以霸。且《志》曰'枉尺而直寻'，宜若可为也。"

孟子曰："昔齐景公田，招虞人以旌，不至[2]，将杀之。'志士不忘在沟壑，勇士不忘丧其元。'孔子奚取焉？取非其招不往也。如不待其招而往，何哉？且夫枉尺而直寻者，以利言也。如以利，则枉寻直尺而利，亦可为与？昔者赵简子使王良与嬖奚乘[3]，终日而不获一禽。嬖奚反命曰：'天下之贱工也。'或以告王良。良曰：'请复之。'强而后可，一朝而获十禽。嬖奚反命曰：'天下之良工也。'简子曰：'我使掌与女乘。'谓王良。良不可，曰：'吾为之范我驰驱，终日不获一；为之诡遇，一朝而获十。《诗》云："不失其驰，舍矢如破[4]。"我不贯

与小人乘[5]，请辞。’御者且羞与射者比[6]，比而得禽兽，虽若丘陵，弗为也。如枉道而从彼，何也？且子过矣，枉己者，未有能直人者也。”

注释

[1]陈代：孟子弟子。 [2]“招虞人”二句：古代君子召唤臣下，按规定要有相当的物件作标志，如齐景公召管苑囿的小吏应以打猎的皮冠，他不遵守规定，小吏就不应召。杨伯峻《孟子译注》考证《左传·昭公二十年》：“齐侯田于沛，招虞人以弓，不进，公使执之，辞曰：‘昔我先君之田也，旃以招大夫，弓以招士，皮冠以招虞人。臣不见皮冠，故不敢进。’”虞人，看守山林、苑囿的小吏。旌，饰有五色羽毛的旗子。 [3]赵简子：晋国大夫，名赵鞅。王良：春秋末年著名的驾车能手。奚：人名。 [4]“不失”二句：出自《诗经·小雅·车攻》。 [5]贯：《尔雅·释诂》：“习也。”即今“惯”字。 [6]比：杨伯峻《孟子译注》考证《汉书·刘歆传》“比意同力”。颜师古注“比，合也”。

译文

陈代说：“不愿去见诸侯，好像有点拘泥于小节吧。如今一去见诸侯，大可以实行‘王道’而称王天下，小可以富国强兵而称霸于世。况且以前的《志》书中说过‘屈曲一尺而所伸直的却是八尺’，似乎是可以见一见的。”

孟子说：“从前齐景公去打猎，拿饰有羽毛装饰的旌旗召唤管山林苑囿的小吏，小吏没有去，景公要杀掉他。（孔子得知后说：）‘志士不怕弃尸山沟，勇士不怕丢掉脑袋。’孔子的赞赏是取他哪一点呢？就是取他敢于对不合乎礼仪的召唤不接受。如果我不待诸侯以礼相招便去见他们，那算什么呢？而且你所谓的屈曲一尺而所伸直的却是八尺，那只是从利益观点出发说的。要是专从利益方面考虑，如果屈曲八尺而所伸直的却是一尺也有利益，难道也能做吗？从前，赵简子派王良替他一个名叫奚的宠臣赶车（出去打猎），一整天也没有打到一只鸟。奚回来向赵简子汇报说：'（王良简直）是世上最拙劣的车手。'有人把这话告诉了王良。王良说：'请让我们再来一次吧。'奚经过勉强劝说后才答应，一个早上就打到了十只鸟。奚回来又汇报说：'（王良）是世上最出色的车手。'赵简子说：'那我就派他专门替你赶车。'他告诉了王良。王良不答应，说：'我按照驾车的规矩替他赶车，一整天打不到一只鸟；不按驾车的规矩赶车，一个早上便打到十只鸟。《诗经》上说："不失规范而奔驰，箭一发出便射中。"我不习惯为小人驾车，请不要让我干这份差事。'车手尚且羞于与坏的射手合作，即使合作后打到的禽兽堆积如山，也不屑干。如果损害原则去屈从那些诸侯，那又算什么呢？而且你也错了，自己不正直的人，从来没有能使别人正直的。"

景春曰[1]："公孙衍、张仪岂不诚大丈夫哉[2]？一怒而诸侯惧，安居而天下熄。"

孟子曰："是焉得为大丈夫乎？子未学礼乎？丈夫之冠也[3]，父命之；女子之嫁也，母命之，往送之门，戒之曰：'往之女家，必敬必戒，无违夫子！'以顺为正者，妾妇之道也。居天下之广居，立天下

之正位，行天下之大道[4]；得志，与民由之；不得志，独行其道。富贵不能淫，贫贱不能移，威武不能屈，此之谓大丈夫。”

注释

[1]景春：战国时纵横家。赵岐《孟子注》云：“孟子时人，为纵横之术者也。”周广业的《孟子古注考》考证，在《汉书艺文志》中记载，战国阴阳家的著述中有《景子》十三篇，疑即此人。[2]公孙衍：魏国人，号犀首，当时著名的说客。张仪：战国时纵横家的代表人物，主张连横，为秦扩张势力。 [3]冠：古时男子年二十行加冠礼，表示成年。 [4]广居、正位、大道：朱熹《孟子集注》：“广居，仁也；正位，礼也；大道，义也。”杨伯峻《孟子译注》：“按《论语》‘立于礼’，孟子‘居仁由义’，‘仁，人之安宅也’，‘义，人路也’。《孟子集注》所释，最能探得本意。”

译文

景春说：“公孙衍、张仪这样的人难道不是真正的大丈夫吗？他们一发怒，诸侯们便害怕，他们安静下来，天下就太平无事。”

孟子说：“这又怎么能算大丈夫呢？你没有学过礼吗？男子成人行冠礼时，由父亲给予训导；女子出嫁时，母亲训导她，送她到门口，告诫说：‘到了婆家，必须恭敬，必须谨慎，不要违背丈夫！’以顺从为准则，那是做女人的道理。住在天下最宽广的住宅，站立在天下最正确的位置上，走在天下最宽广的道路上；能实现志向时，与百姓一起去实现；不能实现志向时，独自施行这个原则。富贵不能诱惑，贫贱不能动摇，威武不能屈服，这才称得上是大丈夫。”

延伸阅读

合纵连横

合纵连横的实质是战国时期的各大国为拉拢其他国家而进行的外交、军事斗争。合纵就是南北纵列的国家联合起来，共同对付强国，阻止齐、秦两国兼并弱国；连横就是秦或齐拉拢一些国家，共同进攻另外一些国家。合纵的目的在于联合许多弱国抵抗一个强国，以防止强国的兼并；连横的目的在于依附一个强国从而进攻另外一些弱国，以达到兼并和扩展土地的目的。随着兼并战争形势的变化，合纵连横的具体内容也跟着有了一些变化和发展。到长平之战后，合纵变成六国合力抵抗强秦，连横是六国分别投降秦国。当时最著名的纵横家有苏秦、张仪、公孙衍。

公元前 322 年，魏国用张仪为相，张仪推行的是“欲令魏先事秦而诸侯效之”的连横策略，魏惠王不肯听。秦出兵攻占魏的曲沃（今山西闻喜东）、平周（今山西介休西），对各国威胁很大。因此，关东五国支持公孙衍的合纵策略。公元前 319 年，魏改用公孙衍为相，把张仪逐回秦国。自从公孙衍得到东方各国的支持而做魏相后，合纵的形势便形成了。

公元前 318 年，公孙衍发起合纵，联合东方各国以抗秦，有五国伐秦之举。这一次合纵攻秦，参加的有魏、赵、韩、燕、楚五国，但是实际出兵和秦交战的，只魏、赵、韩三国。攻到函谷关，秦出兵反击，魏受到损失较大，魏使惠施到楚，与秦讲和，五国于是纷纷退兵。次年，秦派庶长樗（chū）里疾乘胜追击，一直进攻到韩邑修鱼（今河南原阳西南），俘虏韩将、申差，打败赵公子渴、韩太子奂，斩首八万二千。当时秦军已深入韩、魏的交界，结果韩惨败。公元前 317 年，秦击败三国，随后，迫使韩国屈服，干涉魏的内政，令公子政为太子。“五国伐秦”虽然失败了，但是声势是曾煊赫一时的。

公孙衍和张仪，一纵一横，其声势都足以倾动天下，所以当时人景春说：“公孙衍、张仪岂不诚大丈夫哉？一怒而诸侯惧，安居而天下熄。”

思考讨论

1. 孟子为什么不认为公孙衍、张仪等人是“大丈夫”？
2. 中国的历史人物中，哪些人是你心目中的“大丈夫”？

无恒产而有恒心者

周霄问曰[1]：“古之君子仕乎？”

孟子曰：“仕。传曰：‘孔子三月无君，则皇皇如也；出疆必载质。’公明仪曰[2]：‘古之人三月无君则吊。’”

“三月无君则吊，不以急乎？”

曰：“士之失位也，犹诸侯之失国家也。《礼》曰：‘诸侯耕助[3]，以供粢盛；夫人蚕缫，以为衣服[4]。牺牲不成[5]，粢盛不洁，衣服不备，不敢以祭。惟士无田，则亦不祭。’牲杀、器皿、衣服不备，不敢以祭，则不敢以宴，亦不足吊乎？”

“出疆必载质，何也？”

曰：“士之仕也，犹农夫之耕也，农夫岂为出疆舍其耒耜哉？”

曰：“晋国亦仕国也，未尝闻仕如此其急。仕如此其急也，君子之难仕，何也？”

曰：“丈夫生而愿为之有室，女子生而愿为之有家。父母之心，人皆有之。不待父母之命、媒妁之言[6]，钻穴隙相窥，逾墙相从，则父母国人皆贱之。古之人未尝不欲仕也，又恶不由其道。不由其道而往者，与钻穴隙之类也。”

注释

[1]周霄：战国时魏人。杨伯峻《孟子译注》：“按此人又见于《战国策·魏策》，考其年代，当在梁惠王与襄王之间。” [2]公明仪：鲁国贤人。 [3]耕助：即“耕籍”。籍，籍田，帝王亲耕之田。杨伯峻《孟子译注》：“古春天有籍田千亩，诸侯百亩，于每年孟春，率三公九卿诸大夫躬耕。天子三推，三公五推，卿、大夫、诸侯九推。则天子他们之耕田，不过做样子罢了，必须借助人民的力量而为之，所以称籍田。” [4]衣服：祭祀时穿的衣服。 [5]牺牲不成：祭祀时杀的牲畜称为“牺牲”。王夫之《孟子稗疏》：“畜牧曰牲，渔猎曰杀。大夫用麋，士用兔，皆渔猎所获，所谓杀也。”

[6] 媒妁（shuò）：《说文解字》：“媒，谋也，谋合二姓。”“妁，酌也，斟酌二姓。”

译文

周霄问道：“古代的君子做官吗？”

孟子说：“做官的。记载上说：‘孔子只要三个月没有君主任用他，就感到心神不安；离开国境时，一定要携带与别国君主初次见面的礼物。’公明仪说：‘古代的人三个月没有君主任用，便要去安慰他。’”

周霄问：“三个月没有君主的任用便要安慰他，不也太急了点吗？”

孟子说：“士人失去职位，就像诸侯失去了国家。《礼》书上说：‘诸侯亲自耕种农田以生产祭品，诸侯夫人带头养蚕缫丝以制作祭服。祭祀用的牲畜不肥硕，祭祀用的谷物不洁净，祭祀用的衣服不完备，不敢用来祭祀。士人要是没有供祭祀用的田地，那也不能祭祀。’（祭祀用的）牲畜、器皿、衣服不完备，不敢用来祭祀，也就不能举行宴会，这难道还不该去安慰吗？”

周霄又问：“离开国境一定要携带与别国君主初次见面的礼物，又是什么道理呢？”

孟子说：“士人去做官，就和农夫去耕田一样，农夫难道会因为离开国境而抛下他的农具吗？”

周霄说：“魏国也是一个有官可做的国家，我从未听说过想做官竟有如此急切的。想做官如此急切，君子却这样难于做官，这又是为什么呢？”

孟子说：“男孩子一生下来，父母便希望替他找妻室；女孩子一生下来，父母便希望替她找婆家。父母的这种心情，人人都有。

可是不经过父母的许可、媒人的介绍，便钻洞扒缝互相偷看，爬过墙去进行幽会，那么父母和社会上的人都会瞧不起他们。古代的人不是不想做官，但又讨厌做官不择手段的行径。不通过正当途径而去做官的人，就与男女钻洞扒缝差不多。”

彭更问曰[1]：“后车数十乘，从者数百人，以传食于诸侯，不以泰乎？”

孟子曰：“非其道，则一箪食不可受于人；如其道，则舜受尧之天下，不以为泰。子以为泰乎？”

曰：“否。士无事而食，不可也。”

曰：“子不通功易事，以羡补不足，则农有余粟，女有余布；子如通之，则梓、匠、轮、舆皆得食于子[2]。于此有人焉，入则孝，出则悌，守先王之道，以待后之学者[3]，而不得食于子，子何尊梓、匠、轮、舆而轻为仁义者哉？”

曰：“梓、匠、轮、舆，其志将以求食也。君子之为道也，其志亦将以求食与？”

曰：“子何以其志为哉？其有功于子，可食而食之矣。且子食志乎？食功乎？”

曰：“食志。”

曰：“有人于此，毁瓦画墁[4]，其志将以求食也，

则子食之乎？”

曰：“否。”

曰：“然则子非食志也，食功也。”

注释

[1] 彭更：孟子弟子。　[2] 梓、匠、轮、舆：分别是制造木器、官室、车轮、车厢的木匠。这里代指各类工匠。　[3] 待：通“持”，扶持。　[4] 画：通“划”。墁（màn）：墙壁的粉饰。朱熹《孟子集注》：“墁，墙壁之饰也。”

译文

彭更问道：“后面随着几十辆车，身边跟着几百个人，在各诸侯国辗转而接受款待，这不有点过分了吗？”

孟子说：“要是不合理，就是一筐饭也不可以接受；要是合理，就是舜接受尧的天下，也不算过分。你认为过分了吗？”

彭更说：“我不是这个意思。（我认为）读书人不工作却吃人家的，是不可以的。”

孟子说：“你如果不互通各人的成果，交换各自的产品，以多余的去补足不够的，那么农民就会有剩余的粮食，妇女就会有剩余的布匹（别人却缺衣少食）；你要是能互通有无，那么木匠、车工就都能从你那里得到吃的。现在这里有个人，在家里孝顺父母，出外尊敬长上，谨守古代圣王的道义，以此来扶持、培养后来的学者，却不能从你那里得到吃的。你为什么尊重木匠、车工，却轻视行仁义的人呢？”

彭更说：“木匠、车工，他们的动机就在于解决吃饭问题。君子们学习和施行道义，动机难道也是为了解决吃饭问题吗？”

孟子说：“你为什么要论他们的动机呢？他们对你有功绩，可以给予吃的才给他们吃的。况且，你是根据动机给予吃的呢，还是根据功绩给予吃的呢？”

彭更说：“根据动机。”

孟子说：“现在这里有个人，干活时打碎屋上的瓦、划破刚粉刷好的墙，他的动机在于解决吃饭问题，那你给他吃吗？”

彭更说：“不给。”

孟子说：“那你就不是根据动机，而是根据功绩了。”

延伸阅读

“士”的精神

孟子所说的“无恒产而有恒心者”指的是中国古代的士阶层，余英时在《士与中国文化》一书中说道：“熟悉中国文化的人不难看出:西方学人所刻画的‘知识分子’的基本性格竟和中国的‘士’极为相似。孔子所最先揭示的‘士志于道’便已规定了‘士’是基本价值的维护者；曾参发挥师教，说得更为明白：‘士不可以不弘毅,任重而道远。仁以为己任,不亦重乎？死而后已,不亦远乎？’这一原始教义对后世的‘士’发生了深远的影响，而且愈是在‘天下无道’的时代也愈显出它的力量……如果根据西方的标准，‘士’作为一个承担着文化使命的特殊阶层，自始便在中国史上发挥着‘知识分子’的功用。”《孟子》中的士就是这样的知识分子。

《孟子》一书中单独出现的“士”字有64次，其中议论和描述士和君子的思想、心理和活动、道德、人格、社会地位等问题的章节,约占《孟子》一书的四分之一篇幅。士的典型人物有皋陶、伊尹、伯夷、孙叔敖、百里奚、管仲、晏子、子产、柳下惠、孔子、颜渊、子贡、宰我、子夏、曾子、子路、子张、子游、子思、公明仪、许行、告子等。

《孟子》一书中对“士”寄予深厚的期望，其对士大夫精神境界的描写是书中颇能打动人心的地方之一。“士”是贵族的最底层，在中国古代，贵族阶层分为天子、诸侯、大夫、士。处于贵族之末的士大夫阶层没有自己的封地和稳定的经济来源，所以，《孟子》一书中说士大夫是“无恒产而有恒心者”。同时，“士”又是四民之首，战国时期，社会职业分化明显，以士、农、工、商四种职业为显著特征的社会阶层出现。作为四民之首的士大夫阶层，是“劳心者”，他们中的一部分人出仕做官，一部分人授课讲学，他们担负起了实践仁义、传播道德、批评政治的社会作用。“富贵不能淫，贫贱不能移，威武不能屈”，千百年来，这句话不但为中国读书人设了一条道德底线，更为中国的士大夫阶层提出了精神要求。

思考讨论

古代社会的士、农、工、商分别是做什么的？

以仁服天下

万章问曰[1]：“宋，小国也，今将行王政，齐、楚恶而伐之[2]，则如之何？”

孟子曰：“汤居亳[3]，与葛为邻，葛伯放而不祀。汤使人问之曰：‘何为不祀？’曰：‘无以供牺牲也。’汤使遗之牛羊，葛伯食之，又不以祀。汤又使人问之曰：‘何为不祀？’曰：‘无以供粢盛也。’汤使亳众往为之耕，老弱馈食。葛伯率其民，要其有酒食黍稻者夺之，不授者杀之。有童子以黍肉饷，杀而夺之。《书》曰：‘葛伯仇饷。’此之谓也。为其杀是童子而征之，四海之内皆曰：‘非富天下也，为匹夫匹妇复仇也。’‘汤始征，自葛载。’十一征而无敌于天下。东面而征，西夷怨；南面而征，北狄怨，曰：‘奚为后我？’民之望之，若大旱之望雨也。归市者弗止，芸者不变，诛其君，吊其民，如时雨降。民大悦。《书》曰：‘徯我后，后来其无罚。’‘有攸不惟臣，东征，绥厥士女。匪厥玄黄，绍我周王见休，惟臣附于大邑周。’其君子实玄黄于匪以迎其君子，其小人箪食壶浆以迎其小人。救民于水火之中，取其残而已矣。《太誓》曰：‘我武惟扬，侵于之疆[4]，则取于残，杀伐用张，于汤有光。’不行王政云尔，苟行王政，四海之内皆举首而望之，欲以为君；齐、楚虽大，何畏焉？”

注释

[1] 万章：孟子弟子。他思维敏锐，对孟子的观点多有驳难。 [2] 宋……恶而伐之：宋王偃早期想实行仁政以图强兴国，后宋发生内乱，诸大国觊觎，宋为齐所灭。 [3] 亳（bó）：邑名，在今河南商丘境内。 [4] 于：陈梦家《尚书通论》认为“于即是邗”，古国名。下句中“取于残”的“于”同。

译文

万章问道：“宋国是个小国，现在想要实行王道之政，齐国、楚国却讨厌它而攻打它，那该怎么办？”

孟子说：“商汤居住在亳地，与葛国为邻，葛伯十分放肆，不祭祀先祖神灵。汤派人去问他：‘为什么不祭祀？’葛伯说：‘没有供祭祀的牲畜。’汤派人送牛羊给他，葛伯把牛羊吃了，并不用作祭祀。汤又派人去问：‘为什么不祭祀？’葛伯说：‘没有供祭祀的谷物。’汤派亳地的民众去替他耕种，由老弱的人给耕田的人送饭。葛伯却带领他的民众拦住那些携着酒食饭菜的送饭人进行抢夺，不给的便杀掉。有个孩子携着饭和肉送去，他们抢走肉饭，还把他杀掉了。《尚书》中说：‘葛伯与送田饭的人为仇。’说的就是这件事。因为杀死这个孩子，汤才出兵讨伐葛伯，天下人都说：‘这不是想贪图天下的财富，而是为平民百姓报仇。’《尚书》中说：‘商汤当初的征讨，是从葛国开始的。’进行了十一次征伐，没有遇到敌手。当他东向征讨，西面的夷人就埋怨；当他南向征讨，北面的狄人也埋怨，都说：‘为什么把我们放在后面？’民众盼望他，如同大旱时盼望着下雨一样。（他的军队所到之处）赶集的不停止买卖，种田的照常下田，诛杀残暴之君而安抚那里的民众，就像下了及时雨一样。老百姓十分高兴。《尚书》中说：‘等待我们的

仁服天下

君王，君王一到，我们就得救了！’又说：‘攸国不臣服，武王出师东征，去安抚那里的男女民众。他们把黑色和黄色的绸帛装在竹篮里，以能给介绍进见周王为荣，臣服于大周国。’那里的官吏把黑色和黄色的绸帛装在筐里，迎接周国的官吏；那里的百姓用筐盛着饭、用壶盛着酒浆，迎接周国的士兵。可见武王出师为的只是从水火中解救百姓，除掉残酷暴君。《尚书·太誓》中说：‘发扬我们的威武，攻入邗国的疆土，除掉害民的暴君，以此张大杀伐之功，那就比商汤更有荣光。’不行王道之政罢了，如实行王道之政，天下的人都抬头企望着，想拥戴他为君主；齐国和楚国尽管强大，又有什么可怕的呢？”

延伸阅读

中国的智慧

韦政通

在防范权力的努力中，中国另有一种重要的思想，比无为和为政以德发挥更积极效用的，是民本思想。民本思想在孔子以前即已流行，经儒家的发扬，终成为中国政治哲学的主流。以比较文化的观点，它也是中国政治思想的最大特色。民本思想在防范权力的作用上，所以比无为和为政以德的思想更具积极的效能，是在后者的行施，只能求助于君，君若不行，他人是莫可如何的；而前者所重视的是以人民为对象的客体，这种客体与君代表的主体互相对立，在“君以民为本”，“民者国之本”的民本思想中，二者在价值上就不相等。传统士大夫喜欢以舟与水比喻君与民的关系，水能载舟，也能覆舟，这种思想对帝王们发生警戒作用，就是像朱元璋那样以屠杀著名的帝王，他因不喜孟子的民本思想，曾一度下令国子监撤去孔庙中的孟子牌位，但不久就因迫于舆论压力，又恢复了孟子的配祀。

民本思想自然不等于民主，民本也不及民主有效，但在近代民主政治未成熟以前，对防范权力，实想不出比民本思想更好的办法。就是在今天，环顾世界各国政治现况，我们能说民本思想业已失去其意义吗？

中国古代的民本思想，若以《尚书》、《左传》、《孟子》为例，大抵有下列几种含义：

（一）民为邦本 《尚书·五子之歌》：“民可近，不可下；民为邦本，本固邦宁。”这是多么惊人的思想！数千年前的哲人能言之，数千年后的统治者又有几人能懂得？又有几人不是以百姓为刍狗的？难怪社会哲学家索罗金要感慨地说：“人类进步的历史，可以说是一部无可救药的愚蠢史！”

（二）**民意即天意** 《尚书·皋陶谟》：“天聪明，自我民聪明；天明威，自我民明威。”这里以天与民对言，似乎可以代表人类在原始宗教的控制中，逐渐要求解放的记录。远古人所以会有如此要求，可能是因为神权时代的政治，它的基础是建筑在天命上，人民因对现实政治不满，因而迁怒于天神，于是促成天神权威的坠落，《诗经》里有许多这方面的记载。这种思想演变到极致时，于是有“民之所欲，天必从之”的观念。天都要顺从民之所需，何况君呢？

（三）**安民、爱民** 《尚书》里记载皋陶告诉他的部属，施政有两个重点：一在知人，一在安民。为什么要安民？因为“安民则惠，黎民怀之”。除非你对人民有恩惠，否则人民就不会想念你、支持你。“民心无常，惟惠之怀”也是同样的意思，但对统治者，更富警告的意味。当人类的统治技术逐渐加强以后，这种远古哲人极富朴素人道色彩的思想，反而被遗忘了。

（四）**重视民意** 这一点《尚书》、《左传》、《孟子》都非常重视。《洪范》的作者告诉统治者，当你遇到大疑难，不能做决定的时候，第一步是“谋及乃心”——先由自己思考；然后“谋及卿士”——和臣子们商议；最后“谋及庶人”——听听人民大众的意见。在这几个步骤当中，以人民大众的意见最重要，因为“庶民惟星”，所以最好还是顺从民意，所谓“月之从星”是也。“人无于水监，当于民鉴”，说明为什么统治者必须顺从民意。

《左传》里有两次记载，一次为史嚣所言，他说：“虢其亡乎！吾闻之，国将兴，听于民；将亡，听于神。神，聪明正直而壹者也，依人而行。虢多凉德，其何土之能得？”这是史嚣说明虢所以会

亡的原因，主要在妄信神祇，不听从民意。天地间即使真有什么神，它也是要“依人而行”的，否则它怎么值得我们去崇敬？另一段佳话是郑子产对郑国新任执政子孔说的。子孔掌握政权后，立下一个章程，要大夫们按照次序来听政，大夫们不从，子孔就想把他们杀掉，子产阻止他，并劝他把章程烧掉。子产说：“众怒难犯，专欲难成，合二难以安国，危之道也，不如焚书以安众；子得所欲，众亦得安，不亦可乎？”子孔接受劝告，终于把章程烧了，挽救了他政权的危机。

《孟子》里重视民意的思想，有两个要点：第一，一个人是否贤，是否该杀，需诉诸国人决定之；第二，得天下需先得民心，得民心的方法，是民之所欲，与之聚之，民之所恶，则勿加诸其身。

（五）民贵君轻　大家都知道孟子有“民为贵，社稷次之，君为轻”的名言，很少人知道《左传》也有类似的思想，《左襄十四年》：“天之爱民甚矣，岂其使一人肆于民上，以从其淫，而弃天地之性？必不然矣。”这都不是真正的民主思想，而是在暴政统治下人民怨君的反映。

（六）革命思想　民本思想虽然比无为和为政以德的思想进步，但它仍然缺乏有效的保证，对此古代哲人们提出另一种观念，以资补救，那就是当独夫当政，百姓绝望时，只好把统治者打倒。至于究竟由谁来打倒统治者？《易传》认为是“汤、武”，《孟子》以为“贵戚之卿”才有资格，都没有提出平民有权革命的。

“民本”思想对中国历史的贡献，现代史家认为，中国的君主专制很少流于独裁政治，就是因为在政理上有一个“民本”思想的巨流，冲刷了实际政治可能发生的弊害。

思考讨论

1.《孟子》中记述了许多关于上古政治的小故事，你如何看待这些故事呢？它们是否都是信史？

2. 司马迁在《史记》中对孟子评价为“则见以为迂远而阔于事情”，你赞同这种看法吗？

一傅众咻

孟子谓戴不胜曰[1]：“子欲子之王之善与？我明告子。有楚大夫于此，欲其子之齐语也，则使齐人傅诸？使楚人傅诸？”

曰：“使齐人傅之。”

曰：“一齐人傅之，众楚人咻之，虽日挞而求其齐也，不可得矣。引而置之庄岳之间数年[2]，虽日挞而求其楚，亦不可得矣。子谓薛居州[3]，善士也，使之居于王所。在于王所者，长幼卑尊皆薛居州也，王谁与为不善？在王所者，长幼卑尊皆非薛居州也，王谁与为善？一薛居州，独如宋王何？”

注释

[1]戴不胜：宋国大夫。杨伯峻《孟子译注》：“赵佑《四书温故录》

以为即戴盈之。” [2]庄岳：这里代指齐都中的闹市区。庄，街名。岳，里名，都在齐都城临淄城内。 [3]薛居州：宋国人。

译文

孟子对戴不胜说："你想要你的君王向善吗？我可以明白地告诉你。譬如，这里有个楚国的大夫，想让他的儿子学会说齐国话，那么，是让齐人教他呢，还是让楚人教他？"

戴不胜答道："让齐人教他。"

孟子说："一个齐人教他，许多楚人在旁边吵嚷干扰，尽管天天鞭打他，逼他讲齐国话，这也是做不到的。如果把他带到齐国庄街、岳里这样的闹市住上几年，那你就是天天鞭打他，逼着他讲楚国话，那也是做不到的。你说薛居州是个好人，要他住到王宫中去。如果在王宫中的人，无论年纪长幼、地位高低，都是像薛居州那样的人，那国王又能与谁去干坏事呢？如果在王宫中的人，无论年纪长幼、地位高低，都不是像薛居州那样的人，那国王又能与谁去干好事呢？仅仅一个薛居州，能拿宋王怎么样呢？"

延伸阅读

性相近，习相远

这一小节中，孟子用一个生动的比喻，阐明了环境对人的重要影响，他把环境对人的影响上升到治国、平天下的高度，指出臣子欲匡正国君，就要多引荐贤能的人，才能成就国君治国的功业。

孟子重视环境影响的思想，曾对后代的思想家产生了重要影响。战国末期的荀子认为，飞蓬草生长在麻中间，不用扶持它自然生长得笔直；白沙放在黑土中，就会同黑土一样黑……因此，君子定居时，一定要谨慎地选择好地方，外出时与道德高尚的人交往，防止受邪恶人的影响，才能接近正道。(《荀子·劝学》) 这种重视环境影响的思想，与孟子的主张是一脉相承的。

“人之初，性本善。性相近，习相远。苟不教，性乃迁。教之道，贵以专。”这几句话出自《三字经》，说明人刚出生时，本性是一样善良的，只因后来各自的成长环境不同，所以各人的性格都变得不一样，如果从小不好好教育，好的本性就会变坏。

有这样一个故事：墨子在经过一家染坊时，看见工匠们将雪白的丝织品分别放进热气腾腾的染缸里，浸泡良久后取出，再晾晒时就变成不同颜色的织物了。工匠们工作得十分辛苦而认真。墨子仔细地观察了染丝的全过程后，顿有所悟，不觉长叹一声：“本来都是雪白的丝织品，而今放到青色颜料的染缸里浸泡后就变成了青色，放到黄色颜料的染缸里浸泡后就变成了黄色。所用的颜料不同，染出来的颜色也不同。如果我们将白丝先后放到五种不同颜色的染缸里各染一遍，它就会改变五次颜色了。如此看来，染丝的时候，人们就不能不谨慎啊。”接着，墨子又从染丝的原理引申开去，从而感悟到其实在人世间，不仅是染丝与染缸的颜料有关，一个人、一个国家，不也存在着会染上什么颜色的问题吗？

这则故事提醒人们，环境对人的影响是非常重要的，一定要牢记“近朱者赤，近墨者黑”的道理，择善而从。

思考讨论

1. “一傅众咻”这个成语出自哪里？它的含义是什么？

2. 请谈谈环境对人的影响。

孟子好辩

公孙丑问曰："不见诸侯何义？"

孟子曰："古者不为臣不见。段干木逾垣而辟之[1]，泄柳闭门而不纳[2]，是皆已甚。迫，斯可以见矣。阳货欲见孔子而恶无礼，大夫有赐于士，不得受于其家，则往拜其门。阳货瞰孔子之亡也，而馈孔子蒸豚；孔子亦瞰其亡也，而往拜之。当是时，阳货先，岂得不见？曾子曰：'胁肩谄笑[3]，病于夏畦。'子路曰：'未同而言，观其色赧赧然[4]，非由之所知也[5]。'由是观之，则君子之所养，可知已矣。"

注释

[1]段干木：战国初期人，子夏的弟子，曾做过魏文侯的老师。其事迹在《史记·魏世家》、《吕氏春秋》的《期贤篇》和《举难篇》都有记载。《高士传》云："段干木少贫贱心事不遂，乃师事卜子夏与田子方，李克、翟潢、吴起等居于魏，皆为将，惟段干木守道不仕。" [2]泄柳：鲁缪公时的贤者。 [3]胁肩：耸起肩来故作恭敬的样子。谄笑：勉强装出讨好的笑容。 [4]赧（nǎn）赧然：羞惭得满面涨红的样子。 [5]非由之所知也：不知道怎么回事。朱熹《孟子集注》："甚恶之辞也。"

译文

公孙丑问道："不主动去见诸侯，是什么道理呢？"

孟子说："古时候，不是臣子便不去见。段干木跳墙躲避魏文侯，泄柳关门不接待鲁缪公，这都做得过分了。如果硬是要见，那还是可以见的。阳货想让孔子来见他，但又怕失礼，（按当时的礼仪）大夫如果赏赐东西给士，士要是不能在家里亲自接受，就应到大夫家登门拜谢。因此阳货打听到孔子不在家时，送给孔子一头蒸乳猪；孔子也打听到阳货不在家时，才到他家去拜谢。在那时，阳货若是先去看孔子，孔子怎会不去看他呢？曾子说过：'耸起两肩，装出讨好的笑脸，那比盛夏时在菜地里干活还要累。'子路说：'明明与此人志趣不相投，却要勉强与他谈话，看他那脸色羞愧的样子，我真不明白是怎么回事。'从这些话来看，君子应该怎样培养自己的品德操守就可一目了然了。"

戴盈之曰[1]："什一，去关市之征，今兹未能[2]，请轻之，以待来年，然后已，何如？"

孟子说："今有人日攘其邻之鸡者[3]，或告之曰：'是非君子之道。'曰：'请损之，月攘一鸡，以待来年，然后已。'如知其非义，斯速已矣，何待来年？"

注释

[1]戴盈之：宋国大夫。　　[2]兹：杨伯峻《孟子译注》："《吕氏春秋·任地篇》：'今兹美禾，来兹美麦。'"高诱注："兹，年也。"[3]攘：偷。《尚书·吕刑》郑玄注曰："有因而盗曰攘。"

译文

戴盈之说："实行十分抽一的税率，免去关卡和市场上对商品的征税，今年不能实行了，就先减轻一些，等到明年再废止（现行的税制），怎么样？"

孟子说："假定有个人天天偷邻居的鸡，有人告诫他说：'这不是君子的行为。'那人却说：'先减少一些，每月偷一只鸡，等到明年再停止偷鸡。'如果知道此事做得不对，就该赶快停止，为什么要等到明年？"

公都子曰[1]："外人皆称夫子好辩，敢问何也？"

孟子曰："予岂好辩哉？予不得已也！天下之生久矣，一治一乱。当尧之时，水逆行，泛滥于中国，蛇龙居之，民无所定，下者为巢，上者为营窟。《书》曰：'洚水警余。'洚水者，洪水也。使禹治之。禹掘地而注之海，驱蛇龙而放之菹。水由地中行，江、淮、河、汉是也。险阻既远，鸟兽之害人者消，然后人得平土而居之。

"尧舜既没，圣人之道衰，暴君代作，坏宫室以为污池，民无所安息；弃田以为园囿，使民不得衣食。邪说暴行又作，园囿、污池、沛泽多而禽兽至。及纣之身，天下又大乱。周公相武王诛纣，伐奄三年讨其君[2]，驱飞廉于海隅而戮之[3]，灭国者五十，

驱虎、豹、犀、象而远之，天下大悦。《书》曰：'丕显哉，文王谟！丕承者，武王烈！佑启我后人，咸以正无缺。'

"世衰道微，邪说暴行有作，臣弑其君者有之，子弑其父者有之。孔子惧，作《春秋》[4]。《春秋》，天子之事也。是故孔子曰：'知我者其惟《春秋》乎！罪我者其惟《春秋》乎！'

"圣王不作，诸侯放恣，处士横议，杨朱、墨翟之言盈天下[5]。天下之言不归杨，则归墨。杨氏为我，是无君也；墨氏兼爱，是无父也。无父无君，是禽兽也。公明仪曰：'庖有肥肉，厩有肥马，民有饥色，野有饿莩，此率兽而食人也！'杨墨之道不息，孔子之道不著，是邪说诬民，充塞仁义也。仁义充塞，则率兽食人，人将相食。吾为此惧，闲先圣之道[6]，距杨墨，放淫辞，邪说者不得作。作于其心，害于其事；作于其事，害于其政。圣人复起，不易吾言矣。

"昔者禹抑洪水而天下平，周公兼夷狄，驱猛兽而百姓宁，孔子成《春秋》而乱臣贼子惧。《诗》云：'戎狄是膺，荆舒是惩，则莫我敢承[7]。'无父

无君，是周公所膺也。我亦欲正人心，息邪说，距诐行，放淫辞，以承三圣者，岂好辩哉？予不得已也。能言距杨墨者，圣人之徒也。”

注释

[1]公都子：孟子弟子。　[2]奄：国名，原附属商，其地在今山东曲阜附近。周公伐奄是周成王时的事。　[3]飞廉：商纣王的宠臣。此处所记驱杀飞廉事，与《史记·秦本纪》所记不同。《史记·秦本纪》：“飞廉生恶来，恶来有力，飞廉善走，父子俱以材力事殷纣，周武王之伐纣，并杀恶来。”　[4]《春秋》：春秋时期鲁国史官按年记载历史的书，孔子晚年曾对它进行删定。[5]杨朱：战国初期思想家，魏国人，字子居，又称杨子、阳子或阳生。他主张“为我”、“全性葆真”，不拔一毛以利天下，与墨翟的“兼爱”主张相反。墨翟：鲁国人，周敬王时期的人，其学说见《墨子》。[6]闲：《说文解字》：“闲，阑也，从门中有木。”段注引申为“防闲”，文中当指维护或捍卫的意思。　[7]承：担当此重任。

译文

公都子说：“别人都说老师您喜欢辩论，请问这是为什么呢？”

孟子说：“我难道喜欢辩论吗？我是不得已啊！人类社会诞生已经很久了，时而太平，时而动乱。当尧的时候，洪水横流，在中原泛滥，到处被龙蛇盘踞，百姓无处安身，低洼地的人只好在树上搭窝，高地的人只好打凿一个连一个的洞穴。《尚书》中说：‘洚水警戒了我们。’洚水就是洪水。于是命禹去治水。禹掘地而把洪水导入海中，把龙蛇驱赶到草泽中去。水被纳入河道中流，那便是长江、淮水、黄河和汉水。危害既已解除，害人的鸟兽也没有了，然后人们得以到平地上来居住。

“尧舜去世后，圣人之道就逐渐衰落了，暴君不断地出现，毁坏民宅来做深池，弄得百姓无处安居；破坏农田来做园林，使得百姓不能获得衣食。荒谬的学说、残暴的行为又兴起了，园林、池沼、草泽一多，禽兽也就随之而来。到了商纣时，天下又大乱起来。周公辅佐武王，诛杀纣王，讨伐奄国，与暴君征战了三年，把飞廉赶到海边杀了，被灭的国家有五十个，把虎、豹、犀、象驱赶到了远方，天下的百姓十分喜悦。《尚书》中说：‘多么高明啊，文王的谋略！多么无愧于先人啊，武王的功绩！帮助、启发我们后人的，都是正道而无缺陷。’

“（不久，又）世风日下、王道衰微，荒谬的学说、残暴的行为出现了，有臣下杀害君上的事，有儿子杀害父亲的事。孔子深感忧惧，便写作了《春秋》这部书。《春秋》所记述的，是天子权限内的事。所以孔子说：‘理解我的人，恐怕只是通过《春秋》吧！责骂我的人，恐怕也只是通过《春秋》吧！’

“圣王没有产生，诸侯横行无忌，在野的读书人乱发议论，杨朱、墨翟的学说充斥天下。世上的言论不属于杨朱一派，就属于墨翟一派。杨朱主张一切为我，那是目无君主；墨翟主张不分亲疏，一视同仁，那是目无父母。目无君主和父母，是禽兽的行为。公明仪说：‘厨房里摆着肥肉，马棚里养着肥马，百姓却面露饥色，野地里还有饿死的人，这等于驱使禽兽去吃人。’杨、墨的学说不破除，孔子的学说便得不到发扬光大，那是任从邪说坑害百姓，阻塞仁义的道路。仁义的道路被阻，就等于是让野兽去吃人，必将出现人吃人的惨象。我为此而深感忧惧，（便出来）捍卫古代圣人的思想，批判杨、墨，驳斥错误言论，使主张荒谬学说的人无法兴起。（荒

谬的学说）从心里产生出来，便会危害工作；工作受了危害，也就危害了政治。即使圣人再度出现，也不会改变我这些话的。

“过去，大禹治好了洪水使天下太平，周公征服了夷狄、赶走了猛兽使百姓安宁，孔子著了《春秋》使胡作非为的乱臣贼子感到害怕。《诗经》中说：‘攻击戎狄，痛惩荆舒，没有谁敢抗拒我。’目无君主、父母的人，是周公所要惩罚的。我也要端正人心，根绝谬论，反对偏颇的行为，驳斥荒谬的言论，以继承禹、周公、孔子三位圣人。我难道是喜欢辩论吗？实在是不得已啊。能够以言论来反对杨、墨学说的人，就是圣人的门徒。”

延伸阅读

孟子的辩论艺术

孟子在先秦诸子之中素以“善辩”著称，其门人公都子曾对他说：“外人皆称夫子好辩。”孟子一生中不但与诸子百家中其他诸子多次辩论，还和许多国家的君王展开过辩论。

孟子生活的战国时代，天下大乱，是非、善恶等价值观早已混淆不清。孟子曾经周游列国，奔走呼号，希望可以明辨是非，唤醒人心。可惜，杯水难救车薪之火，孟子最后不得不发出这样的感叹：“岂好辩哉？予不得已也。”孟子的辩论逻辑强，而且具有强烈的文学性和感染力。总结起来，孟子的辩论有以下几个特点：

一、善于用比喻。孟子拿我们日常生活中所熟悉的事物作比喻，形象易懂。比如，梁惠王认为自己对百姓已经非常好了，但是并没有得到明显的成效，孟子提醒梁惠王说不要“五十步笑百步”，意思是打仗时逃跑了五十步的人不要讥笑那些跑了一百步的人。再比如，孟子说齐宣王不施行仁政，不是“不能”，而是“不为”。

他又用了一个比喻：把泰山夹在胳膊底下跳过渤海，说“我不能”，这是真的不能；给上了年纪的人折树枝，说“我不能”，其实这只是不为，而不是不能。这一解释既浅显地说明了道理，又妙趣横生。

二、欲擒故纵的谈话方式。孟子会列举一些浅显的设问，得到肯定的回答，从而引出他真正想说的道理，给对方以警醒。比如，孟子对齐宣王说：“您有一个臣子出游楚国，把妻子儿女托付给朋友照顾。等他回来时，妻子儿女却在挨饿受冻。对这样的朋友应该怎么办呢？”齐宣王说：“和他绝交。”孟子又说：“假如管刑罚的长官不能管好他的下级，那又该怎么办呢？”齐宣王说：“撤销他的职务。”孟子接着说：“假如一个国家治理得很不好，那又该怎么办呢？”齐宣王无以答对，“顾左右而言他”。

三、成语与格言的运用。孟子创造了很多生动的成语和警句式的格言，这些鲜活的语言，即使两千多年后的今天，我们仍然在沿用。不妨简单列举一部分：

明察秋毫（《梁惠王上》）；揠苗助长（《公孙丑上》；为富不仁（《滕文公上》）；自暴自弃（《离娄上》）；夜以继日（《离娄下》）；集大成者（《万章下》）；一曝十寒（《告子上》）；出尔反尔（《梁惠王下》）；不言而喻（《尽心上》）；生于忧患，死于安乐（《告子下》）；不以规矩，不能成方圆（《离娄上》）。

《孟子》的语言对后世影响深远，它既重感性又重理性，既主张以文载道又重视文学美感，因而，《孟子》一书不但是一部思想上的巨著，其语言特色也值得我们学习和借鉴。

思考讨论

谈谈百家争鸣的积极意义。

义字当先

匡章曰[1]："陈仲子岂不诚廉士哉[2]？居於陵[3]，三日不食，耳无闻，目无见也。井上有李，螬食实者过半矣[4]，匍匐往，将食之三咽[5]，然后耳有闻，目有见。"

孟子曰："于齐国之士，吾必以仲子为巨擘焉[6]。虽然，仲子恶能廉？充仲子之操，则蚓而后可者也。夫蚓，上食槁壤，下饮黄泉。仲子所居之室，伯夷之所筑与，抑亦盗跖之所筑与[7]？所食之粟，伯夷之所树与，抑亦盗跖之所树与？是未可知也。"

曰："是何伤哉？彼身织屦，妻辟纑[8]，以易之也。"

曰："仲子，齐之世家也，兄戴，盖禄万钟[9]。以兄之禄为不义之禄而不食也，以兄之室为不义之室而不居也，辟兄离母，处于於陵。他日归，则有馈其兄生鹅者，己频顣[10]：'恶用是鶃鶃者为哉[11]？'他日，其母杀是鹅也，与之食之。其兄自外至，曰：'是鶃鶃之肉也。'出而哇之[12]。以母则不食，以妻则食之；以兄之室则弗居，以於陵则居之。是尚为能充其类也乎？若仲子者，蚓而后充其操者也。"

注释

[1] 匡章：齐国名将，其言行见于《战国策》之《齐策》、《燕策》和《吕氏春秋》之《不屈》、《爱类》。 [2] 陈仲子：齐国人，又称田仲、陈仲、於（wū）陵仲子等。 [3] 於陵：地名，在今山东长山南，距临淄约二百里。 [4] 螬（cáo）：即蛴螬，俗称地蚕、大蚕，是金龟子的幼虫。 [5] 将：拿，取。 [6] 巨擘（bò）：大拇指，引申为在某一方面杰出的人或事物。 [7] 盗跖（zhí）：据说是春秋时有名的大盗，柳下惠的兄弟。 [8] 辟纑（lú）：绩麻练麻。绩麻为辟，练麻为纑。 [9] 盖（gě）：地名，是陈戴的封邑。 [10] 频颇（cù）：即颦蹙，不愉快的样子。 [11] 鶃（yì）鶃：鹅叫声。 [12] 哇：吐。

译文

匡章说："陈仲子难道不是个真正廉洁的人？他住在於陵，三天没什么吃的，（饿得）耳朵听不到声音，眼睛看不见东西。井台上有个李子，金龟子已咬食了大半，他爬过去，取来吃，吞咽了三口，才恢复了听觉和视觉。"

孟子说："在齐国的士人中，我一定推仲子为首屈一指的人物。但是，仲子又怎么称得上廉洁呢？如要完全实现仲子的操守，那只有变成蚯蚓后才行。蚯蚓，在地上吃干土，在地下饮泉水。仲子住的房子，是伯夷建造的呢，还是盗跖建造的呢？所吃的粮食，是伯夷种的呢，还是盗跖种的呢？这些都不可知。"

匡章说："这有什么关系？他亲自编草鞋，妻子绩麻搓线，拿去换来的。"

孟子说："仲子，出身于齐国的世族，他哥哥陈戴，在盖邑的封地每年有禄米几万石。仲子认为他哥哥的俸禄是不义之禄而不吃，

认为哥哥的房子是不义之室而不住，避开哥哥，离开母亲，住在於陵。有一天回家,正好有人送给他哥哥一只活鹅。他皱着眉头说:‘要这嘎嘎叫的东西有什么用?’过了些日子，他母亲杀了这只鹅，给他吃了。他哥哥从外面进来，说：‘这是嘎嘎叫的东西的肉。’仲子跑到外面去吐了。母亲的东西便不吃，妻子的东西却吃；哥哥的房子便不住，於陵的房子却住。这能算是完全实现廉洁了吗?像仲子这样的人，恐怕只有变成蚯蚓后才能完全实现廉洁。”

延伸阅读

孟子的“义”

《论语》中，“仁”字出现109次，“礼”字出现74次，“义”字出现24次。如果从出现的次数来看，孔子最重视的是“仁”，其次是“礼”,第三才是“义”。而《孟子》中,“仁”字出现157次，“礼”字出现64次，“义”字出现108次。“仁”仍然是孟子最重视的，其次是“义”，“礼”退居第三位。

从内容上看,《论语》中出现的24次“义”字，有20次是在描述士、君子、大人、君臣的思想、行为、特征等问题时使用的。似乎“义”是与这一类人相关的,是为士、君子而存在的一个概念。《论语》中说:“君子喻于义，小人喻于利。”(《论语·里仁》)“喻”是懂得、明白的意思。整句意思为：君子懂得义，关注义的问题；小人只知道利。至于“义”字的内涵是什么呢?令人费解的是，虽然《论语》中记载了孔子的学生问“仁”于孔子,孔子每问必答。但是没有记载孔子的学生向孔子问“义”，孔子也没有讲过什么是义，怎样做才合乎义。

《孟子》一书中,“义”与士、君子的相关度仍然比较大，但是，

"义"不再只是士、君子这类人的问题,而是每个人必须面对的问题。关于"义"的含义,孟子说:"羞恶之心,义也。"(《孟子·告子上》)"敬长,义也。"(《孟子·尽心上》)"义,人路也。"(《孟子·告子上》)

孟子指出"义"是人性中最重要的因素之一,"仁"产生于亲子之情,把这种情感加以推广,就有了"义"。"义"可以说适用于亲子以外所有的人际关系,适用范围非常宽广。这样"义"就由"敬长"演变为处理社会公共关系的道德规范。"义"作为人生的道路,不仅仅是指具体的行为准则,而是作为"羞恶之心"对人起着道德自律的作用。孟子对"义"的含义的新规定,使"义"在社会生活中的地位、功能都得到很大提升,成为仅次于"仁"的道德规范。

思考讨论

1. 你如何看待仲子的做法?

2. 你认为"义"和"利"是完全对立,只能二选一的关系吗?

3. 儒家认为仁、义、礼、智、信是个人道德的基本要求,这种观点在现代社会还适用吗?

聖賢之道

湯一介

戊子年夏

国学基本教材

孟　子（下）

刘乃溪　姜李勤◎编注

浙江古籍出版社

目 录

第七章　离娄上

不以规矩，不能成方圆

孟子曰："离娄之明[1]，公输子之巧[2]，不以规矩，不能成方圆；师旷之聪[3]，不以六律[4]，不能正五音[5]；尧舜之道，不以仁政，不能平治天下。今有仁心仁闻而民不被其泽，不可法于后世者，不行先王之道也。故曰：徒善不足以为政，徒法不能以自行。《诗》云：'不愆不忘，率由旧章[6]。'遵先王之法而过者，未之有也。圣人既竭目力焉，继之以规矩准绳，以为方员平直，不可胜用也；既竭耳力焉，继之以六律正五音，不可胜用也；既竭心思焉，继之以不忍人之政，而仁覆天下矣。故曰：为高必因丘陵，为下必因川泽。为政不因先王之道，可谓智乎？是以惟仁者宜在高位。不仁而在高位，是播其恶于众也。上无道揆也，下无法守也，朝不信道，工不信度，君子犯义，小人犯刑，国之所存者幸也。故曰：城郭不完，兵甲不多，非国之灾也；田野不辟，货财不聚，非国之害也。上无礼，下无学，贼民兴，丧无日矣。《诗》曰：'天之方蹶，无然泄泄[7]。'泄泄，犹沓沓也。事君无义，进退无礼，言则非先王之道者，犹沓沓也。故曰：责难于君谓之恭，陈善闭邪谓之敬，吾君不能谓之贼。"

注释

[1] 离娄：相传是黄帝时视力特别好的人。据传，他百步之外可以看见秋毫之末。 [2] 公输子：即公输班（或作公输般、公输盘），春秋末年鲁国人，故又称鲁班，是古代著名的建筑工匠。曾经为楚惠王制作云梯，攻打宋国，遭到墨子的非议。 [3] 师旷：春秋时晋平公的乐师，名旷，相传他的辨音能力特别强。[4] 六律：指十二律中的六个阳律。十二律是古人用十二根律管所定的十二个标准音，分为阴阳两类，阴律叫六吕，阳律叫六律。这里的六律代指十二律。 [5] 五音：我国古代音乐所定的五个音阶，具体是宫、商、角、徵、羽。 [6]"不愆（qiān）"二句：出自《诗经·大雅·假乐》。郑玄《诗经笺注》云："愆，过；率，循也。成王之令德，不过误，不遗失，循用旧典之文章。" [7]"天之方蹶（jué）"二句：出自《诗经·大雅·板》。《毛诗大传》："蹶，动也。"

译文

孟子说："即使有离娄那样的眼力，公输子那样的巧技，不靠圆规和曲尺，也画不出（标准的）方形和圆形；即使有师旷那样的听力，不靠六律，也不能校正五音；即使有尧、舜之道，不行仁政，也不能使天下太平。如果有了仁爱之心和仁爱的名声，百姓却没有受到他的恩泽，不能被后世效法，是因为他没有实行先王之道。所以说：光有善心不足以治理国家，光有好的法度不会自动实行。《诗经》上说：'不犯错误，不要遗忘，完全遵循旧规章。'遵循先王的法度而犯错误，这是从来没有的事。圣人竭尽了目力，接着用圆规、曲尺、水准器、墨线来制作方的、圆的、平的、直的东西，这些东西就用不尽了；圣人竭尽了听力，接着用六律来校正五音，五音就运用无穷了；圣人竭尽了心思，接着又施行仁政，仁爱就遍布天下了。所以说：筑高一定要凭借山陵，挖深一定要凭借河泽。执掌国政不凭借先王之道，能说是聪明吗？因此，只有仁人才应该处在高位。不仁的人处在高位，这会使他把邪恶传播给众人。在上的没有规范可循，在下的不用法度约束自己，朝廷不信道义，工匠们不信尺度，做官的违反义理，老百姓触犯刑律，国家还能生存的，那只是侥幸。所以说：城墙不坚固，武器不充足，不是国家的灾难；农田没有开垦，财富没有积聚，不是国家的祸害。在上的不讲礼义，在下的没有教育，造反的百姓日益增多，国家离灭亡就没有几天了。《诗经》上说：'上天正要降福王朝，不要多嘴又多说。'多嘴多舌就是啰唆。侍奉君主不讲义，进退之间不合礼，张口就诋毁先王之道，这就如同喋喋不休地啰唆。所以说：责求君王施行仁政，这叫'恭'；向君王陈述好的意见，堵塞他的邪念，这叫'敬'；认为君王不能行善而放弃努力，这叫'贼'。"

孟子曰："规矩，方员之至也；圣人，人伦之至也。欲为君，尽君道；欲为臣，尽臣道。二者皆法

尧舜而已矣。不以舜之所以事尧事君，不敬其君者也；不以尧之所以治民治民，贼其民者也。孔子曰：'道二，仁与不仁而已矣。'暴其民甚，则身弑国亡；不甚，则身危国削，名之曰'幽'、'厉'[1]，虽孝子慈孙，百世不能改也。《诗》云：'殷鉴不远，在夏后之世[2]。'此之谓也。"

注释

[1]幽、厉：谥号名。《逸周书·谥法解》说："动祭乱常曰幽"，"杀戮无辜曰厉"。周幽王、周厉王是历史上著名的暴君。幽王宠幸褒姒，任用奸臣虢石父，烽火戏诸侯，为犬戎所杀。厉王为政暴虐，遭国人驱逐。　[2]"殷鉴"二句：出自《诗经·大雅·荡》。鉴，铜镜。

译文

孟子说："圆规、曲尺，是方和圆的最高标准；圣人，是做人的最高境界。想成为好君主，就要尽到做君主之道；想成为好臣子，就要尽到做臣子之道。两者都是效法尧、舜罢了。不用舜侍奉尧的态度来侍奉君主，就是不敬重他的君主；不用尧治理百姓的方法来治理百姓，就是残害他的百姓。孔子说：'治国的原则只有两条，仁和不仁罢了。'对百姓残暴太厉害，就会自身被杀、国家灭亡；即使不太厉害，也会自身危险、国势削弱，死后被加上'幽'、'厉'这类恶谥，即使他有孝顺的子孙，一百代也无法更改了。《诗经》上说：'殷商的鉴戒并不远，就在夏朝统治时期。'说的就是这种情况。"

延伸阅读

守规矩成方圆

规矩有法则的意思。没有尺子，画不好方形；没有圆规，画不好圆形。万事都有一定的法则，得其要领，轻而易举；不得要领，事倍功半。

规矩也有标准的意思。社会是由许多个体构成的，需要有大家共同遵守的标准和规范，这里涉及两个方面的问题：一、用来调整物的规范；二、用来调整人的规范。调整物的规范，比如行业标准，没有它，产品是否合格、是否可以投入使用就很难判断。调整人的规范，最低的标准是法律，在此基础上，还有人的道德要求，这些一定的规范是社会中的个体必须遵循的。

规矩还有习惯的意思。社会共同体中的人群的共同生活也会形成一定的习惯，待人处事要符合社会规范、人群习惯，这就是人们常说的守规矩。

皇甫绩是隋朝有名的大臣。他三岁的时候父亲就去世了，母亲一个人难以维持家里的生活，就带着他回到娘家住。外公见皇甫绩聪明伶俐，又没了父亲，因此格外疼爱他。外公叫韦孝宽，是当地有名的大户人家。由于家里上学的孩子多，外公就请了个教书先生，办了自家学堂，当时叫私塾。皇甫绩和表兄弟们都在自家的学堂里上学。

外公是个严厉的老人，私塾开学的时候，就立下规矩，无故不完成作业，就按照家法重打二十大板。有一天，上午上完课后，皇甫绩和他的几个表兄躲在一个已经废弃的小屋子里下棋。一贪玩，不知不觉就到了下午上课的时间。大家都忘记做教师上午留的作业了。第二天，这件事被外公知道了，他把几个孙子叫到书房里，狠

狠地训斥了一顿，然后按照规矩，每人重打二十大板。外公看皇甫绩年龄最小，平时又很乖巧，再加上没了父亲，不忍心打他。于是，就把他叫到一边，对他说："你还小，这次我就不罚你了。不过，以后不能再犯这样的错误。不学好本领，将来怎么能成大事？"

皇甫绩心里很难过，他想：我和哥哥们犯了一样的错误，耽误了功课。外公没有责罚我，这是心疼我。可是我自己不能放纵自己，应该也按照私塾的规矩，被重打二十大板。于是，皇甫绩找到表兄们，求他们代外公责打自己二十大板。皇甫绩说："这是私塾里的规矩，我们都向外公保证过触犯规矩甘愿受罚，不然的话就是不遵守诺言。你们都按规矩受罚了，我也不能例外。"表兄们都被皇甫绩这种信守学堂规矩的精神感动了。于是，就拿出戒尺打了皇甫绩二十大板。

后来皇甫绩在朝廷做了大官，但是这种从小养成的遵守法则、勇于认错的品德一直没有丢，这使得他在文武百官中享有很高的声望。

思考讨论

1. "不以规矩，不能成方圆"出自哪里？它的含义是什么？
2. 请谈谈法律规范的重要性。

反求诸己

孟子曰："三代之得天下也以仁，其失天下也以不仁。国之所以废兴存亡者亦然。天子不仁，不保

四海；诸侯不仁，不保社稷；卿大夫不仁，不保宗庙[1]；士庶人不仁，不保四体。今恶死亡而乐不仁，是犹恶醉而强酒。”

孟子曰：“爱人不亲，反其仁；治人不治，反其智；礼人不答，反其敬。行有不得者皆反求诸己，其身正而天下归之。《诗》云：‘永言配命，自求多福[2]。’”

注释

[1]宗庙：宗庙是卿大夫身份的标志。宗庙不保，指失去卿大夫的爵位。 [2]“永言”二句：出自《诗经·大雅·文王》。配命，珍惜和因循天命。

译文

孟子说：“夏、商、周三代得天下，是由于仁；他们失掉天下，是由于不仁。国家衰败、兴盛和生存、灭亡的原因也是这样。天子不仁，不能保住天下；诸侯不仁，不能保住国家；卿大夫不仁，不能保住宗庙；士人和百姓不仁，不能保住自身。现在有些人讨厌死亡，却又乐意干不仁的事，这就像讨厌喝醉却硬要多喝酒一样。”

孟子说：“爱别人，别人不来亲近，就要反问自己是否仁爱；治理别人却治理不好，就要反问自己是否明智；礼貌待人，别人却不理睬，就要反问自己是否恭敬。行为得不到预期的效果，都要反过来求问自己，自身端正了，天下的人就会来归附自己。《诗经》上说：‘永远遵循天意的安排，自己去多寻求点福。’”

延伸阅读

践履工夫

儒家认为修身养性对一个人来说至关重要，是做人最重要的“学问”，儒家学者把修身养性叫做“践履工夫”。突出强调个人修身养性的“践履”，是中国哲学与西方哲学最大的不同之一。“反求诸己”是儒家工夫论的一项重要内容。孔子曾说：“君子求诸己，小人求诸人。”（《论语·卫灵公》）“反求诸己”强调，当我们遇到任何问题时，首先应该找自身的不足，我们应该检讨自己做得不足的地方，加以改正。只有做到端正自身，所做的事情才会取得成效。小到个人，大到国家，无不如此。

现代新儒家创始人之一的熊十力先生（1885—1968）感叹现代人修养工夫的不足，他说：“今人只知向外，看得一切不是，却不肯反求自家不是处，此世乱所以无已也。先圣贤之学，广大悉备，而一点血脉，只是‘反求诸己’四字。”（《十力语要》）

孟子对“反求诸己”的工夫有许多议论，他提到过“反求诸己”、“反身而诚”、“自反”等，其实这些不同的表达都是同一个意思。本章中，孟子说：“人有恒言，皆曰‘天下国家’。天下之本在国，国之本在家，家之本在身。”“身”的含义，也就是儒家常用的另外一个字“己”。孟子讲修身为本，就是从自身出发，进而才能把家、国、天下治理好。这和《大学》中的“修身齐家治国平天下”如出一辙。

关于正人先正己、由己推人的原因，孟子是这样解释的：一讲到口味，大家都期望做到易牙那样，这说明天下人的口味大体相同；一讲到声音，大家都希望像师旷那样，这说明天下人的听觉大体相同；一讲到子都，天下没有人不知道他的俊美，不认为子都美的人，都是有眼无珠了。所以，人们对于味道、声音、美感都有相同的喜好。同理，人心也是如此，圣人提倡天理仁义，就在于它适合我们的心理。(《孟子·告子上》)

因此，正人必先正己，做事要反求于自己。孟子说："仁者如射，射者正己而后发，发而不中，不怨胜己者，反求诸己而已矣。"(《孟子·公孙丑上》) 孟子以射箭胜负来说明求仁应该先反观自身。仁者就像是射箭一样，射手必须端正自己的姿态，而后放箭。如果没有射中，不能埋怨那些胜过自己的人，应该反躬自问。同样，爱别人，别人却不亲近，就应该反思自己是否足够仁爱；对别人待之以礼，却得不到相应的尊敬，要先反思一下自己是否对别人足够恭敬。任何行为如果没有达到相应的结果，都要反躬自责。自己的确端正了行为，天下人自然会归向他。

"反求诸己"是儒家的做人准则之一，其实，用今天流行的一个说法，这就叫做换位思考。凡事都要转换角度，站在别人的角度来思考，自己以为可行，别人是否也觉得可行呢？要求别人做到的，自己是否做到了呢？当我们对自身要求有所放松时，不妨想想孔孟对世人的警醒："修己以安人"(《论语·宪问》)、"反求诸己"(《孟子·娄离上》)。"吾日三省吾身：为人谋而不忠乎？与朋友交而不信乎？传不习乎？"(《论语·学而》)

思考讨论

1. 你认为夏、商、周得天下和失去天下的原因是什么？

2. 你认为自己身上有哪些不足？应该如何去改变？

3. 请谈谈你遭遇的一次挫折，并试着分析是什么原因造成的。

国之本在家，家之本在身

孟子曰：“人有恒言，皆曰‘天下国家’。天下之本在国，国之本在家，家之本在身。”

孟子曰：“为政不难，不得罪于巨室[1]。巨室之所慕，一国慕之；一国之所慕，天下慕之。故沛然德教溢乎四海。”

注释

[1]巨室：豪强显贵之家。

译文

孟子说：“人们有句常说的话，都说‘天下国家’。天下的根本在于国，国的根本在于家，家的根本在于自身。”

孟子说：“治理国政不难，不要触犯豪强显贵的利益就可以了。他们所向慕的，全国都会向慕；全国所向慕的，天下都会向慕。因而德教就会浩浩荡荡充溢于天下了。”

孟子说：“天下有道，小德役大德，小贤役大贤；天下无道，小役大，弱役强。斯二者，天也。顺天者存，逆天者亡。齐景公曰：‘既不能令，又不受命，是绝物也。’涕出而女于吴[1]。今也小国师大国而耻受命焉，是犹弟子而耻受命于先师也。如耻之，莫若师文王。师文王，大国五年，小国七年，必为政于天下矣。《诗》云：‘商之孙子，其丽不亿。上帝既命，侯于周服。侯服于周，天命靡常。殷士肤敏，祼将于京[2]。’孔子曰：‘仁不可为众也。夫国君好仁，天下无敌。’今也欲无敌于天下而不以仁，是犹执热而不以濯也。《诗》云：‘谁能执热，逝不以濯[3]？’”

孟子曰：“不仁者可与言哉？安其危而利其菑[4]，乐其所以亡者。不仁而可与言，则何亡国败家之有？有孺子歌曰：‘沧浪之水清兮[5]，可以濯我缨[6]；沧浪之水浊兮，可以濯我足。’孔子曰：‘小子听之！清斯濯缨，浊斯濯足矣。自取之也。’夫人必自侮，然后人侮之；家必自毁，而后人毁之；国必自伐，而后人伐之。《太甲》曰：‘天作孽，犹可违；自作孽，不可活。’此之谓也。”

孟子曰：“桀、纣之失天下也，失其民也；失其民者，失其心也。得天下有道：得其民，斯得天下矣；得其民有道：得其心，斯得民矣；得其心有道：所欲与之聚之[7]，所恶勿施尔也[8]。民之归仁也，犹水之就下、兽之走圹也。故为渊驱鱼者，獭也；为丛驱爵者[9]，鹯也[10]；为汤、武驱民者，桀与纣也。

今天下之君有好仁者，则诸侯皆为之驱矣。虽欲无王，不可得已。今之欲王者，犹七年之病求三年之艾也[11]。苟为不畜，终身不得。苟不志于仁，终身忧辱，以陷于死亡。《诗》云：'其何能淑，载胥及溺[12]。'此之谓也。"

孟子曰："自暴者，不可与有言也；自弃者，不可与有为也。言非礼义，谓之自暴也；吾身不能居仁由义，谓之自弃也。仁，人之安宅也；义，人之正路也。旷安宅而弗居，舍正路而不由，哀哉！"

注释

[1]"涕出"句：事见《说苑·权谋》记载。齐景公惧怕吴王阖闾伐齐，不得已把女儿嫁给阖闾。送别时，女儿哭着说："我再也见不到您了。"景公说："我既不能命令别人，又不愿听别人命令，所以滋生了混乱。我听说不能命令，不如服从。" [2]"商之孙子"八句：出自《诗经·大雅·文王》。祼（guàn），宗庙祭祀的一种仪式，把郁鬯（chàng）酒浇在地上以迎接鬼神。将，助。 [3]"谁能"二句：出自《诗经·大雅·桑柔》。逝，无意义。濯，洗。 [4]菑：灾难。 [5]沧浪：据杨伯峻《孟子译注》考证："卢文弨《钟山札记》：'沧浪，青色；在竹曰苍筤，在水曰仓浪。'按卢说是也，前人有以沧浪为水名者也（或云汉水之支流，或云即汉水），又有以为地名者（在湖北均县北），恐都不可靠。"按杨伯峻的理解，"沧浪"指水的颜色为绿色。 [6]缨：系帽子的丝带。 [7]与

之聚之：百姓需要什么就尽力满足。第一个“之”指称“民”，第二个“之”指称“民之所欲”。 [8]尔也：如此而已。 [9]爵：同“雀”，麻雀。 [10]鹯（zhān）：鹞鹰一类的猛禽。 [11]艾：艾草，可以入药，亦可以焚熏，以久储为佳。 [12]“其何”二句：出自《诗经·大雅·桑柔》。淑，善、好。胥，相、一起。

译文

孟子说：“天下有道时，道德平庸的人受道德高尚的人役使，不太贤能的人被十分贤能的人役使；天下无道时，力量小的受力量大的役使，势力弱的受势力强的役使。这两种情况，符合天意。顺从天意的生存，违逆天意的灭亡。齐景公说过：‘我既不能命令别人，又不愿听别人命令，这是绝路一条。’景公不得已哭着把女儿嫁到吴国去。现在，小国效法大国，却又耻于接受大国命令，这就好比学生耻于接受老师的命令一样。如果真的感到羞耻，那就不如效法文王。效法文王，大国不出五年，小国不出七年，一定能统治天下。《诗经》上说：‘商朝子子孙孙，不下十万余人。上帝既有命令，都向周朝归顺。都向周朝归顺，就因天命没有定论。殷朝的臣子漂亮聪敏，将去周朝镐京助祭。’孔子说：‘仁德，不在于人多。国君爱好仁德，就能天下无敌。’如果想无敌于天下而又不凭借仁，这就像手拿了烫东西而不用冷水冲洗。《诗经》上说：‘谁能手中拿了烫东西，不用冷水来冲洗？’”

孟子说：“不仁的人难道可以用言辞来说服吗？他们视危险为安全，视灾祸为得利，视自取灭亡之道为快乐。不仁的人如果还能用言辞说服，哪还会有亡国败家的事呢？有首童谣唱道：‘沧浪的水碧清哟，可以洗我的帽带；沧浪的水浑浊哟，可以洗我的脚。’孔子说：‘后生们听着！水清就洗帽带，水浊就洗脚了。这是由水

本身决定的。’一个人必然是自辱，人家才来侮辱他；一个家必然是自毁，人家才来毁坏它；一个国必然是自征伐，别人才来征伐它。《太甲》上说：‘上天降灾，还可以躲；自己作孽，逃也没法逃。’说的就是这个意思。”

孟子说：“桀和纣失天下，是由于失去了人民；失去人民，是由于失去了民心。得天下有方法：得到人民，就能得到天下了；得人民有方法：赢得民心，就能得到人民了；得民心有方法：百姓有什么需求就尽力满足，不要施与百姓他们所不愿接受的事情，如此罢了。人民归向于仁，如同水往低处流、野兽奔向旷野一样。所以，替深水赶来鱼的，是水獭；替树丛赶来鸟雀的，是鹞鹰；替商汤、周武赶来百姓的，是夏桀和商纣。如果现在天下的国君有爱好仁德的，那么诸侯们就会替他把人民赶来。哪怕他不想称王天下，也不可能了。现在想称王天下的人，好比害了七年的病要找存放三年的艾来治。如果平时不积存，那就终身得不到。如果不立志在仁政，必将终身忧愁受辱，以至于死亡。《诗经》上说：‘他们怎么能做得好，只是一起沉溺下去。’说的就是这种人。”

孟子说：“自己毁坏自己的人，不能与他讲什么善言；自己抛弃自己的人，不能与他有所作为。说话与礼义相背，这叫自己毁坏自己；自认为不能心怀仁德、遵义而行，这叫自己抛弃自己。仁是人们最安适的住所，义是人们最正确的道路。空着最安适的住所不住，舍弃最正确的道路不走，真可悲啊！”

延伸阅读

内圣外王

传统儒家学说非常关注个人的修身问题。孟子认为，天下的基础在国，国的基础在家，家的基础在个人。因此，个体值得高度关注。每个个体的完满发展，实际上就是对国家和天下的重大贡献。

这里的“天下”是指当时最大的共同体，即周天子的管辖范围。春秋时代，周天子仍然存在，与各诸侯尚保持着制度上的君臣关系。到了战国时朝，周天子名存实亡，“天下”只是一种理想和象征。“国”也不同于现在的国家概念，主要指周天子分封天下以后形成的各个诸侯国。“家”的意思也不同于现在的家庭，而是指卿大夫的家，其构成与规模仅次于诸侯国，是诸侯国的重要组成部分。

在儒家文献《大学》中，也有与“国之本在家，家之本在身”相类似的表述：“古之欲明明德于天下者，先治其国；欲治其国者，先齐其家；欲齐其家者，先修其身。”之后，《大学》中又反过来说了一遍：“修身而后家齐，家齐而后国治，国治而后天下平。”这就是儒家的修、齐、治、平，概括地说，就是“内圣外王”，这是儒家的生命理想。所谓“内圣”，即内修圣人之德，要有很高的道德修养；所谓“外王”，即对外实施王者之政，能在治国平天下方面做出一番大事业。简单地说，“内圣”是修德，“外王”是事功。

熊十力先生在《原儒》中讲儒家的特点之一就是兼顾内圣与外王。他说：“庄子悼百家众技各察一偏，暗于大道，故欲弘宣孔子内圣外王之道，以总揽众学，而示以会归，卓哉前识！”

思考讨论

1. 孟子屡次提到“天下无敌”，请问如何才可以“天下无敌”呢？

2. 你认为“修身”是治国平天下的前提吗？为什么？

诚者，天之道也

孟子曰："道在迩而求诸远[1]，事在易而求诸难。人人亲其亲、长其长，而天下平。"

孟子曰："居下位而不获于上，民不可得而治也。获于上有道，不信于友，弗获于上矣。信于友有道，事亲弗悦，弗信于友矣。悦亲有道，反身不诚，不悦于亲矣。诚身有道，不明乎善，不诚其身矣。是故诚者，天之道也；思诚者，人之道也。至诚而不动者，未之有也；不诚，未有能动者也。"

孟子曰："伯夷辟纣，居北海之滨[2]，闻文王作，兴曰：'盍归乎来！吾闻西伯善养老者[3]。'太公辟纣[4]，居东海之滨[5]，闻文王作，兴曰：'盍归乎来！吾闻西伯善养老者。'二老者，天下之大老也，而归之，是天下之父归之也。天下之父归之，其子焉往？诸侯有行文王之政者，七年之内，必为政于天下矣。"

注释

[1]迩（ěr）：近。 [2]北海之滨：其地在今濒临渤海的河北昌黎一带。 [3]西伯：即周文王，商纣时期被封为西伯

侯。 [4]太公：即姜太公，因祖先曾封于吕地，故又姓吕，名尚，字子牙，号太公望。曾辅佐文王、武王灭商建立周朝。 [5]东海之滨：其地在今山东莒县东部。

译文

孟子说："道在近处却往远处去求，事本简易却向难处去做。只要人人都亲爱自己的双亲、尊敬自己的长辈，那天下就太平了。"

孟子说："处在下位而又不能得到上级信任，百姓就治理不好。取得上级信任是有方法的，不能取信于朋友，就得不到上级信任。取信于朋友是有方法的，侍奉父母不能得到父母的欢心，就不能取信于朋友。得到父母的欢心是有方法的，反省自身心意不诚，就得不到父母的欢心。使自身真诚是有方法的，不明白什么是善，自身就不能真诚。所以，诚是自然的法则；追求诚，是做人的法则。做到了至诚而不被感动，是从没有过的事；如果不诚，也从不能感动人。"

孟子说："伯夷躲避商纣，居住在北海边上，听说文王兴盛起来了，振奋地说：'何不去归属！我听说西伯是善于奉养老人的。'太公姜尚躲避商纣，居住在东海边上，听说文王兴盛起来了，振奋地说：'何不去归属！我听说西伯是善于奉养老人的。'这两位老人，是天下德高望重的老人，他们去归属文王，这等于天下做父亲的归属了文王。天下的父亲都归属了，他们的儿子还会去哪里呢？诸侯中如有实行文王之政的，七年之内，就一定能统一天下了。"

延伸阅读

诚

“诚”的意思就是真实无妄，儒家的“诚”是从人的道德实践中抽象出来的，其实质是指道德实践中高度自觉的品质或心理状态。儒家四书之一的《中庸》把“诚”作为核心的概念：“诚者，天之道也；诚之者，人之道也。”“诚”即是天之道，也是人应该遵守的法则。“诚”是人类感情的自然流露，具有本能的意义。“诚”就是不自欺，不违心做出判断。难闻的气味，厌恶就是厌恶；漂亮的颜色，喜欢就是喜欢。

但是，人总是生活在人群中，个人的行为会影响到别人的情感。如果处理得好，将会有助于形成良好的人际关系，拓展自己的生活空间；如果处理得不好，则可能恶化周围的人际关系，缩小人际交往的圈子。因此，在生活中，如果面临厌恶和喜好的问题时，人们有时不能完全按照自己的好恶感情行事，须在一定功利效果考量的基础上，决定自己的行为和判断。在这种情况下，利弊的考量代替了本能的好恶，甚至颠倒黑白。有一个小故事，乾隆皇帝放了一个屁，身边的和珅本能地说了一句“臭”，但是他听到乾隆皇帝“哼”的一声表示生气后，马上又说：“回过味来，有一点儿香。”和珅的第一句表达，是本能的反应；第二句表达，则是“诚”的否定状态。

儒家奉为“天之道”的“诚”不仅仅是个体的本能反应，而是更高级的道德状态。冯友兰先生（1895—1990）对中国哲学人生境界分析后，得出了中国哲学人生境界的四个等级：自然境界、功利境界、道德境界、天地境界。（《新原人》）自然境界中的人，处于最原始的状态；功利境界中的人，处处以是否对自己有利为考量；道德境界中的人，以是非善恶为行为准则；天地境界中的人，则是把道德内化于心，从而做到了“从心所欲不逾矩”。天地境界是人格的最高境界，是更高级别的“诚”。内心意念真诚的人，自然而然地流露于外，他所做的一切都是发自内心，是为了求得自身的快意和满足，而不是做给别人看的。

“诚”不但是人与人之间相处的法则，也是修身、齐家、治国、平天下的法则。中国历史上，讲述诚信之理的论述非常多。唐代的魏征曾经说：“夫妇有恩矣，不诚则离。”（《群书治要·体论》）如果家人之间缺乏真诚，互不信任，家庭就会解体。治国同样需要“诚”。西晋文学家傅玄在《傅子·义信》中引用了周幽王烽火戏诸侯的故事：周幽王宠爱褒姒，但是褒姒很少笑。有一次，周幽王点燃了烽火来戏弄诸侯，诸侯看到烽火燃起，以为国有危难降临，于是纷纷赶来，结果发现国家并没有危难，只是周幽王点燃烽火为博美人一笑。这样几次下来，后来国家真的发生了灾难，但是诸侯仍以为只是周幽王点燃烽火戏弄大家，结果周国灭亡了。傅玄得出结论，如果君主诚信，那么万国安宁；如果诸侯诚信，那么国境之内和平。工作中，同样需要诚信。《管子》说：“非诚贾不得食于贾，非诚工不得食于工，非诚农不得食于农，非信士不得立于朝。”意思是如果不诚信，无论经商、务农、从事手工业或者做士大夫，都做不成。只有以“诚”的态度对待自己的工作，才可事业有成。

思考讨论

1. 儒家把“诚”作为个体非常重要的品德，“诚”的内涵是什么？

2. 请谈谈诚信的重要性。

尊王贱霸

孟子曰："求也为季氏宰[1]，无能改于其德，而赋粟倍他日。孔子曰：'求非我徒也，小子鸣鼓而攻之可也。'由此观之，君不行仁政而富之，皆弃于孔子者也，况于为之强战！争地以战，杀人盈野；争城以战，杀人盈城。此所谓率土地而食人肉，罪不容于死。故善战者服上刑[2]，连诸侯者次之[3]，辟草莱、任土地者次之[4]。"

孟子曰："存乎人者[5]，莫良于眸子[6]。眸子不能掩其恶。胸中正，则眸子瞭焉[7]；胸中不正，则眸子眊焉[8]。听其言也，观其眸子，人焉廋哉[9]？"

孟子曰："恭者不侮人，俭者不夺人。侮夺人之君，惟恐不顺焉，恶得为恭俭？恭俭岂可以声音笑貌为哉？"

注释

[1]求：冉求，孔子弟子。季氏：指季康子，鲁国卿。[2]服上刑：《尚书·吕刑》释"五罚不服"云："不服，不应罚也。"服，接受处罚。上刑，重刑。[3]连诸侯：以利益来游说诸侯，或结盟，或征伐。[4]辟草莱：开垦荒地或指破坏井田制。任土地：乱分土地而征赋税。[5]存：存养于。[6]眸子：眼睛。[7]瞭：明亮。[8]眊(mào)：眼睛昏花。[9]廋(sōu)：隐匿。

译文

孟子说："冉求做季康子的家臣，没有能力改变季氏的德行，却把田赋增加了一倍。孔子说：'冉求已不是我的门徒，弟子们可以大张旗鼓地去攻击他！'从这件事看来，国君不行仁政而帮他搜括财富的人，都是被孔子唾弃的，何况那些为君主们努力争战的人！为争夺土地而战，杀死的人遍野；为争夺城池而战，杀死的人满城。这就是所谓的为了土地而吃人肉，其罪之大，处死刑还嫌不足。所以，好战的人该受最重的刑罚，唆使诸侯合纵连横的人该受次一等的刑罚，迫使百姓开垦荒地、乱分田地而增加赋税的人该受更次一等的刑罚。"

孟子说："观察人，没有比观察人的眼睛更好了。眼睛不能掩盖人内心的丑恶。一个人心胸正，眼睛就明亮；心胸不正，眼睛就昏暗。听一个人讲话，观察他的眼睛，这人内心的善恶又怎能隐藏得了呢？"

孟子说："恭敬的人不会侮辱别人，俭朴的人不会掠夺别人。那些侮辱、掠夺别人的君主，只怕别人不顺从，又怎能做到恭敬和俭朴呢？恭敬和俭朴难道可凭悦耳的声音和讨好的笑脸做得出来吗？"

延伸阅读

保民而王

孟子反对诸侯国之间通过战争较量，互相兼并，最终走上天下统一的道路，而是主张以德服人。以德服人就是通过实行仁政，保护老百姓的利益，吸引天下的民众归附自己，最终统一天下。通过这种途径来统一天下，孟子称之为"保民而王"。"保民而王"

就是王道，而表面上打着行仁义的旗号，实际上是通过军事实力的较量来兼并其他诸侯国、统一天下的方法，就叫做霸道。对到底是应该实行王道还是应该实行霸道的辩论，被称为王霸之辩。

对于王道与霸道，冯友兰先生有一个简单的解释，他说："如果圣人为王，他的治道就叫做王道。照孟子和后来的儒家说，有两种治道。一种是'王道'，另一种是'霸道'。它们是完全不同的两类。圣王的治道是通过道德指示和教育，霸主的治道是通过暴力和强迫。王道的作用在于德，霸道的作用在于力。"(《中国哲学简史》)

孟子尊重王道，鄙视霸道。孟子"贱霸"表现是多方面的，他明明白白地说："春秋无义战。"(《孟子·尽心下》)又说："五霸者，搂诸侯以伐诸侯者也，故曰：五霸者，三王之罪人也。"(《孟子·告子下》)这两句话把春秋五霸所进行的兼并战争全否定了。

孟子不仅鄙视、反对霸道，有时候对那些帮助君王行霸道的人，都恨得咬牙切齿。他多次说过，帮助诸侯进行兼并战争、扩大疆土，对民众来说都是严重的犯罪行为，是君王干坏事的帮凶。本节提到的季氏就是这一代表，孟子说这些人是"率土地而食人肉，罪不容于死"。从孟子批评季氏的理由可以看出，孟子"尊王贱霸"的原因，集中在两者对民众的不同态度上。王道是以德行仁，从爱惜民众的生命出发，反对兼并战争，同时实行有利于民众生存的政策，符合民众的生存需求；霸道主张通过战争进行兼并，戕害百姓的生命，同时过分掠夺百姓的利益。

思考讨论

1.孔子为什么说冉求不再是他的学生了，让弟子们一起声讨他？

2.《孟子》一书中的"争地以战，杀人盈野；争城以战，杀人盈城"

常常被引用来说明战国时期战争的残酷。战国时期战争频繁的原因是什么?

溺嫂援手

淳于髡曰[1]:“男女授受不亲，礼与?”

孟子曰:“礼也。”

曰:“嫂溺，则援之以手乎?”

曰:“嫂溺不援,是豺狼也。男女授受不亲,礼也;嫂溺，援之以手者，权也[2]。”

曰:“今天下溺矣，夫子之不援，何也?”

曰:“天下溺，援之以道;嫂溺，援之以手。子欲手援天下乎?”

注释

[1]淳于髡(kūn):姓淳于，名髡，战国时齐国有名的辩士，曾在齐威王、齐宣王时做官。　[2]权:变通。《公羊传·桓公十一年》:“权者反于经，然后有善者也。”

译文

淳于髡说:“男女之间不能亲手递接东西，是礼法的规定吗?”

孟子说:“是礼法的规定。”

淳于髡又问："如果嫂子落水了，那么用手援救她吗？"

孟子说："嫂子落水了而不去援救，这是豺狼。男女之间不亲手递接东西，这是礼法的规定；嫂子落水而用手去援救，这是对礼法的变通。"

淳于髡说："现在，天下的人都掉落水中了，您不去援救，为什么呢？"

孟子说："天下的人都落水了，要用道去援救；嫂子落水了，要用手去援救。你难道想用手去援救天下的人吗？"

延伸阅读

君子反经而已矣

本节是孟子与淳于髡在稷下学宫中发生的一场关于"溺嫂援手"的辩论。

淳于髡以博学多才、善于辩论著称，是稷下学宫中最具有影响力的学者之一。淳于髡针对儒家遵行"男女授受不亲"的古礼，向孟子发难。儒家是很讲究"礼"的，有君臣之礼、父子之礼、夫妻之礼等等。"礼"是人与人交往需要遵守的规则，是有限制性和约定性的。

淳于髡所说的"男女授受不亲"，是儒家主张的礼节之一，对此孟子并不否认。于是，淳于髡进一步问，如果男女之间不能亲手传递东西，那么嫂子掉进河里，当弟弟的是否应该伸手去援救呢？这是一个两难命题。如果回答"援之以手"，就违背了儒家"男女授受不亲"的礼节；如果见死不救，就违背了道德，而伦理亲情也是儒家非常重视的。

于是，孟子用遵守原则和权宜变通的常理来回答："嫂子落水了而不去援救，这是豺狼。男女之间不亲手递接东西，这是礼法

的规定；嫂子落水而用手去援救，这是对礼法的变通。”

这段对话涉及伦理学中一个十分重要的问题，即如何解决个体在具体境遇中所面临的道德冲突。孟子对这一问题的解决，便是权变之道。孟子明确地阐述了权变的观念：“执中无权，犹执一也。所恶执一者，为其贼道也，举一而废百也。”（《孟子·尽心上》）“权”，是灵活变通的处世原则；“执一”，是拘泥某种规范而不知变通。“执一”必然导致对规范的僵化处理，使人难以应付多变的社会生活，即孟子所说的“举一而废百”。

在孟子看来，尽管个体在具体境遇中可以灵活变通，但是变通必须遵守某些普遍性的原则。例如，嫂子不慎落水，固然可以不受男女不接触这一规定的限制，但是伸手想救，本身体现了更为普遍的仁道原则。见死不救就是违背了人皆有之的仁义之心，而仁义之心是人与禽兽的区别之一。

可见，孟子所说的特定情境中的变通，并非完全离开普遍的道德原则。正是在这个意义上，孟子一再强调“君子反经而已矣”（《孟子·尽心下》），“反经”意味着最终目标乃是回到普遍的原则。

思考讨论

1. 如果你是一名警察，而你的亲属做了违法的事情，你会怎么做？为什么？

2. 请说明遵守原则和权宜变通的关系。

不孝有三，无后为大

公孙丑曰："君子之不教子，何也？"

孟子曰："势不行也。教者必以正；以正不行，继之以怒。继之以怒，则反夷矣[1]。'夫子教我以正，夫子未出于正也。'则是父子相夷也。父子相夷，则恶矣。古者易子而教之，父子之间不责善。责善则离，离则不祥莫大焉[2]。"

注释

[1]夷：消灭。《易传·序卦》："夷，伤也。"　[2]祥：《说文解字》："祥，福也。"《尔雅·释诂》："祥，善也。"

译文

公孙丑问："君子不亲自教育儿子，为什么呢？"

孟子答道："因为情势上行不通。执教者一定要用正道来教育，用正道无效，随之而来的是被激怒。执教者被激怒，就反而伤了感情。（儿子会这么说：）'您以正道来教育我，自己却不按正道来做。'那父子就相互伤了感情。父子相互伤感情，那就很不好了。古时候人们交换儿子来进行教育，父子之间不以正道来责求对方。以正道责求对方，彼此就会产生隔膜，没有比隔膜更不好的事了。"

孟子曰："事孰为大？事亲为大。守孰为大？守身为大。不失其身而能事其亲者，吾闻之矣；失其身而能事其亲者，吾未之闻也。孰不为事？事亲，事之本也。孰不为守？守身，守之本也。曾子养曾皙[1]，必有酒肉。将彻，必请所与；问有余，必曰'有'。曾皙死，曾元养曾子，必有酒肉。将彻，不请所与；问有余，曰'亡矣'，将以复进也。此所谓养口体者也。若曾子，则可谓养志也。事亲若曾子者，可也。"

孟子曰："人不足与适也[2]，政不足间也[3]。唯大人为能格君心之非。君仁，莫不仁；君义，莫不义；君正，莫不正。一正君而国定矣。"

孟子曰："有不虞之誉[4]，有求全之毁。"

孟子曰："人之易其言也，无责耳矣。"

孟子曰："人之患在好为人师。"

注释

[1] 曾子：即曾参，春秋时鲁国人，与他的父亲曾皙同为孔子的弟子。　[2] 适：同"谪"，谴责，指责。　[3] 间：非议。[4] 不虞：出乎意料。《诗经·大雅·抑》："用戒不虞。"《毛传》："不虞，非度也。"

译文

孟子说："侍奉谁最为重要？侍奉父母最为重要。守护什么最为重要？守护自身的操守最为重要。不使自身陷于不义而又能侍奉父母的人，我听说过；自身已陷于不义却又能侍奉父母的人，我没听说过。什么长上不应侍奉？但侍奉父母是最根本的。什么正义不应守护？但守护自身的操守是最根本的。曾子奉养他父亲曾皙，每餐一定有酒肉。将要撤除时，一定要请示余下的给谁；曾皙如问还有没有剩余，一定回答说‘有’。曾皙死后，曾元奉养曾子，每餐也一定有酒肉。将要撤除时，便不请示余下的给谁了；曾子如问还有没有剩余，回答说‘没了’，为的是将剩余的用于下次。这叫做奉养父母的口和体。像曾子，可以说是顺从父母意愿之养。侍奉父母能做到像曾子那样，就算可以了。”

孟子说：“那些当权的小人不值得去指责，他们的政事不值得去非议。只有大德的人才能纠正君主思想上的错误。君主仁，没有谁不仁；君主义，没有谁不义；君主正，没有谁不正。一旦使君主端正了，国家就安定了。”

孟子说：“有出乎意料的赞誉，有苛求完美的诋毁。”

孟子说：“一个人轻易发表言论，是因为他没有责任心。”

孟子说：“人们的毛病在于喜欢充当别人的老师。”

乐正子从于子敖之齐[1]。

乐正子见孟子。孟子曰：“子亦来见我乎？”

曰：“先生何为出此言也？”

曰：“子来几日矣？”

曰：“昔者。”

曰：“昔者，则我出此言也，不亦宜乎？”

曰：“舍馆未定[2]。”

曰："子闻之也，舍馆定，然后求见长者乎？"

曰："克有罪。"

注释

[1]子敖：王驩的字。当时他已为齐国右师。 [2]舍馆：客舍。

译文

乐正子跟随王子敖到了齐国。

乐正子去见孟子。孟子问："你也来看我吗？"

乐正子答道："老师为什么说这样的话呢？"

孟子问："你来几天啦？"

答道："前些日子。"

孟子说："前些日子，那么我说这样的话，不也应该吗？"

乐正子说："因为客馆还没有确定。"

孟子说："你听说过，要客馆确定了才来求见长辈吗？"

乐正子说："我错了。"

孟子谓乐正子曰："子之从于子敖来，徒餔啜也[1]。我不意子学古之道而以餔啜也。"

孟子曰："不孝有三[2]，无后为大。舜不告而娶，为无后也。君子以为犹告也。"

孟子曰："仁之实，事亲是也；义之实，从兄是也；智之实，知斯二者弗去是也；礼之实，节文斯二者

是也；乐之实，乐斯二者，乐则生矣[3]，生则恶可已也。恶可已，则不知足之蹈之手之舞之。”

孟子曰：“天下大悦而将归己，视天下悦而归己，犹草芥也，惟舜为然。不得乎亲，不可以为人；不顺乎亲，不可以为子。舜尽事亲之道而瞽瞍厎豫[4]。瞽瞍厎豫而天下化，瞽瞍厎豫而天下之为父子者定。此之谓大孝。”

注释

[1] 馎（bū）：吃。啜（chuò）：吸，喝。 [2] 不孝有三：阿谀曲从，陷亲不义，一也；家贫亲老，不为禄仕，二也；不娶无子，绝先祖祀，三也。 [3] “乐之实”三句：第一个“乐”，读 yuè；后两个“乐”，读 lè。 [4] 瞽瞍（gǔ sǒu）：舜的父亲。厎（zhǐ）：致。豫：乐。

译文

孟子对乐正子说：“你跟着王子敖来，只是为了吃喝。我没有想到你学习古人的道理却用来谋取吃喝。”

孟子说：“不孝的情况有三种，其中以没有后代的罪过为最大。舜没有禀告父母就娶妻，为的就是怕没有后代。所以，君子认为他（怕没有后代而不告而娶）等同于告诉父母了。”

孟子说：“仁的实质，是侍奉父母；义的实质，是顺从兄长；智的实质，是明白这两者的道理而不背离；礼的实质，是调节、修饰这两者；乐的实质，是从这两者中得到快乐，快乐由此而生，快乐一产生就不可抑制。快乐不可抑制，于是就不知不觉手舞足蹈起来。”

孟子说：“天下的人都十分高兴，并将要归附于自己；把天下的人悦服并归附自己，看得像草芥一样的，只有舜是如此的。不能得到父母的欢心，不可以做人；不能顺从父母的心愿，便不成其为儿子。舜尽了侍奉父母之道而使瞽瞍高兴起来。瞽瞍高兴了，天下人都受到了感化；瞽瞍高兴了，天下的父子伦常也由此确定。这就叫做大孝。”

延伸阅读

“孝”字怎么写（节选）

冰　心

大概那时我们都看过《二十四孝》那本书，其中有“王祥卧冰”、“孟春哭竹”等极不科学的愚昧的表现。尤其是“郭巨埋儿”，我认为那是最不仁道而且最不孝的一件事，因为儿子分吃了父母的食粮，就把儿子活埋了，那是什么心理？要丢掉儿子，就是把

《孝经》图

儿子卖了也不至于伤父母的心。他的所以要“埋儿”，只为的是掘地得到金银为伏笔！尽孝为的是得到金银，这居心还可问吗？

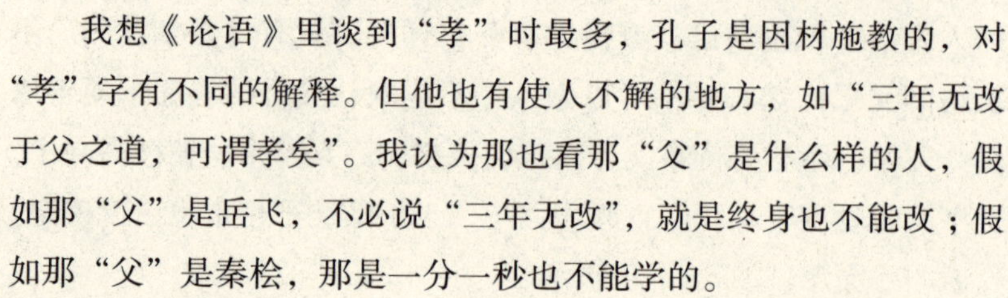

我想《论语》里谈到“孝”时最多，孔子是因材施教的，对“孝”字有不同的解释。但他也有使人不解的地方，如“三年无改于父之道，可谓孝矣”。我认为那也看那“父”是什么样的人，假如那“父”是岳飞，不必说“三年无改”，就是终身也不能改；假如那“父”是秦桧，那是一分一秒也不能学的。

我又去翻了《孝经》，看到了《谏诤章》，我心里廓然开朗，特此恭录如下：

曾子曰：“若夫慈爱恭敬，安亲扬名，则闻命矣。敢问子从父之令，可谓孝乎？”子曰：“是何言与，是何言与。（重复一句，极言其不可也，冰心注）昔者天子有争臣七人，虽无道，不失其天下；诸侯有争臣五人，虽无道，不失其国；大夫有争臣三人，虽无道，不失其家；士有争友，则身不离于令名；父有争子，则身不陷于不义。故当不义，则子不可以不争于父，臣不可以弗争于君。故当不义，则争之，从父之令，又焉得为孝乎？”

抄完这一段，我真是心悦诚服了，这孔子之所以为“至圣先师”也。

思考讨论

1. 古语说“不孝有三，无后为大”，请谈谈你的看法。

2. 你孝顺父母吗？请谈谈你对古人所说的“孝”的看法。

第八章　离娄下

先圣后圣，其揆一也

孟子曰："舜生于诸冯[1]，迁于负夏，卒于鸣条，东夷之人也。文王生于岐周[2]，卒于毕郢[3]，西夷之人也。地之相去也，千有余里；世之相后也，千有余岁。得志行乎中国，若合符节[4]，先圣后圣，其揆一也[5]。"

子产听郑国之政[6]，以其乘舆济人于溱、洧[7]。孟子曰："惠而不知为政。岁十一月徒杠成[8]，十二月舆梁成[9]，民未病涉也。君子平其政，行辟人可也[10]，焉得人人而济之？故为政者，每人而悦之，日亦不足矣。"

注释

[1] 诸冯：与下文的负夏、鸣条，皆古地名，具体所在已无法确指，传说都在今山东省。　[2] 岐周：岐，即今陕西岐山县东北的岐山。周，国名。　[3] 毕郢：地名，在今陕西咸阳东

部。　[4]符节：古代朝廷用作凭证的信物，用金、玉、竹、铜、木等制作，形状不一，上写文字，剖分为二，双方各执一半，使用时将两半相合以验真假。　[5]揆（kuí）：尺度，准则。　[6]子产：春秋时郑国的贤相，姓公孙，名侨，字子产。　[7]溱（zhēn）、洧（wěi）：郑国的两条河流名。　[8]徒杠：简陋的独木桥。　[9]舆梁：可通车马的大桥。　[10]辟：同“避”。

译文

孟子说：“舜生在诸冯，迁居到负夏，去世于鸣条，是东方边远地区的人。文王生在岐周，去世于毕郢，是西方边远地区的人。两地相距一千多里，时代相隔一千多年，但他们的意愿得以实现并在中国施行，像符节一样吻合，大凡圣贤不论其诞生的先后，他们（所遵循的）法度是一样的。”

子产主持治理郑国的政事，用自己乘坐的车子帮助别人渡过溱水和洧水。孟子说：“（子产）仁惠却不懂治理政事。（如果）十一月份把走人的桥修好，十二月份把行车的桥修好，百姓就不会为渡河发愁了。在上位的人治理好政事，出行时让行人回避自己都是可以的，哪能一个个地帮别人渡河呢？所以治理政事的人，要使每个人满意，时间也就太不够用了。”

孟子告齐宣王曰：“君之视臣如手足，则臣视君如腹心；君之视臣如犬马，则臣视君如国人；君之视臣如土芥，则臣视君如寇仇。”

王曰：“礼，为旧君有服[1]，何如斯可为服矣？”

曰：“谏行言听，膏泽下于民；有故而去，则君使人导之出疆，又先于其所往[2]；去三年不反，然后收其田里。此之谓三有礼焉。如此，则为之服矣。今也为臣，谏则不行，言则不听，膏泽不下于民；有故而去，则君搏执之，又极之于其所往[3]；去之日，遂收其田里。此之谓寇仇。寇仇，何服之有？”

注释

[1]为旧君有服：《礼记·丧服》有大夫为旧君服齐衰三月之文。　[2]先：预先安排布置。《礼记·檀弓》：“昔者夫子失鲁司寇，将之荆，盖先之以子夏，又申之以冉有，以斯知不欲速贫也。”　[3]极：《说文解字》：“穷，极也。”

译文

孟子告诉齐宣王说：“君主看待臣下如同自己的手足，臣下看待君主就会如同自己的腹心；君主看待臣下如同狗马，臣下看待君主就会如同常人；君主看待臣下如同泥土、草芥，臣下看待君主就会如同强盗、仇敌。”

宣王说：“礼制规定，（已经离职的臣下）要为先前侍奉过的君主服丧，什么情况下臣下就会为君主服丧呢？”

孟子说：“劝谏被采纳，建议被听从，恩泽遍及百姓；（臣子）有原因离国，君主就派人领他出境，并且派人先到他要去的地方做好安排；离开三年还不回来，才收回他的封地房屋。这叫“三有礼”。这样，臣下就愿意为他服丧了。如今做臣下的，劝谏不被采纳，建议不被听从，恩泽不能遍及百姓；有原因离国时，君主就要捉拿他，还想法使他在所去的地方陷入困境；离开的当天，就没收了他的封地房屋。这样就叫做强盗、仇敌。对强盗、仇敌，哪有什么要服丧的呢？”

孟子曰：“无罪而杀士，则大夫可以去；无罪而戮民，则士可以徙。”

孟子曰：“君仁，莫不仁；君义，莫不义。”

孟子曰：“非礼之礼，非义之义，大人弗为。”

孟子曰：“中也养不中[1]，才也养不才，故人乐有贤父兄也。如中也弃不中，才也弃不才，则贤不肖之相去，其间不能以寸。”

孟子曰：“人有不为也，而后可以有为。”

孟子曰：“言人之不善，当如后患何？”

孟子曰：“仲尼不为已甚者。”

注释

[1] 中：行为做事中规中矩，合乎道德规范。养：教育熏陶。

译文

孟子说：“无罪而杀士人，那么大夫就可以离开；无罪而杀百姓，那么士人就可以迁走。”

孟子说：“君主仁，就没有谁不仁；君主义，就没有谁不义。”

孟子说：“不合乎礼的宗旨的礼节，不合乎义的关怀的行为，有德行的人是不去施行的。”

孟子说：“道德行为合乎法度的人要教育熏陶不合法度的人，有才能的人要教育熏陶才能低下的人，所以人们乐于家中有贤能的父兄。如果道德行为合乎法度的人鄙弃不合法度的人，有才能的人鄙弃才能低下的人，那么贤能的人与不贤能的人之间的距离，就不能用寸来衡量了。”

孟子说：“一个人有所不为，然后才能有所为。”

孟子说：“说人家的不好，招来了后患怎么办？”

孟子说：“孔子不做过分的事。”

延伸阅读

子产为民

子产（？—前522），复姓公孙，名侨，字子产，又字子美。公元前554年，子产任简公卿，次年执政，是当时最负盛名的政治家之一。他提出“以宽服民”和“以猛服民”相互结合治理国家的方针。“宽”即强调道德教化和怀柔，“猛”即强调严刑峻法和暴力镇压。后来，儒家主要继承和发展了他的“以宽服民”主张，法家主要继承和发展了他的“以猛服民”主张。

《左传·襄公三十一年》记载，郑国人到乡校聚会，议论执政者施政措施的好坏。郑国大夫然明对子产说：“把乡校毁了，如何？”子产说：“为什么毁掉它呢？人们做农活回来到这里聚会，议论一下施政措施的好坏。他们喜欢的，我们就推行；他们讨厌的，我们就改正。这里是我们的老师，为什么要毁掉它呢？我听说尽力做好事以减少怨恨，没听说过依仗权势来防止怨恨。难道很快制止这些议论不容易吗？然而那样做就像堵塞河流一样。河水决口造成的损害，伤害的人必然很多，我是挽救不了的；不如开个小口导流，我们听取这些议论后把它当做治病的良药。”然明说：“我从现在起才知道您确实可以成大事。小人确实没有才能。如果真的这样做，恐怕郑国真的就有了依凭，岂止是有利于我们这些臣子？”

孔子听到这番话后说：“照这些话看来，人们说子产不仁，我不相信。”

思考讨论

1. 孟子讲的“圣人”的过人之处是什么？

2.《孟子》中的“君之视臣如手足，则臣视君如腹心；君之视臣如犬马，则臣视君如国人；君之视臣如土芥，则臣视君如寇仇”，在现代社会，常有人把它引申为上下级关系。在你看来，应当如何处理好上下级的关系呢？

“博”与“约”

孟子曰：“大人者，言不必信[1]，行不必果，惟义所在。”

孟子曰：“大人者，不失其赤子之心者也。”

孟子曰：“养生者不足以当大事，惟送死可以当大事。”

孟子曰："君子深造之以道，欲其自得之也。自得之，则居之安；居之安，则资之深[2]；资之深，则取之左右逢其原。故君子欲其自得之也。"

孟子曰："博学而详说之，将以反说约也。"

孟子曰："以善服人者，未有能服人者也；以善养人，然后能服天下。天下不心服而王者，未之有也。"

孟子曰："言无实不祥。不祥之实，蔽贤者当之。"

注释

[1] 必：预期何种结果。　　[2] 资：积蓄。《说文解字》："资，货也。"段玉裁注云："资者积也。旱则资舟，水则资车，夏则资皮，冬则资絺绤，皆居积之谓。"

译文

孟子说："有德行的君子，说话不拘泥于句句信守，行为不拘泥于件件贯彻到底，只依据义之所在而言、行。"

孟子说："所谓有德行的人，就是不丧失婴儿般纯朴之心的人。"

孟子说："奉养父母不算是大事，只有为父母办好丧事才可以算作大事。"

孟子说："君子以道来深造自己，目的是要使自己把握道。自己把握了道，就能处于道而不动摇；处于道而不动摇，就能积蓄深广；积蓄深广，就能取之不尽，左右逢源。所以，君子要使自己把握道。"

孟子说："广博地学习，详尽地阐述，目的是要回到简约地阐述。"

孟子说："拿自己的善去折服别人，没有能够使人折服的；拿自己的善去影响教育别人，这才能叫天下心服。天下人不心服而能统一天下的，还从未有过。"

孟子说："言谈不合实际是不好的。这种不好的结果，应由阻碍进用贤者的人承担。"

徐子曰[1]："仲尼亟称于水[2]，曰：'水哉，水哉！'何取于水也？"

孟子曰："源泉混混，不舍昼夜，盈科而后进[3]，放乎四海。有本者如是，是之取尔。苟为无本，七八月之间雨集，沟浍皆盈，其涸也，可立而待也。故声闻过情[4]，君子耻之。"

注释

[1]徐子：姓徐，名辟，孟子弟子。 [2]亟（qì）：数次，多次。 [3]科：坑洼。 [4]闻（wèn）：名声。

译文

徐辟说："孔子多次称赞水，说道：'水啊，水啊！'水有何可取的？"

孟子说："从源头上流出的泉水滚滚奔流，不分日夜，注满坑洼后继续前进，最后流入大海。有本源的事物正像这样，孔子就取它这一点。如果没有本源，像七八月间雨水多时，大小沟渠都积满了水，但它们的干涸，不一会儿就可等到。所以声誉超出实情，君子以此为耻。”

延伸阅读

尽信书，则不如无书

孟子认为，读书学习应该注意“博”与“约”的关系。首先要做到广博地学习，详尽地阐述，对各种知识有充分的了解。而博学详述的目的，在于增广知识，夯实基础，加深理解。一旦达到融会贯通以后，才能进入更好的境界——简约，即执简驭繁，抓住问题的实质。这两者的关系可以概括为:“博”是“约”的基础，“约”是“博”的目的。

“孟子曰:‘孔子登东山而小鲁，登泰山而小天下。故观于海者难为水，游于圣人之门者难为言。观水有术，必观其澜。日月有明，容光必照焉。流水之为物也，不盈科不行;君子之志于道也，不成章不达。’”（《孟子·尽心上》）这一小节首先讲的是境界的问题，人只有达到一定层级才有一定的境界。其次是讲求循序渐进的问题。圣人之道虽然宏大，境界虽然很高，但是有根基的，有志于圣人之道固然重要，但是立志只是起点，不经过学习和修养，没有达到一定阶段还不能做到通达。

孟子说:“从源头上流出的泉水滚滚奔流，不分日夜，注满坑洼后继续前进，最后流入大海。有本源的事物正像这样，孔子就取它这一点。如果没有本源，像七八月间雨水多时，大小沟渠都积满了水，但它们的干涸，不一会儿就可等到。”读书也是一个道理，不刻苦、系统地学习，那就是没有本源之水，是不会有成就的。

在系统学习之后，还需要从“博”上升到“约”，如何做到？《孟子·尽心下》有一个比喻：“山径之蹊间，介然用之而成路；为间不用，则茅塞之矣。”山上的小路很窄，人们一直走便成了路。求道就像走山路一样，如果不坚持或者不能专一，人的心路就会被堵塞。挖井也是如此，没有挖到泉水前，挖得再深也是口废井。所以为学不能光靠聪明，而是要专心致志，切实努力，有始有终，方能成事。

另外须要注意的是，读书还须要从繁琐细碎的知识中提炼总结出自己的观点,这样才是做到了真正掌握。孟子还说：“尽信《书》，则不如无《书》。”（《孟子·尽心下》）除了讲求“有本”之外，同样讲求“自得”。必须自己去看、去想、去经历，才能把握最本质的东西，得出自己独特的心得体会。所以我们读书，一定要注意保持自己的独立思考和判断，不能死读书或盲从于书本。

思考讨论

1. 请结合“博”与“约”的关系，谈谈如何读书。

2. 孟子所说的“赤子之心”指什么？老子讲“含德之厚，比于赤子”，两者的内涵一样吗？

人禽之辨

孟子曰：“人之所以异于禽兽者几希[1]，庶民去之，君子存之。舜明于庶物，察于人伦，由仁义行，非行仁义也。”

孟子曰："禹恶旨酒而好善言。汤执中，立贤无方[2]。文王视民如伤，望道而未之见。武王不泄迩[3]，不忘远。周公思兼三王，以施四事。其有不合者，仰而思之，夜以继日；幸而得之，坐以待旦。"

孟子曰："王者之迹熄而《诗》亡[4]，《诗》亡然后《春秋》作[5]。晋之《乘》[6]，楚之《梼杌》，鲁之《春秋》，一也：其事则齐桓、晋文，其文则史。孔子曰：'其义则丘窃取之矣。'"

孟子曰："君子之泽五世而斩，小人之泽五世而斩。予未得为孔子徒也，予私淑诸人也。"

孟子曰："可以取，可以无取，取伤廉；可以与，可以无与，与伤惠；可以死，可以无死，死伤勇。"

注释

[1] 几希：微乎其微。 [2] 无方：不拘常理。方，义同"常"。 [3] 泄迩：泄，狎；迩，近。 [4] 迹：古代采集歌谣的官吏。 [5]《春秋》：各国史书的通称。又，相传孔子依据鲁国史官所编《春秋》，加以整理修订而成编年体鲁《春秋》。据上下文，这里的《春秋》似指前者。 [6]《乘》：晋史书名。下文《梼杌(táo wù)》、《春秋》分别是楚国、鲁国史书名。

译文

孟子说：“人区别于禽兽的地方就那么一点，老百姓丢弃了它，君子保存了它。舜能明了万事万物的道理，能洞察做人之理，依从仁义行事，而不是（把仁义作为手段、工具）去推行仁义。”

孟子说：“禹讨厌美酒而喜欢善言。汤掌握住中正的原则，选拔贤人没有一成不变的常规。文王看待百姓，如同他们受了伤害而加抚慰，已接近了道却仍像没有看到一样（努力追求）。武王不轻慢近臣，不遗忘远臣。周公想要兼有三代圣王的功业，实践禹、汤、文、武的事业。要是有不合当时情况的，就仰首思索，夜以继日；如果心思有所破悟，便坐着等待天亮（好立即去实行）。”

孟子说：“圣王采集歌谣的做法废止后，《诗》就没有了；《诗》没有之后，就出现了《春秋》。晋国的《乘》，楚国的《梼杌》，鲁国的《春秋》，都是一样的：上面记载的是齐桓公、晋文公之类的事，它们的文字也只是一般史书的笔法。孔子说：‘（《诗》的）褒贬大义，被我（在作《春秋》时）借用过来了。’”

孟子说：“君子的影响，五代以后就衰竭了；小人的影响，五代以后也衰竭了。我没能（赶上）做孔子的门徒，我是私下从别人那里学习（孔子的道德学问）的。”

孟子说：“可以拿，可以不拿，拿了就有损于廉洁；可以给，可以不给，给了就有损于恩惠；可以死，可以不死，死了就有损于勇敢。”

延伸阅读

什么是良心？（节选）

韦政通

在中国，良心或良知这两个观念，都由孟子提出，意义并不尽同，良心只是静态的存在，良知确是实践的活动，只要提到后者，就可以涵摄前者，明代王阳明以良知发展出一个系统，就很少谈良心。

现代行为科学家，很少谈到良心或良知的问题，因为他们多数都认为人是被环境决定的，偶尔讨论到，也以为良心或良知不过是文化模式的反映，或由社会规范的内射作用而形成。我无意在这里对这个问题从事任何争辩，不论良心是否是文化或社会规范的反射，或是由于人的潜能，或是由二者互动关系而形成，在人类不同的社会里，有良心这回事的存在，却是普遍的事实。哲学家们形容这回事，有的称之为“自觉的能力”，有的称之为“道德的觉醒”，有的称之为“道德的自我意识”。不管他们怎么说，我们都知道指的是怎么回事。

中国有句流行的俗语：“天不怕，地不怕，只怕自己良心来说话。”这句俗语，很能表达出中国人所说良心的特殊功能。人实现道德生活，可以经历许多妙悟和彻悟，但要通俗一点说，实不外是我们自己和自己的良心之声之间的对话。良心之声发自每个人的心灵深处，只要你听到它，就能感到它的约束力。听到它又能顺从它去做，你会觉得心安，觉得轻松愉快，否则就会感到懊恼、悔恨。在这里你可认识为什么中国哲学特别强调反省的作用。子曰：“吾日三省吾身：为人谋而不忠乎？与朋友交而不信乎？传不习乎？”荀子也说：“君子博学而日参（三）省乎己，则知明而行无过矣。”不断从事反省的活动，作用就是要与良心沟通，时时唤起微弱的良心之声。

人的悲哀，在成长的过程中，不能不接受种种物质的、意见的冲击或刺激，在这些外在的因素影响下，人会变得宁可服从魔鬼之声，而不听从良心之声。开始时，自己会与良心发生交战，慢慢地会被魔鬼之声中所提供的一套理由而将自己的过失开脱掉。人类“理由化”的能力，固然是促使心理健康的一种因素，也是掩饰过失的一种工具。这种工具会使人逐渐倒向魔鬼的一边，而听任良心的日渐僵化。对了，良心只会僵化，不会死亡，因为一个人纵然陷溺很深，当他偶然听到一句真心话，或遭遇真诚责难时，马上又会激起隐藏在内心深处的良心之声，这时刻会使你极端不安，此刻你就再一次面对着善恶的分水线。你可以忏悔自己的所作所为，你可以痛苦地责难自己，你会觉得别人的真心话，就正是自己要说的话。这时候，你自己和自己的良心之声的对话，再度恢复。你如果不能这样做，那你将会比原先陷溺更深，从此你会接受更多的引诱和刺激，你会堕入孟子所说的“梏之反覆，则其夜气不足以存；夜气不足以存，则其违禽兽不远”的境地，人到这步田地，你只会设法逃避自己，因为你害怕自己。

如果你能体会上述良心隐现的历程，那么你重新去了解中国许多哲学家反复陈述的实践功夫，就不难发现他们的不朽价值。宋明理学家那种繁复的功夫论，暂且不去说它，即就古老的孟子而言，他所说的求放心、养气、寡欲、存夜气、毋自欺这一套功夫，照前面的意思来说，千言万语，只为达到目的，就是为促我们与自己良心之间的沟通，保持它们之间持续性的对语。

思考讨论

1. 孟子是如何阐释人与禽兽的差异的？请用自己的语言进行归纳。

2. 你认为人生的意义是什么呢？

逢蒙杀羿

逢蒙学射于羿[1]，尽羿之道，思天下惟羿为愈己，于是杀羿。孟子曰："是亦羿有罪焉。"

公明仪曰："宜若无罪焉。"

曰："薄乎云尔，恶得无罪？郑人使子濯孺子侵卫[2]，卫使庾公之斯追之[3]。子濯孺子曰：'今日我疾作，不可以执弓，吾死矣夫！'问其仆曰：'追我者谁也？'其仆曰：'庾公之斯也。'曰：'吾生矣。'其仆曰：'庾公之斯，卫之善射者也。夫子曰吾生，何谓也？'曰：'庾公之斯学射于尹公之他[4]，尹公之他学射于我。夫尹公之他，端人也，其取友必端矣。'庾公之斯至，曰：'夫子何为不执弓？'曰：'今日我疾作，不可以执弓。'曰：'小人学射于尹公之他，尹公之他学射于夫子，我不忍以夫子之道反害夫子。

虽然，今日之事，君事也，我不敢废。’抽矢，扣轮，去其金，发乘矢而后反。”

注释

[1]逄蒙：羿的学生，后背叛羿，帮助有穷国的相寒浞杀死了羿。羿：传说是古代有穷国的国君，以善射闻名。 [2]子濯孺子：郑国大夫。 [3]庾（yǔ）公之斯：卫国大夫。 [4]尹公之他（tuō）：卫国人，以善射闻名。

译文

逄蒙向羿学射箭，完全学会了羿的技术，他想到天下只有羿比自己强，于是杀害了羿。孟子说：“这件事羿也有过错。”

公明仪说：“好像不该有过错吧。”

孟子说：“过错小一点罢了，哪能说没有过错？郑国派子濯孺子侵犯卫国，卫国派庾公之斯追击他。子濯孺子说：‘今天我的病发作了，不能拿弓，我是必死无疑的了。’问他的驾车人：‘追我的人是谁？’驾车的说：‘是庾公之斯。’子濯孺子说：‘我能活命了！’驾车的说：‘庾公之斯是卫国善于射箭的人，您（反而）说“我能活命了”，这是什么道理呢？’子濯孺子说：‘庾公之斯是跟尹公之他学的射箭，尹公之他是跟我学的射箭。尹公之他是正派人，他看中的朋友一定也是正派的。’庾公之斯追到跟前，说：‘先生为什么不拿弓？’子濯孺子说：‘今天我的病发作了，无法拿弓。’庾公之斯说：‘我向尹公之他学射箭，尹公之他是向您学射箭，我不忍心用您传授的技术反过来伤害您。尽管如此，可是今天这事，是国君交付的事，我不敢废弃。’说完便抽出箭来，在车轮上敲，敲掉箭头，射了四箭之后返身回去了。”

孟子曰："西子蒙不洁，则人皆掩鼻而过之。虽有恶人[1]，齐戒沐浴[2]，则可以祀上帝。"

注释

[1] 恶人：面貌丑陋的人。 [2] 齐（zhāi）：假借为"斋"。

译文

孟子说："（如果）西施蒙上了污秽，那么人人都会捂着鼻子走过她跟前。即使面貌丑陋的人，只要（诚心）斋戒沐浴，那么也可以祭祀上帝。"

延伸阅读

射艺与射礼

关于逢蒙，古书上大概有两则记载。其一是《荀子·正论》："羿、逢蒙者，天下之善射者也。"把逢蒙的箭术和后羿并列在一起，可见他的箭术之高。另外《孟子·离娄下》则说："逢蒙学射于羿，尽羿之道，思天下惟羿为愈己，于是杀羿。"虽然孟子说的这个故事真实程度很可疑，但是关于逢蒙的这两则记载却反映出了中国古代射箭方面的两个层次：一个是技艺层面的，也就是射艺；另一个是关于礼仪文化方面的，也就是射礼。

弓箭是冷兵器时代最具威力的武器之一。考古学证明，中国是世界上最早拥有弓箭的国家之一，山西朔县峙峪遗址发现的石箭镞，证明中国古人类在旧石器时代的晚期就已经使用弓箭。西周时期，礼、乐、射、御、书、数是学生必须学习的基本知识和技艺。学校中教射箭的方法为"五射"教学法："白矢"，即射穿

箭靶，看见箭镞；“参连”，即三箭连发；“剡注”，即水平箭，箭直插于箭靶；“襄尺”，指射箭时，前臂要平，肘上可以放一杯水；“井仪”，即四箭命中箭靶，所射箭成井字形。这五种教学法为后人射箭提供了一定经验。

魏晋时期，北朝的魏孝武帝为了提倡射箭，经常举行射箭比赛。一次，他设置了一个银杯，把它悬在百步之外，命十几个善射的人共射，谁射中银杯，就把银杯赐给他。后来，濮阳王元顺获得了杯子，他的名字就被刻在杯上。这是中国历史上有史可考的第一个射箭冠军。

把射箭演变成一种文化礼仪，与周代制定的“射礼”有关。射礼是指礼仪化的射箭比赛，是古代多种场合必然举行的活动项目，例如祭祀典礼、诸侯朝拜、外交会盟等场合。射礼按等级排列为四种：大射、宾射、燕射、乡射。

射礼有多重要？在记载华夏经典礼仪的《仪礼》中，射礼就是其中之一。《礼记》中也有专门的一篇《射义》阐述这一礼仪的意义。《礼记·射义》强调射箭要“内志正，外体直，然后持弓矢审固；持弓矢审固，然后可以言中”，“其容体比于礼，其节比于乐”，说明射箭除了强身健体、增强武艺外，还是培养人品质和素质的良好手段。

《论语·八佾》云：“君子无所争，必也射乎！揖让而升，下而饮，其争也君子。”意思是说，君子以修身进德为本，所以不妄与别人争高低。如果一定要说有所争，那就是比射了。比射要分胜负，输了要当众饮罚酒，所以君子在比赛中要力争胜利，比赛时却是处处与对手揖让，下来后一起饮酒，这就是君子之争。

思考讨论

1. 孟子说，“逄蒙杀羿”的事件中，羿也有过错。你认为羿的过错是什么？

2. 中国有句俗语“教会徒弟，饿死师傅”，你怎么看待这句话？

天下之言性

孟子曰：“天下之言性也[1]，则故而已矣。故者以利为本[2]。所恶于智者，为其凿也。如智者若禹之行水也，则无恶于智矣。禹之行水也，行其所无事也。如智者亦行其所无事，则智亦大矣。天之高也，星辰之远也，苟求其故，千岁之日至[3]，可坐而致也。”

注释

[1] 性：赵岐注为“天下万物之情性”，朱熹注为“人，物所得以生之理也”。 [2] 故：事物的本来面目，本原。利：顺。 [3] 日至：这里指冬至。

译文

孟子说：“天下人讲论人、物的性，只要推求其本来面目就可以了。其本来面目以顺其自然为基础。之所以讨厌那些自作聪明

的人，是因为他们穿凿附会。如果聪明人像大禹疏通水流一样，那就不会讨厌聪明了。大禹疏通水流，是让水顺其自然地流行。如果聪明人也能顺其自然地行事，那聪明的作用就大了。天是很高的，星辰是很远的，如果能推求它们固有的（运行）规律，那么一千年后的冬至，也是可以坐着推算出来的。”

公行子有子之丧[1]，右师往吊[2]。入门，有进而与右师言者，有就右师之位而与右师言者。

孟子不与右师言，右师不悦曰：“诸君子皆与驩言，孟子独不与驩言，是简驩也[3]。”

孟子闻之，曰：“礼，朝廷不历位而相与言，不逾阶而相揖也。我欲行礼，子敖以我为简，不亦异乎[4]？”

注释

[1]公行子：齐大夫。　[2]右师：即王驩，字子敖。

[3]简：怠慢。　[4]礼……不亦异乎：朱熹《孟子集注》说，当时，齐国卿大夫吊唁，各有位次。按照周礼，参加有爵位者的丧礼，都要按照礼节行事。右师就位之前不可以行礼，右师就位后，官员不在本位，越位行礼也不可以。孟子和右师不同阶级，孟子不敢失礼，所以没有与右师说话。

译文

齐国的大夫公行子为去世的儿子举办葬礼，右师王驩前去吊唁。

他刚一进门，便有人上前与他说话，也有人跑到他座位边与他说话。

孟子不与右师说话，右师很不高兴地说："诸位大夫都与我说话，唯独孟子不与我说话，这是简慢我。"

孟子得知后，说："按照礼节，在朝廷上不越过位子去与人说话，不走过阶石与别人作揖。我想按礼节行事，子敖却认为我简慢，不也是怪事吗？"

延伸阅读

性命观

中国哲学的最大特征为天人合一，然而天与人之所以能合而为一，在于"性命"之贯通上下。性命之义，从文字构造上即可看得出来："性"字从生从心，意谓生而存之于心者；"命"字从口从令，意谓上天所赋予人者。《中庸》云"天命之谓性"，正是扼要的说明。所以命与性就本质而言是一致的，只是由天道向下贯于人。

性命贯通，天人合一观念的形成经历了漫长的历史。上古人类，在大自然中求生存，惊惧于自然的力量，同时发现自然有一定的规律，从而信仰膜拜自然界背后所具有的超越的神秘力量，即"天"或"帝"。到了周朝，"天"和"帝"不但可以惩罚人类的功过，更具有了道德的属性。《尚书》云："天命靡常，唯德是辅。"但是随着时间的发展，人们开始逐渐质疑天的审判功能和道德属性。因为人们发现，福德并不完全一致，有道德的人上天不一定降福或降命。春秋末年出现了不少怨天的诗，也就是反映了有德而未得到天之降福，因而对超越的天开始失望与怀疑。

在此背景下，孔子继往开来，提出了"仁"的概念，使原本超越外在的道德的天内在化，这样，道德在人性中有了基础。人的行为的道德标准，可以求诸人的内在的仁性，而不单单是仰望外在的超越的天。孔子的这一学说奠定了中国文化的基本形态。孟子的人性本善学说是孔子“仁”的理论发展的必然。

关于天道如何变成了人性，见于《周易·乾卦》:“大哉乾元，万物资始，乃统天……乾道变化，各正性命。”乾为宇宙万物本质之作用，以其能生故，名“乾元”。“乾元”之作用，见于天道之变化，故言“乃统天”。天道变化即乾道之变化，此时，万物之性命已有所决定，故言“乾道变化，各正性命”。这是易传之宇宙万物生成论，也就是儒家的形上思想理论，即万物在成形体之前，先有性命之成，性命因成于乾道之自然，且在成之之初已有后来品类之差别，故言“各正性命”。

在这个意义上，人的道德实践也就是“返本”和“复性”。《周易·说卦》中的“穷理尽性以至于命”，明白指出这条道德提升的路。人为万物之灵，一方面有能力观察万物，得万物之情理；一方面有能力反省、体悟自心，得受之于天之性。当人从自己的心中把握到天性时，便自然觉得对万物有所感通，此即孟子所谓“万物皆备于我矣。反身而诚，乐莫大焉”。孔子所说的“己欲立而立人，己欲达而达人”，都是从此立义。把握到心中的天性，存养日久而不失，人为的欲念日消，天道的势力日增，遂而也就体会到天命的自然流行，孔子“五十而知天命”，正是这一境界。知天命意谓人于此时已立于天命万物的立场而下视万物，于是自觉万物无不自得，而主观的自己便可由此与天道合德。此时性命已与天道合，唯有道之流行，即“从心所欲不逾矩”的状态。

思考讨论

1. 比较鲧治水和大禹治水的异同。

2. 你了解古代礼制吗？

父子之亲

孟子曰："君子所以异于人者，以其存心也。君子以仁存心，以礼存心。仁者爱人，有礼者敬人。爱人者，人恒爱之；敬人者，人恒敬之。有人于此，其待我以横逆[1]，则君子必自反也：我必不仁也，必无礼也，此物奚宜至哉？其自反而仁矣，自反而有礼矣，其横逆由是也，君子必自反也：我必不忠。自反而忠矣，其横逆由是也，君子曰：'此亦妄人也已矣。如此，则与禽兽奚择哉[2]？于禽兽又何难焉[3]？'是故君子有终身之忧，无一朝之患也。乃若所忧则有之：舜，人也；我，亦人也。舜为法于天下，可传于后世，我由未免为乡人也，是则可忧也。忧之如何？如舜而已矣。若夫君子所患则亡矣。非仁无为也，非礼无行也。如有一朝之患，则君子不患矣。"

注释

[1]横逆：强暴不顺理也。　[2]择：差别。　[3]难：非难，指责。

译文

孟子说："君子所以与一般人不同，就在于他们所存之心。君子把仁存于心，把礼存于心。仁人爱护别人，有礼的人尊敬别人。爱护别人的人，别人也常爱护他；尊敬别人的人，别人也常尊敬他。这里有个人，他对我蛮横无理，那君子一定会反躬自问：我一定是不仁，一定是无礼，否则这样的事怎么会发生？要是自问做到了仁，自问做到了有礼，而那人还是那样横蛮，君子一定再反躬自问：我一定是不忠。要是自问做到了忠，而那人横蛮如故，君子只好说：'这不过是个狂妄的人罢了，像这样，那与禽兽有何区别？对禽兽又有什么可责备的呢？'所以，君子有终身的忧虑，没有突发的担心。至于所忧虑的事是有的：舜是人，我也是人。舜能成为天下人的榜样，且可流传到后世，而我还不免是个乡里的普通人，这才是可忧虑的事。忧虑又怎么办呢？要做到像舜一样罢了。至于君子所担心的事就没有了。不合于仁的事不做，不合于礼的事不干。如有什么横祸飞来，君子并不担心。"

禹、稷当平世，三过其门而不入，孔子贤之。颜子当乱世[1]，居于陋巷，一箪食，一瓢饮，人不堪其忧，颜子不改其乐，孔子贤之。孟子曰："禹、稷、颜回同道。禹思天下有溺者，由己溺之也；稷思天下有饥者，由己饥之也。是以如是其急也。禹、稷、颜子易地则皆然。今有同室之人斗者，救之，虽被发缨冠而救之[2]，可也。乡邻有斗者，被发缨冠而往救之，则惑也；虽闭户可也。"

注释

[1]颜子：即颜回，孔子弟子，以贤著称。 [2]被（pī）发缨冠：古人戴帽子要先束发，然后用簪子把帽子固定在头发上，再系好帽带。披散着头发戴帽，这里是形容情况紧急，来不及像正常时那样戴帽子。救：止。

译文

禹和稷处太平时代，三次经过自己家门也不进去，孔子称赞他们。颜渊生当乱世，住在狭小的巷子里，一筐饭，一瓢水，别人受不了这样的清苦生活，颜渊却不变他内心的快乐，孔子也称赞他。孟子说："禹、稷和颜渊行事的道理是相同的。禹心想天下有淹入水中的人，如同是自己使他们淹入水中一样；稷心想天下有挨饿的人，如同是自己使他们挨饿一样，所以他们会如此急迫。禹、稷和颜渊如果互换一下位置，态度也都会一样的。现在假定有同室的人互相斗殴，那就一定要去救他们，哪怕是披头散发就匆忙顶着帽子、连帽带也不结就去救都可以。要是乡里邻人互相斗殴，也披头散发就匆忙顶着帽子、连帽带也不结就去救，那就未免太糊涂了；这时，哪怕关起门也是可以的。"

公都子曰："匡章，通国皆称不孝焉，夫子与之游，又从而礼貌之，敢问何也？"

孟子曰："世俗所谓不孝者五：惰其四支，不顾父母之养，一不孝也；博弈好饮酒，不顾父母之养，二不孝也；好货财，私妻子，不顾父母之养，三不

孝也；从耳目之欲，以为父母戮[1]，四不孝也；好勇斗狠，以危父母，五不孝也。章子有一于是乎？夫章子，子父责善而不相遇也。责善，朋友之道也；父子责善，贼恩之大者。夫章子，岂不欲有夫妻子母之属哉？为得罪于父，不得近，出妻屏子[2]，终身不养焉。其设心以为不若是，是则罪之大者。是则章子已矣。”

注释

[1] 戮：朱熹《四书集注》：“戮，羞辱也。” [2] 屏（bǐng）：放逐。

译文

公都子说：“匡章这个人，国中之人都说他不孝，老师却跟他交游，且对他相当敬重，请问这是为什么？”

孟子说：“世俗认为不孝的行为有五种：四体不勤，不管父母的奉养，是一不孝；嗜好下棋饮酒，不管父母的奉养，是二不孝；贪好钱财，偏爱自己的妻室儿女，不管父母的奉养，是三不孝；放纵声色的欲望以致犯罪，使父母蒙受耻辱，是四不孝；专逞血气之勇，喜欢逞勇斗殴，以致连累父母，是五不孝。章子有一项这样的行为吗？章子不过是由于父子之间以善相责，把关系弄僵了。以善相责，本是朋友相处的准则；父子之间以善相责，是最容易伤害感情的事。章子难道不想有夫妻、母子的团聚吗？因为得罪了父亲，不得和他接近，自己只好赶走老婆，疏远儿子，终身不受他们的奉养。他的用心是认为不这样做，罪过更大。章子不过如此罢了。”

延伸阅读

父子有亲

孔子的核心思想是“仁”和“礼”。孔子所推崇的“礼”,是周礼，即周代的社会秩序和社会规范。孔子主张以礼治国，但是他所处的时代，“礼”已经僵化了，所以他感慨:“礼云，礼云，玉帛云乎哉？乐云，乐云，钟鼓云乎哉？”(《论语·阳货》)意思是：礼啊，礼啊，说的只是玉帛之类的礼器吗？乐啊，乐啊，说的只是钟鼓之类的乐器吗？

“礼”是一种象征，其背后还有更本质的、具有生命力的东西，这就是“仁”。“仁”就是“爱人”(《论语·颜渊》)。孟子也讲“仁者爱人”(《孟子·娄离下》),“仁”是人与人之间的关系。一个人来到这个世界上，最先与之发生的无疑是血亲关系，即与父母和兄弟姐妹的人伦之情。这种亲情关系，儒家简称为“父子”，这种关系所应该遵循的原则是“孝悌”，即子女对父母要尽孝，弟妹对兄姐要尊重，这是从小辈的角度说的。同样的，长辈对小辈也有礼仪要求，即父母对子女要慈爱，兄姐对弟妹要友爱，这就是儒家所强调的“父慈子孝”、“兄良弟悌”，简而言之，主旨还是一个“爱”字。

孔孟提倡的“亲亲”之爱，是出于人的本性。但是后世也有一些陋儒，对这种亲情加以异化，提出了不少荒谬的“孝行”，比如《二十四孝》中的“郭巨埋儿”、“吴猛饱蚊”等,这与孔孟以“亲亲”为本的仁爱精神是背道而驰的。

儒家认为，“父子”的血缘关系是人与人关系的基础和起点，而人逐渐长大，走入社会，进一步生出君臣、夫妇、长幼、朋友等一系列的关系，处理这些关系的原则就是把“孝悌”这种爱人精神向外推广。

思考讨论

1. 你认为怎样的人才能被称为圣人？

2. 儒家认为血缘关系是人与人之间最亲近的关系，你认同这种观点吗？为什么？

曾子御寇

曾子居武城[1]，有越寇。或曰：“寇至，盍去诸？”曰：“无寓人于我室，毁伤其薪木。”寇退，则曰：“修我墙屋，我将反。”寇退，曾子反。左右曰：“待先生如此其忠且敬也。寇至，则先去以为民望；寇退则反，殆于不可。”沈犹行曰[2]：“是非汝所知也。昔沈犹有负刍之祸[3]，从先生者七十人，未有与焉。”

子思居于卫[4]，有齐寇。或曰：“寇至，盍去诸？”子思曰：“如伋去，君谁与守？”

孟子曰：“曾子、子思同道。曾子，师也，父兄也；子思，臣也，微也。曾子、子思易地则皆然。”

注释

[1]武城：鲁地名，在今山东费县境内。　[2]沈犹行：曾子弟子，姓沈犹，名行。　[3]负刍：人名，或说是背柴草的人。　[4]子思（前 483—前 402）：孔子之孙，名伋。相传孟子求教于子思。孟子与子思有许多共同主张，学术上可以“思孟学派”相称。

译文

曾子居住在武城，越国军队来侵犯。有人说：“敌人要来了，何不离开这里？”曾子说：“不要让人住到我家来，毁坏了这里的树木。”敌人退走了，曾子就说：“修好我的墙屋，我要回来了。”敌人退走后，曾子回来了。他身边的人议论说：“（武城人）对我们先生这样忠诚而恭敬。敌人来了，先生却先离开，给百姓做了这么个榜样；敌人退走了他才回来，（这么做）恐怕不好。”沈犹行说：“这不是你们所能明白的。从前（先生曾住在我们那里，）沈犹家遭遇负刍作乱的祸事，跟随先生的七十个弟子，没有一人过问此事的。”

子思居住在卫国，有齐国军队来侵犯。有人说：“敌人要来了，您何不离开这里？”子思说：“如果我离开，国君同谁来守城呢？”

孟子说：“曾子和子思遵行相同的道理。曾子是老师，是长辈；子思是臣，地位低下。如果曾子、子思互换了地位，也都会这样的。”

储子曰[1]：“王使人瞷夫子[2]，果有以异于人乎？”孟子曰：“何以异于人哉？尧、舜与人同耳。”

注释

[1]储子：齐国人，曾任齐相。　[2]瞯：窥视。

译文

储子说："齐王派人暗中观察先生，（您）果真有同常人不一样的地方吗？"孟子说："哪有什么同常人不一样的呢？尧、舜都是同常人一样的。"

齐人有一妻一妾而处室者，其良人出[1]，则必餍酒肉而后反。其妻问所与饮食者，则尽富贵也。其妻告其妾曰："良人出，则必餍酒肉而后反，问其与饮食者，尽富贵也，而未尝有显者来。吾将瞯良人之所之也。"

蚤起[2]，施从良人之所之[3]，遍国中无与立谈者。卒之东郭墦间[4]，之祭者，乞其余；不足，又顾而之他。此其为餍足之道也。

其妻归，告其妾，曰："良人者，所仰望而终身也，今若此！"与其妾讪其良人，而相泣于中庭。而良人未之知也，施施从外来[5]，骄其妻妾。

由君子观之，则人之所以求富贵利达者，其妻妾不羞也，而不相泣者，几希矣。

注释

[1] 良人：妇女对丈夫的称谓。《仪礼·士昏礼》郑玄注曰："妇人称夫曰良。" [2] 蚤：通"早"。 [3] 施（yí）：通"迤"，斜行。这里形容暗暗尾随着别人走的样子。 [4] 墦（fán）：坟墓，墓地。[5] 施施：通"迤迤"，自鸣得意的样子。

译文

齐国有个一妻一妾住在一起的人家，她们的丈夫每次出门，必定是喝足了酒、吃饱了肉之后才回家。妻子问同他一起吃喝的是什么人，他就说都是有钱有势的人。妻子告诉他的妾说："丈夫每次出去，总是酒足肉饱后回来，问他同谁一起吃喝，他就说都是有钱有势的人，可是从来没见有显贵的人来过。我打算暗暗地察看他到什么地方去。"

（第二天）一早起来，（妻子）暗中跟着丈夫到他要去的地方，走遍全城没有一个站住跟他说话的人。最后走到了东门外的一块墓地中间，（见他）走到祭坟的人那里，讨些残剩的祭品；不够，又东张西望上别处去乞讨。这就是他吃饱喝足的方法。

妻子回家后，（把情况）告诉他的妾，说："我们的丈夫，是我们指望终身依靠的人，现在他竟像这样！"（说罢）同妾一起嘲骂丈夫，在庭中相对而泣。而丈夫还不知情，得意洋洋地从外面回来，在妻妾面前耍威风。

从君子的观点来看，一些人用来追求升官发财的手段，能够让他们的妻妾不感到羞耻而相对哭泣的，实在是很少的。

延伸阅读

思孟学派

孔子死后，儒家分裂为八派，“有子张之儒，有子思之儒，有颜氏之儒，有孟氏之儒，有漆雕氏之儒，有仲良氏之儒，有孙氏之儒，有乐正氏之儒”（《韩非子·显学》）。

在韩非子提到的八家儒学之中，对后世影响最大的是“子思之儒”和“孟氏之儒”，它们被公认为儒学的正宗，并被合称为“思孟学派”。这一学派在中国思想史上有着相当重要的地位。

据《汉书·艺文志》记载，子思的著作有23篇，但大部分已亡佚，流传下来的仅有《礼记》中的《中庸》、《表记》、《坊记》、《缁衣》，还有散见于其他典籍中的一些篇章。其中，《中庸》是子思的代表作。子思在儒家学派的发展史上占有重要的地位，他上承孔子中庸之学，下开孟子心性之论，并由此对宋代理学产生了重要的影响。因此，北宋徽宗年间，子思被追封为“沂水侯”；元朝文宗至顺元年（1330），又被追封为“述圣公”，后人由此尊他为“述圣”。

子思是曾子的学生，曾子的思想和言行对孟子影响也很深。孟子也常将曾子、子思并举，本小节就是其中一例。此外，《孟子》一书提到曾子九次，在孟子笔下，曾子常常被描绘成刚强、弘毅的圣贤：

昔者曾子谓子襄曰：“子好勇乎？吾尝闻大勇于夫子矣：自反而不缩，虽褐宽博，吾不惴焉；自反而缩，虽千万人，吾往矣。”孟施舍之守气，又不如曾子之守约也。（《孟子·公孙丑上》）

曾子曰：“晋楚之富，不可及也。彼以其富，我以吾仁；彼以其爵，我以吾义，吾何慊乎哉？”夫岂不义而曾子言之？是或一道也。（《孟子·公孙丑下》）

中唐韩愈《原道》开其端，以后大多数宋儒都认为，儒家的

"道统"是由孔子传给曾子，曾子传给子思，子思传给孟子的，也就是说思孟学派出于曾子一系，即：孔子—曾子—子思—孟子。

在这个过程中，产生了儒家最基本的四部经典著作：《论语》、《大学》、《中庸》、《孟子》，后人称之为"四书"。思孟学派的特征是注重人的内心省察之修养功夫，主张"性善"、"尽心知性知天"、"诚"、"思诚"等观点，此派的思想学说对宋代开始出现的理学具有重大的影响。

思考讨论

1. 孟子为什么会说尧、舜和普通人是一样的？

2. 孟子用齐人一妻一妾的故事比喻什么？

第九章　万章上

尧舜之道

万章问曰："舜往于田，号泣于旻天[1]，何为其号泣也？"

孟子曰："怨慕也。"

万章曰："'父母爱之，喜而不忘；父母恶之，劳而不怨。'然则舜怨乎？"

曰："长息问于公明高曰[2]：'舜往于田，则吾既得闻命矣。号泣于旻天，于父母，则吾不知也。'公明高曰：'是非尔所知也。'夫公明高以孝子之心，为不若是恝[3]：我竭力耕田，共为子职而已矣，父母之不我爱，于我何哉？帝使其子九男二女，百官牛羊仓廪备，以事舜于畎亩之中[4]，天下之士多就之者，帝将胥天下而迁之焉[5]。为不顺于父母，如穷人无所归。天下之士悦之，人之所欲也，而不足以解忧；好色，人之所欲，妻帝之二女[6]，而不足

尧舜禅让汉画像

以解忧；富，人之所欲，富有天下，而不足以解忧；贵，人之所欲，贵为天子，而不足以解忧。人悦之、好色、富贵，无足以解忧者，惟顺于父母可以解忧。人少，则慕父母；知好色，则慕少艾[7]；有妻子，则慕妻子；仕则慕君，不得于君则热中。大孝终身慕父母。五十而慕者，予于大舜见之矣。”

注释

[1] 旻（mín）天：泛指天。 [2] 长息：公明高的弟子。公明高：曾参的弟子。 [3] 恝（jiá）：无忧无愁的样子。 [4] 畎（quǎn）亩：田间。 [5] 胥：尽，全部。 [6] 妻帝之二女：传说尧把自己的两个女儿娥皇和女英嫁给了舜。 [7] 少艾：指年轻美貌的女子。

译文

万章问道："舜走到田里，对着天哭诉，他为什么要哭诉呢？"

孟子说："因为他（对父母）既怨恨又眷念。"

万章说："曾子说过：'父母喜欢自己，高兴而不敢懈怠；父母讨厌自己，忧愁而不抱怨父母。'（按您这么说，）那么舜是抱怨父母吗？"

孟子说："长息曾问公明高：'舜到田里去，我已听您的教诲。对天哭诉父母的不是，我还不理解。'公明高说：'这不是你所能明白的了。'公明高认为，孝子的心是不能像这样无忧无虑的：我竭力耕田，恭敬地尽到做儿子的职责就行了，父母不喜欢我，我有什么责任呢？帝尧让自己的九个儿子、两个女儿，带着大小官员、牛羊、粮食，到田野中侍奉舜，天下的士人投奔他的也很多，帝尧还将把整个天下让给他。（舜却）因为不能使父母顺心，而像穷困的人无所归宿似的。天下的士人喜欢他，这是人人想得到的，却不足消除他的忧愁；漂亮的女子，这是人人想得到的，舜娶了帝尧的两个女儿，却不足以消除他的忧愁；财富，是人人想得到的，舜富有天下，却不足以消除他的忧愁；地位尊贵，是人人想得到的，舜尊贵到当了天子，却不足以消除他的忧愁。士人的喜欢、漂亮的女子、财富和尊贵，没有一样足以消除忧愁的，只有顺了父母心意才能消除忧愁。人在幼小的时候，就依恋父母；知道爱好美色了，就倾慕年轻美貌的女子；有了妻室儿女，就眷念妻室儿女；做了官就倾心于君主，得不到君主信任便内心焦急。具有最大孝心的人才能终身眷念父母。到了五十岁还眷念父母的，我在伟大的舜身上看到了。"

万章问曰："《诗》云：'娶妻如之何？必告父母[1]。'信斯言也，宜莫如舜。舜之不告而娶，何也？"孟子曰："告则不得娶。男女居室，人之大伦也。如告，则废人之大伦，以怼父母[2]，是以不告也。"

万章曰："舜之不告而娶，则吾既得闻命矣；帝之妻舜而不告，何也？"曰："帝亦知告焉则不得妻也。"

注释

[1]"娶妻"二句：出自《诗经·齐风·南山》。 [2]怼（duì）：怨恨。朱熹《孟子集注》说舜父顽母嚚（yín），常欲害舜。舜没有告诉父母就娶妻，是废弃了人伦，抱怨父母。

译文

万章问孟子："《诗经》上说：'娶妻应怎么做？必须提前告知父母。'相信这话的人，该没人比得上舜了。可是他娶妻时没有禀告自己的父母，这是为什么呢？"孟子说："如果舜提前禀告父母就娶妻不成。男女成家，这是人与人的重要伦常关系。如果禀告却遭到拒绝，便会废止这个重要的伦常关系，舜会怨恨父母，所以他没有禀告父母。"

万章说："舜不先禀告父母便娶妻，我已聆听了您的教诲；尧将自己的两个女儿许配给舜，却也没有告知舜的父母，这又是为什么？"孟子说："尧也清楚告诉舜的父母女儿便嫁不成了。"

万章曰："父母使舜完廪[1]，捐阶[2]，瞽瞍焚廪。使浚井，出，从而掩之[3]。象曰[4]：'谟盖都君咸我绩[5]。牛羊父母，仓廪父母，干戈朕，琴朕，弤朕，二嫂使治朕栖。'象往入舜宫，舜在床琴。象曰：'郁陶思君尔。'忸怩。舜曰：'惟兹臣庶，汝其于予治。'不识舜不知象之将杀己与？"

曰："奚而不知也？象忧亦忧，象喜亦喜。"

曰："然则舜伪喜者与？"

曰："否。昔者有馈生鱼于郑子产，子产使校人畜之池。校人烹之，反命曰：'始舍之圉圉焉，少则洋洋焉，攸然而逝[6]。'子产曰：'得其所哉！得其所哉！'校人出，曰：'孰谓子产智？予既烹而食之，曰：得其所哉！得其所哉！'故君子可欺以其方，难罔以非其道。彼以爱兄之道来，故诚信而喜之，奚伪焉？"

注释

[1]完：修理。 [2]捐：撤掉。阶：梯子。 [3]掩：盖。《史记》："使舜上涂廪，瞽瞍从下纵火焚廪，舜乃以两笠自扞而下去，得不死。后瞽瞍又使舜穿井，舜穿井为匿空旁出。舜既入深，瞽瞍与象共下土实井，舜从匿空出去。"与《孟子》记载较为

接近。　[4]象：舜同父异母的弟弟。　[5]谟：谋划。盖：填埋。　[6]"始舍之"三句：圉（yǔ）圉，未舒展的样子。洋洋，活泼自然的样子。朱熹《孟子集注》："圉圉，困而未纾之貌。洋洋，则稍纵矣。攸然而逝者，自得而远去也。"

译文

万章说："父母叫舜去整修粮仓，却拿走（登上粮仓的）梯子，瞽瞍还放火焚烧粮仓。让舜掏井，（瞽瞍等）一出井便堵塞了井口。（舜的弟弟）象说：'谋害舜全是我的功劳，牛羊归父母，粮仓归父母，兵器归我，琴归我，砥弓归我，二位嫂子让她们伺候我睡觉。'象走进舜的住所，舜坐在床上弹琴。象说：'我非常想念你呀。'显得十分尴尬。舜说：'我想着那些臣民，你协助我管理吧！'我不知舜当时知不知道象打算杀害自己？"

孟子说："怎么会不知道呢？象忧愁，他也忧愁；象高兴，他也高兴。"

万章说："那么，舜是假装高兴的吗？"

孟子说："不是。从前有人送条活鱼给郑国的子产，子产叫管池沼的人养在水池中。那人把鱼煮着吃了，回报说：'鱼刚放下去，还有些不自然，过了会儿便摇头摆尾地游起来了，一下子便游得无影无踪了。'子产说：'它得到了它应去的地方啊！它得到了它应去的地方啊！'那人出来后说：'谁说子产聪明？我已经把鱼煮着吃了，他却说，它得到了它应去的地方，它得到了它应去的地方。'因此，君子可以用合乎情理的方法欺蒙他，却不能用不合道理的诈骗蒙蔽他。象既然是打着敬爱兄长的幌子来的，舜信以为真而感到高兴，怎么能说是假装呢？"

万章问曰:“象日以杀舜为事，立为天子，则放之，何也？”

孟子曰:“封之也，或曰放焉。”

万章曰:“舜流共工于幽州[1]，放驩兜于崇山[2]，杀三苗于三危[3]，殛鲧于羽山[4]，四罪而天下咸服，诛不仁也。象至不仁，封之有庳[5]。有庳之人奚罪焉？仁人固如是乎？在他人则诛之，在弟则封之。”

曰:“仁人之于弟也，不藏怒焉，不宿怨焉，亲爱之而已矣。亲之欲其贵也，爱之欲其富也。封之有庳，富贵之也。身为天子，弟为匹夫，可谓亲爱之乎？”

“敢问或曰放者，何谓也？”

曰:“象不得有为于其国，天子使吏治其国，而纳其贡税焉，故谓之放。岂得暴彼民哉？虽然，欲常常而见之，故源源而来。‘不及贡，以政接于有庳。’此之谓也。”

注释

[1] 共工：又称共工氏。中国古代神话中的水神，掌控洪水。[2] 驩兜：中国古代传说中的三苗族首领，因为与共工、鲧一起作乱，被舜流放至崇山。 [3] 杀：《尚书·舜典》作“窜”，即流

放。三苗：传说中黄帝至尧、舜、禹时代的古族名，又叫苗民、有苗，主要分布在洞庭湖和鄱阳湖之间。 [4] 殛（jí）：诛杀。[5] 有庳（bì）：古地名，又名鼻墟、鼻亭，在今湖南道县北。

译文

万章问道：“象成天把谋划着杀害舜为事务，可舜被拥立为天子后只将他流放，这是为什么呢？”

孟子说：“实际是封了他做诸侯，但也有人说是流放他。”

万章说：“舜把共工流放到幽州，把驩兜流放到崇山，把三苗的国君流放到三危，把鲧流放到羽山，这四项惩处使天下人全部归服，因为是惩罚不仁之人的缘故。象为人最不仁，却将他封在有庳国。有庳国的人有什么罪过？仁人做事难道就这样吗？他人有罪就惩罚，弟弟有罪就封他为诸侯？”

孟子说：“仁人对于弟弟，不把怒气藏在胸中，不把怨恨埋在心底，就知道亲近爱护他罢了。亲近他，想使他贵；爱护他，想使他富。把他封在有庳国，正是为了要使他富贵。自己做了天子，弟弟却是个平民，能说是亲近爱护他吗？”

万章说：“请问，有人说舜流放象，指什么呢？”

孟子说：“象不能在他的封国里有所作为，天子派官吏帮他治理国家，替他缴纳贡税，因此有人说是流放。（这样）象怎能暴虐他的百姓呢？尽管如此，舜还是想常常见到他，所以让他不断来朝见。（记载说：）‘不等到朝贡的日子，借征询政事接见有庳国君。’就是指的这个事。”

咸丘蒙问曰[1]：“语云：‘盛德之士，君不得而臣，父不得而子。’舜南面而立，尧帅诸侯北面而朝之，

瞽瞍亦北面而朝之。舜见瞽瞍，其容有蹙[2]。孔子曰：‘于斯时也，天下殆哉，岌岌乎！’不识此语诚然乎哉？”

孟子曰：“否。此非君子之言，齐东野人之语也。尧老而舜摄也。《尧典》曰：‘二十有八载，放勋乃徂落[3]，百姓如丧考妣，三年，四海遏密八音。’孔子曰：‘天无二日，民无二王。’舜既为天子矣，又帅天下诸侯以为尧三年丧，是二天子矣。”

咸丘蒙曰：“舜之不臣尧，则吾既得闻命矣。《诗》云：‘普天之下，莫非王土；率土之滨，莫非王臣[4]。’而舜既为天子矣，敢问瞽瞍之非臣，如何？”

曰：“是诗也，非是之谓也；劳于王事，而不得养父母也。曰：‘此莫非王事，我独贤劳也[5]。’故说诗者，不以文害辞，不以辞害志，以意逆志，是为得之。如以辞而已矣，《云汉》之诗曰：‘周余黎民，靡有孑遗[6]。’信斯言也，是周无遗民也。孝子之至，莫大乎尊亲；尊亲之至，莫大乎以天下养。为天子父，尊之至也；以天下养，养之至也。《诗》曰：‘永言孝思，孝思维则[7]。’此之谓也。《书》曰：‘祗载见瞽瞍，夔夔齐栗[8]，瞽瞍亦允若。’是为父不得而子也？”

注释

[1]咸丘蒙：孟子弟子。　[2]蹙（cù）：局促不安。　[3]放勋：尧的称号。徂（cú）落：《尔雅·释诂》："徂落，死也。"　[4]"普天"四句：出自《诗经·小雅·北山》。　[5]贤劳：杨伯峻《孟子译注》引宋翔凤《孟子赵注补正》："孟子说《诗》为'贤劳'，正是'多劳'之义。"　[6]"周余"二句：出自《诗经·大雅·云汉》。靡，无、没有。孑遗，遗留、剩余。　[7]"永言"二句：出自《诗经·大雅·下武》。　[8]夔（kuí）夔齐栗：敬谨恐惧的样子。

译文

咸丘蒙问道："俗话说：'道德高尚的人，君主不能把他看做臣子，父亲不能把他看做儿子。'舜面南就天子位，尧带领诸侯面北朝见他，瞽瞍也面北朝见他。舜看见瞽瞍，神情显得局促不安。孔子说：'在那时，天下真是岌岌可危呀！'不知这话说得确实如此吗？"

孟子说："不。这不是君子的话，是齐国东郊乡下人的话。尧年老了，由舜代其职。《尧典》中说：'过了二十八年，尧才去世，诸侯百官如同死了父母，服丧三年中，民间停止一切音乐。'孔子说过：'天上没有两个太阳，百姓没有两个天子。'要是舜已做了天子，又率领天下诸侯为尧服丧三年，那就是有两个天子了。"

咸丘蒙说："舜不以尧为臣，我已聆听了您的教诲。《诗经》中说：'遍天下，没有一处不是天子的土地；围绕四周，没有一个不是天子的臣民。'舜既然做了天子，请问瞽瞍却不是臣民，这该作何解释呢？"

孟子说："这首诗说的不是这个，而是说作者为天子事务奔忙而不能奉养父母。他说：'这些没有一件不是天子的事，却独我多

劳多累。' 所以解说诗的人，不因为文字而误解词句，不因为词句而误解本意，要用自己的心去推求本意，这样才对。要是仅看词句，《云汉》这首诗中说：'周朝剩余的百姓，没有一个存留。' 相信了这句话，那周朝就没有留下一个人了。孝子的极致，没有比尊敬父母更大的了；尊敬父母的极致，没有比以天下来奉养父母更大的了。做天子的父亲，是尊敬的极致；以天下奉养父母，是奉养的极致。《诗经》中说：'永远讲求孝道，孝道就是法则。' 正是这个意思。《尚书》中说：'舜恭敬地来见瞽瞍，谨慎小心，瞽瞍也相信、顺着舜。' 这是父亲不能把他看做儿子吗？"

延伸阅读

尧舜的历史功绩

有人说，孟子"言必称尧舜"，杨伯峻先生在《孟子译注》附录中，对各类字词的使用频率做了统计。根据这些材料来分析，可以很清楚地看到《孟子》全书中，反复提到的某个历史人物超过十次的并不多见，但是书中提到"尧舜"的次数明显很多。现将书中的重要历史人物及出现次数统计如下：

尧：58 次；舜：99 次；禹：30 次；汤：34 次；文王：35 次；武王：15 次；周公：18 次；孔子：87 次（包含仲尼 6 次）。

后来，儒学在发展过程中出现了"道统"说，其源头都没有超出这些重要人物。现在，我们来了解一下尧舜的故事：

尧（约前 2377—前 2259），中国历史传说中的人物，姓伊祁，名放勋，三皇五帝之一，是华夏民族的文明始祖。司马迁在《史记·五帝本纪》中给予了尧极高的评价："其仁如天，其知如神。就之如日，望之如云。富而不骄，贵而不舒。"

尧在位七十年，政绩主要表现在以下几个方面：

第一，治理水患。尧在位的时候，大水横溢，四处泛滥成灾。尧任用鲧去治理水患，鲧使用堵塞的方法，九年无功而返。后来尧又任用禹，禹在九州大地开挖水道，疏通众多河流汇入大海和长江，成功治理了水患。

第二，制定了中国第一部历法——夏历（又称为农历或阴历）。《尚书·尧典》记载尧命令羲氏、和氏根据日月星辰的运行情况制定历法，然后颁布天下，以月亮运行的一周期为一个月，以太阳运行的一周期为一年，一年有366天，根据天象和自然界的变化划分四季，告诉百姓播种和收获的季节。这一历法为农耕播种提供了指导，被沿用了数千年。

第三，禅让传贤。尧召开部落联盟会议，讨论继承人的问题，大家都推举舜，说他是个德才兼备的人。尧考察了舜的德行，三年后将帝位禅让给舜。

舜（约前2277—前2178），名重华，字都君，中国历史传说中的人物，三皇五帝之一。《中庸》给予了舜极高的评价："舜其大知也与！舜好问而好察迩言，隐恶而扬善，执其两端，用其中于民。其斯以为舜乎！"

舜治天下重用贤才，重新设官分职：命禹担任司空，治理水土；命弃担任后稷，掌管农业；命契担任司徒，推行教化；命皋陶担任"士"，执掌刑法；命垂担任"共工"，掌管百工；命益担任"虞"，掌管山林；命伯夷担任"秩宗"，主持礼仪；命夔为乐官，掌管音乐和教育；命龙担任"纳言"，负责发布命令，收集意见。还规定三年考察一次政绩，由考察三次的结果决定提升或罢免。通过这样的整顿，各项工作都出现了新面貌。舜在位三十九年，后把自己的帝位禅让给禹。

尧舜之道是孔孟学说的思想源头，韩愈说："尧以是传之舜，舜以是传之禹，禹以是传之汤，汤以是传之文、武、周公，文、武、周公传之孔子，孔子传之孟轲。"(《原道》) 孔子把尧舜之道总结成以"仁"为核心的学说，孟子在孔子学说的基础上加以发挥，指出尧舜之道是实行"仁政"的"王道"。

孟子认为，在夏、商、周三代，尧舜之道相传不熄，到了春秋几乎断绝。诸侯王以力服人，是"霸道"政治，尧舜时期以德服人的"王道"被遗忘。孟子认为,用"霸道"只能使人力屈而服，但并非心服，用"王道"才能使人"心悦而诚服"；用"霸道"只能强盛一时，用"王道"才能长治久安。

思考讨论

1. 请列举中国历史上的盛世，并尝试说明它们兴盛的原因。

2. 尧舜之道对现今社会有哪些值得借鉴之处？

3. 象和瞽瞍屡次谋害舜，舜宽恕他们的原因是什么？舜对亲人网开一面，你怎么看待他的做法？

天子与天下

万章曰："尧以天下与舜，有诸？"

孟子曰："否。天子不能以天下与人。"

"然则舜有天下也，孰与之？"

曰："天与之。"

“天与之者，谆谆然命之乎[1]？”

曰：“否，天不言，以行与事示之而已矣。”

曰：“以行与事示之者，如之何？”

曰：“天子能荐人于天，不能使天与之天下；诸侯能荐人于天子，不能使天子与之诸侯；大夫能荐人于诸侯，不能使诸侯与之大夫。昔者，尧荐舜于天，而天受之；暴之于民，而民受之。故曰：天不言，以行与事示之而已矣。”

曰：“敢问荐之于天，而天受之；暴之于民，而民受之，如何？”

曰：“使之主祭，而百神享之，是天受之；使之主事，而事治，百姓安之，是民受之也。天与之，人与之，故曰：天子不能以天下与人。舜相尧二十有八载，非人之所能为也，天也。尧崩，三年之丧毕，舜避尧之子于南河之南[2]，天下诸侯朝觐者，不之尧之子而之舜；讼狱者[3]，不之尧之子而之舜；讴歌者，不讴歌尧之子而讴歌舜。故曰：天也。夫然后之中国，践天子位焉。而居尧之宫，逼尧之子，是篡也，非天与也。《泰誓》曰[4]：‘天视自我民视，天听自我民听。’此之谓也。”

注释

·[1]谆（zhūn）谆：反复叮嘱。《说文解字》："谆，告晓之孰也。"《广韵》："谆，告之丁宁。" [2]南河：即漯河，因在尧都濮州的南面，故称南河。 [3]讼狱：打官司。 [4]《泰誓》：《尚书》篇名。下引两句是《泰誓》逸文。

译文

万章说："尧把天下给予舜，有这件事吗？"

孟子说："不，天子不能把天下给予人。"

万章说："那么舜获得天下，是谁给他的呢？"

孟子说："上天给他的。"

万章说："上天给他的，是上天反复叮咛告诫他的吗？"

孟子说："不，上天不说话，只是用行为和事情来示意罢了。"

万章说："用行为和事情来示意，是怎么回事呢？"

孟子说："天子能向上天推荐人，却不能让上天把天下给他；诸侯能向天子推荐人，却不能让天子给他做诸侯；大夫能向诸侯推荐人，却不能让诸侯给他做大夫。从前，尧将舜推荐给上天，上天接受了；又将他向百姓公开介绍，百姓也接受了。所以说，上天不说话，只是用行为和事情来示意罢了。"

万章说："请问，推荐给上天，上天接受；公开介绍给百姓，百姓接受了，是怎么回事？"

孟子说："让他主持祭祀，神灵们都来享用，这就是上天接受了；让他主持政事，政事治理得好，百姓满意，这就是百姓接受了。上天给他，百姓给他，所以说，天子不能把天下给予人。舜辅佐尧二十八年，不是人的力量所能办到的，这是天意。尧去世后，守孝三年完了，舜到南河之南以回避尧的儿子，天下诸侯来朝见天子的人，不去见尧的儿子而去见舜；诉讼的人，不去见尧的儿子而去见舜；歌功颂德的人，不歌颂尧的儿子而歌颂舜。所以说这是天意。这样，舜才回到国都，坐上天子的位子。要是舜住在尧的宫中，逼迫尧的儿子，这是篡夺，不是上天给予的。《泰誓》中说：'上天的观察来自百姓的观察，上天的听闻来自百姓的听闻。'说的正是这个意思。"

延伸阅读

孟子的天命观

"天"是中国哲学的重要范畴，孟子也对"天"的概念有过许多讨论，《孟子》一书中，"天"字共出现181次。我们试着从《孟子》一书中"天"的含义入手，来分析孟子的天命观。

第一，主宰之天。

受殷商以来天道思想的影响，孟子承认在人世之外存在着对人世具有主宰作用的上帝和天神，如《孟子·万章下》说："天之生此民也，使先知觉后知，使先觉觉后觉也。"意思是，天生下万民，让先知来帮助和管理百姓，让先知来教育百姓。"天"对人世间有着至高无上的权威，帝位的传承是由"天"决定的，国家的兴亡也由天来决定。夏桀、商纣荒淫无道，所以上天收回成命，将其废除，而代之以商汤、周武。对于个体来说，如果想取得成功，也要经过上天的一系列考验，比如苦其心志、劳其筋骨、饿其体肤、空乏其身，之后能够做到行为"弗乱"，就可以完成上天降下的"大任"。人民对天命必须服从，必须"敬天"、"畏天"，否则就会遭受上天的惩罚。

孟子虽然肯定"天"对人世的主宰作用，但是他又认为"天"选择人间帝王的根据是民意，"天视自我民视，天听自我民听"（《孟子·万章上》)。这样，天的主宰作用被淡化了，民的作用被重视和加强了。这是孟子对殷商以来的天道观的突破和修正。

第二，命运之天。

孟子认为，在人力之外存在着一种无形而巨大的力量，人力对此无可奈何，孟子把它称为“天”。他说:“莫之为而为者，天也。”(《孟子·万章上》)意思是，没有想到这样做，竟这样做了，这便是天意。

对待命运之天，孟子主张审时度势、通权达变，在具体行为上应该“顺天”而行，他认为“顺天者存，逆天者亡”(《孟子·离娄上》)，反对任意妄为。同时，孟子还提出了与“天”有着紧密联系的另外一个概念——命。孟子说:“莫非命也。”(《孟子·尽心上》)意思是，人生很多遭遇实际上都是命运使然。

虽然孟子无法超越时代的局限性，对“天命”仍然秉持着顺应的态度，但是他也提出了积极的一面，认为智者应该以通权达变的灵活原则处世，以坚定的持之以恒的道德修养实现对“命”的超越，即“行法以俟命”(《孟子·尽心下》)。这一观点具有明显的与命运抗争的因素。

第三，义理之天。

受孔子“天生德于予”(《论语·述而》)和《中庸》“天命之谓性”的思想影响，孟子也认为“天”具有道德属性。他说，仁是“天之尊爵”(《孟子·公孙丑上》)，意思是仁是天最尊贵的爵位。这样，孟子所说的天就被道德化了，孟子认为人的仁义礼智的道德来源是义理之天，从而把道德权威化。

作为道德义理之“天”的章节我们截取一些如下:

天不言，以行与事示之而已矣。(《孟子·万章上》)

仁义忠信，乐善不倦，此天爵也。(《孟子·告子上》)

今之人修其天爵以要人爵，既得人爵而弃其天爵，则惑之甚者也，终亦必亡而已矣。(《孟子·告子上》)

尽其心者，知其性也。知其性，则知天矣。(《孟子·尽心上》)

存其心，养其性，所以事天也。(《孟子·尽心上》)

第四，自然之天。

孟子所说的天，有时指日月运行、四季交替的自然之体，比如："天油然作云，沛然下雨，则苗浡然兴之矣。"(《孟子·梁惠王上》)

对待自然之天，要顺应和服从其自然规律，即使是天下最易生长的生物，如果不能按照它的规律去养护，一曝十寒，也无法生长。对于自然界，要适度保护，不能肆意掠夺，比如，《孟子·梁惠王上》提到，禁止细网捕鱼，这样鱼可以再生，来年仍有鱼可捕；砍伐树木应该在冬天，留得根在，来年春天树木可以再生。顺应自然规律，保护大自然，这是人与自然之天相合。

天道观是孟子思想的重要组成部分，是他的性善论的基础，虽然他受时代影响，承认"天"具有惩罚与奖赏的人格意志，但是他又提倡，人应该发挥主观能动性，认识"天"的规律，实现对"天命"的超越。

思考讨论

1. 即使在科技发达的现今社会，人们还常常说"天网恢恢，疏而不漏"，请谈谈天道观对中国文化的影响。

2. 你相信天命鬼神的存在吗？为什么？

禅让制

万章问曰：“人有言：‘至于禹而德衰[1]，不传于贤而传于子。’有诸？”

孟子曰：“否，不然也。天与贤，则与贤；天与子，则与子。昔者舜荐禹于天，十有七年，舜崩。三年之丧毕，禹避舜之子于阳城，天下之民从之，若尧崩之后，不从尧之子而从舜也。禹荐益于天[2]，七年，禹崩，三年之丧毕，益避禹之子于箕山之阴。朝觐、讼狱者不之益而之启[3]，曰：‘吾君之子也。’讴歌者不讴歌益而讴歌启，曰：‘吾君之子也。’丹朱之不肖[4]，舜之子亦不肖。舜之相尧[5]，禹之相舜也，历年多，施泽于民久。启贤，能敬承继禹之道。益之相禹也，历年少，施泽于民未久。舜、禹、益相去久远，其子之贤不肖，皆天也，非人之所能为也。莫之为而为者，天也；莫之致而至者，命也。匹夫而有天下者，德必若舜禹，而又有天子荐之者，故仲尼不有天下。继世以有天下，天之所废，必若桀纣者也，故益、伊尹、周公不有天下。伊尹相汤以王于天下，汤崩，太丁未立[6]，外丙二年，仲壬四年，

太甲颠覆汤之典刑，伊尹放之于桐。三年，太甲悔过，自怨自艾[7]，于桐处仁迁义[8]；三年，以听伊尹之训己也，复归于亳[9]。周公之不有天下，犹益之于夏，伊尹之于殷也。孔子曰：'唐虞禅[10]，夏后、殷、周继，其义一也。'"

注释

[1]衰：衰退。　[2]益：古代人名，曾经辅佐禹治理天下，颇有才能。　[3]启：大禹之子，是夏王朝的开创者。　[4]丹朱：古代人名，是帝尧的儿子。不肖：不似，特指儿子不像父亲那样贤能。　[5]相：辅助。　[6]太丁：商汤的儿子，后来在伊尹的辅佐下，成为商的天子。　[7]自怨自艾（yì）：自我悔恨，改过从善。　[8]处仁迁义：奉行仁义道德。　[9]亳：古代地名，是商汤发迹的地方。　[10]禅：禅让，专指远古时代天子将天下传给血缘以外的贤德之人。

译文

万章问道："有人说：'到禹的时代道德衰微了，天下不传给贤者，却传给儿子。'有这样的事么？"

孟子说："不，不是这样的。天意要给贤者，就给贤者；天意要给儿子，就给儿子。从前，舜把禹推荐给天，过了十七年，舜去世了，守丧三年后，禹到阳城以回避舜的儿子，天下的百姓追随他，就如尧死后不追随尧的儿子却追随舜一样。禹把益推荐给天，过了七年，禹去世了，守丧三年后，益到箕山之北以回避禹的儿子。

朝见天子、打官司的人不去见益而去见启，说：‘是我们君主的儿子。’歌功颂德的人不歌颂益而歌颂启，说：‘是我们君主的儿子。’（尧的儿子）丹朱不中用，舜的儿子也不中用。舜辅佐尧，禹辅佐舜，经历的时间多，对百姓施恩泽已久。启很贤明，能虔诚地继承禹的传统。益辅佐禹，经历的时间短，对百姓施恩泽不长。舜、禹、益辅佐天子时间的久暂，他们儿子的好坏，这都是天意，不是人力所能办到的。不是人力所能办到却办到了，那是天意；不是人力所能招致却自然来了，那是命运。一个普通人却能拥有天下，他的道德一定得像舜和禹那样，而且又有天子的推荐，所以孔子就没能拥有天下。继承祖先之业而拥有天下，天意所要废弃的，一定是像桀、纣那样暴戾的人，所以益、伊尹和周公没能拥有天下。伊尹辅佐汤称王天下，汤去世后，太丁未立就死了，外丙在位二年，仲壬在位四年，太甲破坏了汤的法度，伊尹把他流放到桐邑去。三年之后，太甲悔过自新，痛改前非，在桐邑做到安心于仁、唯义是从，三年中虚心听取伊尹的教诲，这就又回到了亳都。周公不能拥有天下，和益在夏朝、伊尹在殷朝一样。孔子说过：‘唐尧、虞舜让位给贤者，夏、商、周三代王位世代继承，道理是一样的。’”

万章问曰：“人有言‘伊尹以割烹要汤’[1]，有诸？”

孟子曰：“否，不然。伊尹耕于有莘之野[2]，而乐尧舜之道焉。非其义也，非其道也，禄之以天下[3]，弗顾也[4]；系马千驷[5]，弗视也。非其义也，非其道也，一介不以与人[6]，一介不以取诸人。汤

处畎亩之中，乐尧舜之道

使人以币聘之[7]，嚣嚣然曰[8]：‘我何以汤之聘币为哉？我岂若处畎亩之中，由是以乐尧舜之道哉？’汤三使往聘之，既而幡然改曰[9]：‘与我处畎亩之中，由是以乐尧舜之道，吾岂若使是君为尧舜之君哉？吾岂若使是民为尧舜之民哉？吾岂若于吾身亲见之哉？天之生此民也，使先知觉后知，使先觉觉后觉也。予，天民之先觉者也，予将以斯道觉斯民也。非予觉之，而谁也？’思天下之民匹夫匹妇有不被尧舜之泽者[10]，若己推而内之沟中[11]。其自任以天下之重如此[12]，故就汤而说之以伐夏救民。吾未闻枉己而正人者也[13]，况辱己以正天下者乎？圣人之行不同也，或远或近，或去或不去，归洁其身而已矣。吾闻其以尧舜之道要汤，未闻以割烹也。《伊训》曰[14]：'天诛造攻自牧宫[15]，朕载自亳。'"

注释

[1]割烹：厨艺。要（yāo）汤：求取于汤。　[2]有莘：地名。　[3]禄：古代官吏的俸给。　[4]顾：顾惜。　[5]驷（sì）：古代一车套四马，称为驷。　[6]介：通"芥"，指细微的东西。　[7]聘：聘请。　[8]嚣（áo）嚣然：不以为然，无动于衷的样子。　[9]幡（fān）然：迅速地发生改变。　[10]泽：恩惠。　[11]内：通"纳"，纳入。　[12]自任：以为己任。[13]枉己：自己不端正。正人：端正别人。　[14]《伊训》：《尚书》中的一篇。　[15]牧宫：夏朝最后一个君王桀的宫殿。

译文

万章问道："有人说'伊尹以去切肉做菜来谋求汤的录用'，有这回事吗？"

孟子说："不，不是这样的。伊尹在有莘国的郊野耕种，喜爱尧舜之道。不合乎义，不合乎道，即使以天下作为俸禄，他也不理睬；即使送四千匹马给他，他也不看一眼。不合乎义，不合乎道，一点点东西也不给别人，也不取别人一点点东西。汤派人带着礼物去聘请他，他不在乎地说：'我要汤的聘礼干什么呢？我何不这样身居田野之中，由此乐于尧舜之道呢？'汤三次派人去礼聘他，然后他才完全改变态度，说：'我与其身居田野之中，由此乐于尧舜之道，我何不使这位君主成为尧舜之君呢？我何不使这些百姓成为尧舜的百姓呢？我何不在我有生之年亲眼看到这些呢？上天降生这些百姓，是要使先知的人帮助后知的人知道，使先觉的人帮助后觉的人觉悟。我，就是上天降生的百姓中先觉悟的人，我将以这个尧舜之道去帮助那些百姓觉悟。不是我去帮助他们觉悟，又是谁去呢？’他认为，天下百姓中有一个男人或一个女人没有得到尧舜之道恩泽的，就像是自己将他们推进沟中去一样。他是这样自愿把天下的重担压在肩上，所以跑到汤那里，以攻打夏桀拯救百姓的事向他游说。我从未听说过自己不正直却能匡正别人的，更何况以屈辱自己去匡正天下呢？圣人的行事各不相同，有的远离君主，有的接近君主，有的离开朝廷，有的不离朝廷，归根到底只洁净自身罢了。我只听说伊尹以尧舜之道来谋求汤的录用，没听说以切肉做菜的事。《伊训》中说：‘上天的讨伐起自夏桀自己，我不过是从亳都开始着手的。’”

万章问曰：“或谓孔子于卫主痈疽[1]，于齐主侍人瘠环，有诸乎？”

孟子曰：“否，不然也。好事者为之也。于卫主颜雠由[2]。弥子之妻与子路之妻，兄弟也。弥子谓子路曰：‘孔子主我，卫卿可得也。’子路以告。孔子曰：‘有命。’孔子进以礼，退以义，得之不得曰‘有命’。而主痈疽与侍人瘠环，是无义无命也。孔子不悦于鲁卫，遭宋桓司马将要而杀之，微服而过宋。是时孔子当厄[3]，主司城贞子，为陈侯周臣。吾闻观近臣，以其所为主；观远臣，以其所主。若孔子主痈疽与侍人瘠环，何以为孔子？”

注释

[1] 痈疽（yōng jū）：人名，卫灵公宠臣。 [2] 颜雠（chóu）由：人名，孔子母亲的同族人。 [3] 厄（è）：处境困顿。

译文

万章问道："有人说，孔子在卫国时住在宦官痈疽家，在齐国时住在宦官瘠环家，有这回事吗？"

孟子说："不，不是这样的。这是好事之徒编造的。孔子在卫国时住在颜雠由家。弥子瑕的妻子与子路的妻子是姐妹。弥子瑕对子路说：'孔子要是住在我家，卫国的国卿位子便可得到。'子路把这话告诉了孔子。孔子说：'凡事都有命。'孔子依礼而进，依义而退，得不得到官位说由命运决定。如果他住在痈疽和宦官瘠环家中去，就是无视礼义和命运了。孔子在鲁国和卫国不顺心，又遇上宋国的司马桓魋想在路上拦截杀害他，只得改变装束通过宋国。这时孔子正在难中，便住在司城贞子家，做了陈侯周的臣子。我听说，观察在朝的臣子，就看他所接待的客人；观察外来的客臣，就看他所寄居的主人。要是孔子住在痈疽和宦官瘠环家，那还算什么孔子呢？"

万章问曰："或曰：'百里奚自鬻于秦养牲者五羊之皮[1]，食牛以要秦穆公[2]。'信乎？"

孟子曰："否，不然。好事者为之也。百里奚，虞人也。晋人以垂棘之璧与屈产之乘假道于虞以伐虢。宫之奇谏[3]，百里奚不谏。知虞公之不可谏而

去之秦，年已七十矣，曾不知以食牛干秦穆公之为污也，可谓智乎？不可谏而不谏，可谓不智乎？知虞公之将亡而先去之，不可谓不智也。时举于秦，知穆公之可与有行也而相之，可谓不智乎？相秦而显其君于天下，可传于后世，不贤而能之乎？自鬻以成其君，乡党自好者不为，而谓贤者为之乎？”

注释

[1]百里奚：虞国大夫，后在秦国任相，辅助秦穆公建立霸业。　[2]秦穆公：又作秦缪公，秦国国君，公元前659年至前621年在位。　[3]宫之奇：虞国大夫。晋国曾两次向虞国借路以攻打虢国，宫之奇用“唇亡齿寒”的道理劝告虞公拒绝晋国的要求，虞公不听。结果晋灭虢后，接着灭掉了虞国。虞公，虞国国君。

译文

万章问道：“有人说：‘百里奚以五张羊皮的价格将自己卖给秦国养牲畜的人，替人养牛，以此来谋求秦穆公的录用。’是真的吗？”

孟子说：“不，不是这样。这是好事之徒编造的。百里奚是虞国人。晋国人拿垂棘出的美玉和屈地产的好马，向虞国借道攻打虢国。宫之奇出来劝阻，百里奚却没有劝阻。他知道虞公不可劝阻而离开虞国，到了秦国，这时他已七十岁了，竟会不知道以养牛的方式去干求秦穆公是秽行，能说是聪明吗？知道不可劝阻便不劝阻，能说是不聪明吗？知道虞公将亡而先行离开，不能说不

聪明。当被秦国起用时，知道秦穆公能有所作为而辅佐他，能说是不聪明吗？辅佐秦国而使它的君主名扬天下，并可流芳于后世，不贤明的人能做到吗？以卖身来成就其君主，乡里洁身自爱的人都不会做，反倒说贤明的人会做吗？”

延伸阅读

上古时期的禅让制

禅让制是中国统治者权力更迭的一种方式，指在位君主生前便将统治权让给他人。形式上，禅让是在位君主自愿进行的，是为了让更贤能的人统治国家。

禅让的起源

由于远古时代生产力极为落后，人们必须依靠集体的力量，共同劳动、平均分配食物才能生活下去。因此，人们需要选举出贤能、公正的人当首领，进行生产劳动和平均分配食物，并带领大家抵御外来的侵袭。中国上古时期部落联盟首领或帝王让位给别人，是原始社会中部落联盟通过会议民主推举领袖，以多数人意愿做出决定，具有原始社会的民主性质。

关于尧舜禅让的说法，出自儒家。《论语·尧曰》:“咨，尔舜。天之历数在尔躬，允执其中。四海困穷，天禄永终。”《论语·颜渊》中说:“舜有天下，选于众，举皋陶。”《论语》中对尧舜禅让的叙述非常简略,《左传》也是一样，这都是比较原始的传说，交代了当时有禅让或推选的制度。在私有制和世袭制产生以前，禅让或推选是社会发展的必经阶段。我们可以从少数民族历史中得到佐证,《三国志·夫余传》载:“旧夫余俗，水旱不调，五谷不熟，辄归咎于王，或言当易，或言当杀。”从这条记载里可以看出，夫余也曾经产生过原始社会的部落首长共同推选制度，当首长被大家认为不称职的时候，部落成员就会另行选举首长，这种推选制度存在于原始社会时期。

传说中的禅让

中国上古时期的禅让制度，最早记载于《尚书》之中，但其真实性一直存在争议。相传尧为部落联盟领袖时，四岳推举舜为继承人，尧对舜进行三年考核。尧死后，舜继位，用同样的推举方式，经过治水考验，以禹为继承人。禹继位后，又举皋陶为继承人，皋陶早死，又以伯益为继承人，最后族人拥戴禹之子启为王。禅让制到禹之子启就终止了，他建立了中国历史上第一个朝代——夏朝。

对尧舜禅让记载比较详细的是《史记·五帝本纪》：尧召开部落联盟会议，讨论继承人的人选问题。大家都推举舜，说他是个德才兼备的人物。于是，尧把自己的两个女儿娥皇、女英嫁给舜，并对其考验了三年，最终将帝位禅让给舜。

尧、舜、禹禅让是否为信史，从古至今一直有人质疑。《韩非子·说疑篇》中说："舜逼尧，禹逼舜，汤放桀，武王伐纣，此四王者，人臣之弑其君者也。"《竹书纪年》中说："昔尧德衰，为舜所囚也。又有偃朱故城，在县西北十五里。"《竹书纪年》中还说："舜囚尧，复偃丹朱，使不得与父相见也。"虽然《竹书纪年》后来被疑为明代伪作，但是至少也说明了明朝学者对尧舜禅让是存疑的。

我们再换个角度，从舜亡故的地点来看。《小戴礼记·檀弓》中说："舜葬于苍梧之野。"这一说法见于许多古书，比如《大戴礼记·五帝德》、《白虎通·巡狩篇》、《淮南子·修务训》、《汉书·刘向传》、《三国志·薛综传》等，是大体可信的。如果舜是雍容揖让，岂会死在苍梧之野？

由此可见，尽管中国的原始社会确实存在由大家共同推选部落首领的选举制度及原部落首领让位于没有血缘关系的新部落首领的禅让制度，但是关于尧舜是否和平禅让，是存疑的。

世袭取代禅让

也许，尧、舜、禹之间的禅让存在着血腥或者暴力夺权的可能性，这一系列权利的更迭后，禅让制被世袭制所取代，由集体选举部落首领的制度被血缘继承制度取代。

禹死后，禹的儿子启直接继承了禹位，并称王号，建立了夏朝。这时，有扈氏不承认启的统治地位，起兵反对他，说他破坏了禅让制度。启战败有扈氏，经过这场战争，禅让制被废除，王位世袭制登上了历史的舞台。从此，“天下为公”的大同社会，被“天下为家”的私有制社会取代，人们共同劳动，共同分配，鳏寡孤独皆有所养被财产私有、等级划分与血缘继承所取代。这标志着我国古代以公有制为基础的原始社会彻底崩溃，以私有制为基础的奴隶社会正式形成。

夏代共经历了十七位君王，除太康与仲康、不降与扃（jiōng）、廑（jǐn）与孔甲是兄弟继承外，其他都是传子的。如下所示：

禹—启—太康—仲康—相—少康—予—槐—芒—泄—不降—扃—廑—孔甲—皋—发—癸（夏桀）。

思考讨论

1. 请列举《孟子》一书中提到的圣人和贤人，并说说他们身上有哪些优秀的品德。

2. 请评价中国古代的禅让制。

3. 你如何看待世袭制取代禅让制？

第十章　万章下

孔子集大成

孟子曰："伯夷，目不视恶色，耳不听恶声。非其君不事，非其民不使。治则进，乱则退。横政之所出，横民之所止，不忍居也。思与乡人处，如以朝衣朝冠坐于涂炭也。当纣之时，居北海之滨，以待天下之清也。故闻伯夷之风者，顽夫廉[1]，懦夫有立志。

"伊尹曰：'何事非君？何使非民？'治亦进，乱亦进，曰：'天之生斯民也，使先知觉后知，使先觉觉后觉。予，天民之先觉者也，予将以此道觉此民也。'思天下之民匹夫匹妇有不与被尧舜之泽者，若己推而内之沟中。其自任以天下之重也。

"柳下惠不羞污君，不辞小官。进不隐贤，必以其道。遗佚而不怨，厄穷而不悯。与乡人处，由由然不忍去也。'尔为尔，我为我，虽袒裼裸裎于

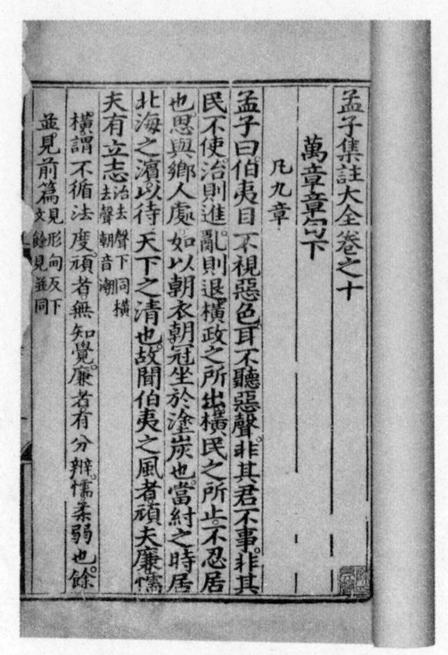

孟子集註大全卷之十

萬章章句下

凡九章

孟子曰伯夷目不視惡色耳不聽惡聲非其君不事非其民不使治則進亂則退橫政之所出橫民之所止不忍居也思與鄉人處如以朝衣朝冠坐於塗炭也當紂之時居北海之濱以待天下之清也故聞伯夷之風者頑夫廉懦夫有立志治去聲下同橫去聲朝音潮

橫謂不循法度頑者無知覺廉者有分辨懦柔弱也餘並見前篇見形甸反下文餘見並同

《孟子·万章下》书影

我侧，尔焉能浼我哉？’故闻柳下惠之风者，鄙夫宽[2]，薄夫敦。

“孔子之去齐，接淅而行[3]；去鲁，曰：‘迟迟吾行也，去父母国之道也。’可以速而速，可以久而久，可以处而处，可以仕而仕，孔子也。”

孟子曰：“伯夷，圣之清者也；伊尹，圣之任者也；柳下惠，圣之和者也；孔子，圣之时者也。孔子之谓集大成。集大成也者，金声而玉振之也[4]。金声也者，始条理也；玉振之也者，终条理也。始条理者，

智之事也；终条理者，圣之事也。智，譬则巧也；圣，譬则力也。由射于百步之外也，其至，尔力也；其中，非尔力也。”

注释

[1] 顽：通“贪”。　[2] 鄙：朱熹《孟子集注》：“鄙，狭陋也。”　[3] 接淅：意即淘米。淅，此处指没有淘洗的米。[4] 金：这里指青铜所铸的镈钟。镈钟是一种形状似钟的乐器，演奏时单独悬挂（有别于编钟）。声：开始。玉：这里指玉制的乐器，如磬之类。演奏时也单独悬挂（有别于编磬）。振：结束。

译文

孟子说：“伯夷，眼睛不看丑恶的景象，耳朵不听丑恶的声音。不是他认可的君主不侍奉，不是他认可的民众不使唤。世道太平就出来做官，世道昏乱便退而隐居。暴政产生的地方，暴民所住的地方，他都不忍心居住。他认为，与乡下人在一起，就像穿着礼服、戴着礼帽坐在污泥和炭灰上。当商纣王的时候，他隐居在北海边，等待天下的清平。所以，听到伯夷的风节，贪夫会变廉洁，怯懦的人也会有自立的意志。

“伊尹说：‘什么君主不能侍奉？什么百姓不能使唤？’世道太平也做官，世道昏乱也做官，说：‘上天降生这些百姓，是要使先知的人帮助后知的人知道，使先觉的人帮助后觉的人觉悟。我，就是上天降生的百姓中先觉悟的人，我将以这个尧舜之道去帮助那些百姓觉悟。’他认为，天下百姓中有一个男人或一个女人没有得到尧舜之道恩泽的，就像是自己将他们推进沟中去一样。他自

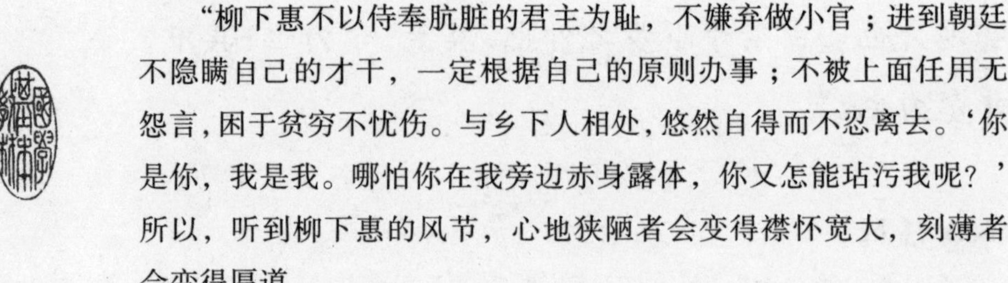

愿把天下的重担压在肩上。

“柳下惠不以侍奉肮脏的君主为耻，不嫌弃做小官；进到朝廷不隐瞒自己的才干，一定根据自己的原则办事；不被上面任用无怨言，困于贫穷不忧伤。与乡下人相处，悠然自得而不忍离去。‘你是你，我是我。哪怕你在我旁边赤身露体，你又怎能玷污我呢？’所以，听到柳下惠的风节，心地狭陋者会变得襟怀宽大，刻薄者会变得厚道。

“孔子离开齐国，把已浸在水中的米捞起来就走；离开鲁国，却说：‘我们慢慢走吧，这是离开祖国的做法。’该快就快，该久就久，该闲处在家就闲处在家，该做官就做官，这就是孔子。”

孟子说：“伯夷，圣人中的清高者；伊尹，圣人中的尽责者；柳下惠，圣人中的随和者；孔子，圣人中的合时宜者。孔子可说是集大成了。所谓集大成，（就如奏乐）敲钟开头，击磬收尾。敲钟起音，是节奏条理的开端；击磬收尾，是节奏条理的终结。节奏条理的开端，在于智；节奏条理的终结，在于圣。智，好比技巧；圣，好比气力。就如同在百步以外射箭，射到，靠你的力量；射中，就不是单靠你的力量了。”

延伸阅读

孔孟异同

孔子（前 551—前 479）是春秋时期的人物，他首开私学，创立儒家学派。孟子（约前 372—约前 289）是战国时期的人物，他继承了孔子的学说，对儒家学派的传播和发展做出了重大贡献。人们把孔子称为“圣人”，把孟子称为“亚圣”。

《韩非子 · 显学》中说：“自孔子之死也，有子张之儒，有子思之儒，有颜氏之儒，有孟氏之儒，有漆雕氏之儒，有仲良氏之儒，有孙氏之儒，有乐正氏之儒。”大体反映了孔子死后儒家的学派内部分化情况。其中，直接作为孔子弟子的颜渊、子夏、子张、曾子、漆雕开等人，代表了一个过渡性的阶段。战国时期，儒家的主要代表人物先有子思和孟子，后有荀子。

孟子与孔子的思想一脉相承，但是又有许多超越：

一、由“仁”到“仁政”。

孟子的时代，如何统一天下越来越成为迫切的历史课题。法家提倡以法治国，主张用武力来统一天下，孟子训之为“霸道”。孟子在孔子“仁”学的基础上，进一步提出了“仁政”思想。孟子认为，“人皆有不忍人之心”，把这种“仁心”推广开来，就是“仁政”，他把“仁”从个人修养提高到了治国的层面。

孔子之“仁”，最集中的体现，是他与颜渊的一段问答：“颜渊问仁。子曰：‘克己复礼为仁。一日克己复礼，天下归仁焉。为仁由己，而由人乎哉？’”意思是，克制自己，一切都照着礼的要求去做，这就是仁。一旦这样做了，天下的一切就都归于仁了。实行仁德，完全在于自己，难道还在于别人吗？在孔子那里，“仁”是与“礼”结合在一起的。颜渊问孔子是否可以说得具体一些，孔子说：“非礼勿视，非礼勿听，非礼勿言，非礼勿动。”（《论语·颜渊》）

继孔子之后，孟子从“仁”的思想出发，并把它发扬光大。“仁”更加具体化，范围扩展到思想、政治、经济、文化等领域，孟子进一步提出“仁政”的观点。“仁政”主要以人民为核心，强调施政的目的是对人民有同情心和爱心。按照孟子的观点，无论是君王还是地方官，都应当为自己所管辖的地方的百姓负责，做到像《礼记》中所说的那样，使“老有所终，壮有所用，幼有所长，鳏寡孤独废疾者，皆有所养”。倘若在你管辖的地方，年老体弱的奄

奄一息，年轻力壮的四散逃难，那就是你的失职，即使是遇到灾荒，也难辞其咎。孟子认为，先有万民的拥戴，才有社稷，最后才有君王。这就是“民为贵，社稷次之，君为轻”（《孟子·尽心下》）。在他看来，武王伐纣，并非“以臣弑君”，而是“诛一独夫”。

二、由“性相近”到“性本善”。

在《三字经》中说：“人之初，性本善，性相近，习相远。”其中，“性相近”是孔子说的，《论语·阳货》中说，“性相近也，习相远也”。可见，在孔子那里，对于人性并没有善恶的定论。

而孟子之所以提出性善论，是针对当时告子提出的“有性善，有性不善”（《孟子·告子上》）的说法。在孟子看来，“生之谓性”会抹杀人性与动物之性的差别，他认为人性就是人不同于其他动物的东西。“人之所以异于禽兽者几希，庶民去之，君子存之。舜明于庶物，察于人伦，由仁义行，非行仁义也。”（《孟子·离娄下》）人区别于禽兽的地方只有很少一点点，一般的人丢弃了它，君子保存了它。舜明白万事万物的道理，明察人伦关系，因此能遵照仁义行事，而不是勉强地施行仁义。那么这“几希”的东西是什么呢？孟子指的是人的社会性，即人的道德本性，也就是“仁心”。

三、由性格敦厚到愤世嫉俗。

孔子性格谦逊，善于、肯于向别人请教，而且请教问题时总是恭恭敬敬。“三人行，必有我师焉”（《论语·述而》）就是真实的写照。他将这种恭敬的习惯一以贯之，宽恕始终是他的人生信条，就像《论语》中所说，“己所不欲，勿施于人”。

六十岁时，孔子经过郑国到陈国。在郑国首都与弟子失散，独自在东门等候弟子来寻，被人嘲笑为“累累若丧家之犬”。孔子欣然笑曰：“然哉！然哉！”

孟子则不同，孟子更偏向愤世嫉俗。孟子初到齐国，齐王以有病为托词，不亲自来咨询政事，而是派人前来召见他，孟子辞以疾，不去朝见。次日却出门吊东郭氏。齐王派人前来问病，孟仲子一面替他周旋，一面要求孟子不要回家，赶快去朝见，孟子依然不去，坚持非礼之召则不往。

孟子生活在战国时期，那个时期诸侯交相攻伐，孟子把个人与社会紧密地联系在一起。孔子也愤世嫉俗，只不过他最大的愤怒也就是“道不行，乘桴浮于海”(《论语·公冶长》);孟子则不同，他说“当今之世，舍我其谁”(《孟子·公孙丑下》)。孔子的愤怒是出世，孟子的愤怒是入世，是一股豪迈之情，自信之气，正如孟子所说“富贵不能淫，贫贱不能移，威武不能屈”(《孟子·滕文公下》)。

所以，从对后世文人的人格的影响来看，孟子的影响超过了孔子。

思考讨论

1. 孔子被后代思想家奉为“万世师表”、“至圣先师”，你心目中的孔子是怎样的?

2. 请用自己的话简述孔孟思想的异同。

周室班爵禄

北宫锜问曰[1]:“周室班爵禄也[2]，如之何?”

孟子曰:“其详不可得闻也。诸侯恶其害己也，

而皆去其籍。然而轲也尝闻其略也：天子一位，公一位，侯一位，伯一位，子、男同一位，凡五等也。君一位，卿一位，大夫一位，上士一位，中士一位，下士一位，凡六等。天子之制，地方千里，公侯皆方百里，伯七十里，子、男五十里，凡四等。不能五十里[3]，不达于天子，附于诸侯，曰附庸。天子之卿受地视侯[4]，大夫受地视伯，元士受地视子、男[5]。大国地方百里，君十卿禄，卿禄四大夫，大夫倍上士，上士倍中士，中士倍下士，下士与庶人在官者同禄，禄足以代其耕也。次国地方七十里，君十卿禄，卿禄三大夫，大夫倍上士，上士倍中士，中士倍下士，下士与庶人在官者同禄，禄足以代其耕也。小国地方五十里，君十卿禄，卿禄二大夫，大夫倍上士，上士倍中士，中士倍下士，下士与庶人在官者同禄，禄足以代其耕也。耕者之所获，一夫百亩。百亩之粪[6]，上农夫食九人，上次食八人，中食七人，中次食六人，下食五人。庶人在官者，其禄以是为差。”

注释

[1] 北宫锜（qí）：卫国人。 [2] 班：等列，规定级别。 [3] 能：及。 [4] 视：比，同。 [5] 元士：上士。 [6] 粪：施肥。

译文

北宫锜问道："周朝王室规定爵位和俸禄的等级，是怎样做的？"

孟子说："详细情况已不可能知道了。诸侯们因为讨厌它妨碍自己，把那些文献都毁了。不过我曾听说过大概的情况：天子一级，公一级，侯一级，伯一级，子、男同一级，总共五等。君一级，卿一级，大夫一级，上士一级，中士一级，下士一级，总共六等。天子所管辖的土地方圆千里，公、侯都是方圆百里，伯七十里，子、男各五十里，总共四等。土地方圆不到五十里的，不能直接上达天子，附属于诸侯，叫做附庸。天子的卿所受的封地同于侯，（天子的）大夫受地同于伯，（天子的）上士受地同于子、男。分侯大国的封地方圆百里，国君的俸禄十倍于卿，卿的俸禄四倍于大夫，大夫一倍于上士，上士一倍于中士，中士一倍于下士，下士与当公差的百姓拿同样的俸禄，所得俸禄足够抵上从事耕种的收入。中等国家的封地方圆七十里，国君的俸禄十倍于卿，卿的俸禄三倍于大夫，大夫一倍于上士，上士一倍于中士，中士一倍于下士，下士与当公差的百姓拿同样的俸禄，所得的俸禄足够抵上从事耕种的收入。小国的封地方圆五十里，国君的俸禄十倍于卿，卿的俸禄二倍于大夫，大夫一倍于上士，上士一倍于中士，中士一倍于下士，下士与当公差的百姓拿同样的俸禄，所得的俸禄足够抵上从事耕种的收入。农夫的收入，一夫一妇受田一百亩。百亩地施肥耕种，上等农民可供养九人，稍次的养活八人，中等的养活七人，中等稍次的养活六人，下等的养活五人。在公家当差的百姓，他们的俸禄比照这个来分等级。”

延伸阅读

分封制

分封始于文王时代，文王向东扩张“虞芮质厥成”之后，分封仲雍于虞，称为“虞仲”。伐崇之后，又把崇地封给虢仲。武王克商以后，周开始第一次大规模分封。周公东征以后，又在武王分封的基础上，进行了第二次大规模分封诸侯。

分封的原因在于，周攻打商，但是商朝旧诸侯的土地并不因此便为周人所有，而且许多旧诸侯并不因此就承认周为其新的宗主。因此，周王不断地把兄弟、子侄、姻亲、功臣分封于外，建立新的国家。新国有的是取代旧有的诸侯，有的是开辟本来没有开辟的土地。每一个新国家的建立，就是周人的一次向外移民，是周人势力范围的一次拓展。

《荀子·儒效》中说：“兼制天下立七十一国，姬姓独居五十三人，周之子孙苟不狂惑者，莫不为天下之显诸侯。”武王、成王两世，共封立了七十多个新国家，其中与周同姓的有五十多个。在这七十多个国家之外，在当时黄河下游和大江以南，旧有国族归附新朝，或不属于新朝势力范围的，还有许多国家，现在可考的加上周封国一共有一百三十多个。文王的弟弟被封在东虢、西虢；文王的儿子们被封在管、蔡、郕、霍、鲁、卫、毛、聃、郜、雍、曹、滕、毕、原、酆、郇；武王的儿子被封在邘、晋、应、韩；周公的儿子被封在凡、蒋、邢、茅、胙、祭。这些在广大新政府的土地上星罗棋布的大小封国，既是一个个的小国家，又是包围周王朝的据点。

我们把周初主要新建国列表如下：

国名	姓	与周的关系	国都所在地
晋	姬	武王子叔虞	山西西南部
霍	姬	文王子叔处	山西霍州西南
邢	姬	周公子	河北邢台
芮	姬		陕西大荔朝邑城南
贾	姬		陕西蒲城西南
西虢	姬	文王弟虢叔	陕西宝鸡西
滕	姬	文王子叔绣	山东滕州
郕	姬	文王子叔武	山东宁阳东北
郜	姬	文王子	山东成武东南
曹	姬	文王子叔振铎	山东定陶西北
东虢	姬	文王子虢仲	河南荥阳东北
蔡	姬	文王子叔度	河南上蔡
祭	姬	周公子	河南郑州东北
息	姬		河南息县
申	姜		陕西、山西间
蒋	姬	周公子	河南固始西北
随	姬		湖北随州
聃	姬	文王子季载	湖北荆门东南

关于周分封诸侯的积极作用，我们可以举当时的一个小故事来说明。周公杀掉武庚以后，首先把周人比较驯服并且在殷商人中有一定影响的微子封于宋地，让他统治一部分商王朝的遗民。接着就大规模地分封自己的兄弟和亲戚。

康叔是武王和周公最小的弟弟，被封在黄河、淇水之间的殷墟，建立了卫国。康叔分得大批商人的奴隶，主要有陶氏、施氏、繁氏、锜氏、樊氏、饥氏、终葵氏等“殷民七族”。卫地过去是商王朝活动的中心地带，康叔为了巩固自己的统治，就维持商朝旧有的政策，

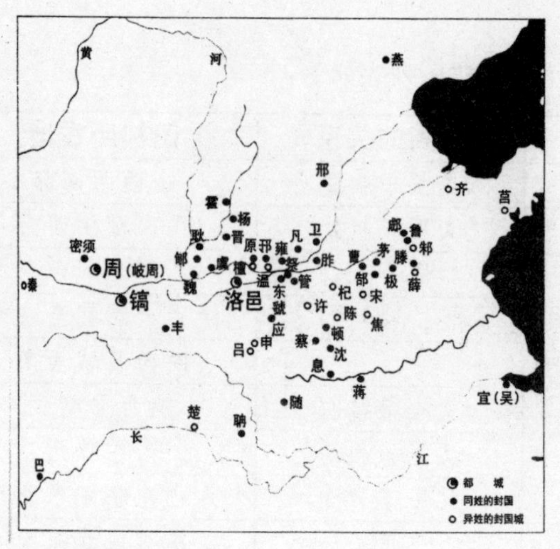

西周分封诸侯图

继续使用商朝旧有的法律。在经济方面，康叔改变了原来的所有制关系，把卫国的大片土地都按照周朝的办法重新分配，从而使自己的子弟都获得了很多土地并且由商种族奴隶为之耕种。这就是《左传·定公四年》所记载的康叔实行的“启以商政，疆以周索”的政策。

周公很担心康叔年纪较轻，没有经验治理好殷商的故地，所以一再告诫康叔：“你到了卫地以后，一定要向商朝遗民中有威望的贤人请教，问问他们商朝是如何兴起的，又是怎样灭亡的。要经常吸取这些教训，但是根本的一条是要爱惜民力。”这段著名的对话记载在古代文献《康诰》中。康叔到了卫国以后，按照周公的办法行事，得到了商朝旧贵族的支持。由于康叔治理卫国很出色，成王亲政以后，康叔被提拔为周王朝的司寇，并得到了许多赏赐。之后，大家纷纷效法康叔的做法。

周王朝通过大规模的分封，将原来商王朝的统治地区分割为卫、唐、宋等大小诸侯国。原来商族的人民，也被赏赐给这些诸侯国的贵族阶级，沦为周王朝新贵的奴隶，使反周力量受到了肢解。而难于控制的东部地区，随着徐、奄、薄姑等国反抗的失败，也逐渐被周公、太公望这些拥有强大政治、军事力量的大臣所控制。东方的齐、鲁两国和北方的燕国，成为保卫西方周王朝中心地区的一道屏障。自此，周王朝改变了在武王灭商后一段时间“天下未集”的不巩固局面，成为一个疆域超过商王朝的巩固大国。

思考讨论

1. 你了解分封制吗？请评价这种制度。
2. 你如何看待郡县制取代分封制这一现象？

交友之道

万章问曰：“敢问友。”

孟子曰：“不挟长，不挟贵，不挟兄弟而友。友也者，友其德也，不可以有挟也。孟献子[1]，百乘之家也，有友五人焉：乐正裘、牧仲，其三人则予忘之矣。献子之与此五人者友也，无献子之家者也。此五人者，亦有献子之家，则不与之友矣。非惟百乘之家为然也，虽小国之君亦有之。费惠公曰[2]：‘吾于子思，则师之矣；吾于颜般，则友之矣；王顺、长息则事我者也。’非惟小国之君为然也，虽大国之君亦有之。晋平公之于亥唐也[3]，入云则入，坐

云则坐，食云则食。虽蔬食菜羹，未尝不饱，盖不敢不饱也。然终于此而已矣。弗与共天位也，弗与治天职也，弗与食天禄也，士之尊贤者也，非王公之尊贤者也。舜尚见帝，帝馆甥于贰室[4]，亦飨舜，迭为宾主，是天子而友匹夫也。用下敬上，谓之贵贵；用上敬下，谓之尊贤。贵贵尊贤，其义一也。”

注释

[1] 孟献子：即鲁国大夫仲孙蔑，卒于鲁襄公十九年（前554）。 [2] 费（bì）惠公：战国时小国费的国君。 [3] 晋平公：春秋时晋国国君，姓姬名彪。亥唐：晋国隐居陋巷的贤人。 [4] 甥：指舜。古代妻父叫外舅，故岳父亦可称婿为甥。贰室：副宫。

译文

万章问道：“请问如何交友？”

孟子说：“不倚仗年岁大，不倚仗地位高，不倚仗有钱势的兄弟。交友，是以品德相交，决不可有所倚仗。孟献子是拥有百辆马车的世家，他有五个朋友：乐正裘、牧仲，其他三人的姓名我忘了。献子与这五人相交，心里不存在我是世家的念头。这五个人，要是心里也有着献子出身世家的念头，就不会与他交友了。不仅拥有百辆马车的世家如此，即使小国的君主也有朋友。费惠公说：‘我对于子思，将他当老师；对于颜般，将他当朋友；至于王顺、长息，只是侍奉我的人。’不仅小国的君主如此，即使大国的君主也有朋友。晋平公对于亥唐，亥唐叫他进去就进去，叫他坐就坐，叫他吃饭就吃饭。哪怕是糙米饭、蔬菜汤，从不曾不吃饱过，因为不敢不吃饱。不过也仅此而已。不与他共居官位，不与他共理政事，不与他共享俸禄，这是士人尊敬贤人的态度，不是王公尊敬贤人应有的态度。舜上谒帝尧，帝尧让女婿住在副宫里，设宴请舜，互为宾主，这是天子与平民的结交。以地位低的尊敬地位高的，叫做尊重贵人；以地位高的尊敬地位低的，叫做尊敬贤者。尊重贵人和尊敬贤士，道理是一样的。"

万章问曰："敢问交际何心也？"

孟子曰："恭也。"

曰："'却之却之为不恭'，何哉？"

曰："尊者赐之，曰：'其所取之者义乎，不义乎？'而后受之。以是为不恭，故弗却也。"

曰："请无以辞却之，以心却之，曰：'其取诸民之不义也。'而以他辞无受，不可乎？"

曰："其交也以道，其接也以礼，斯孔子受之矣。"

万章曰："今有御人于国门之外者，其交也以道，其馈也以礼，斯可受御与？"

曰："不可。《康诰》曰[1]：'杀越人于货，闵不畏死，凡民罔不譈[2]。'是不待教而诛者也。殷受夏，周受殷，所不辞也。于今为烈，如之何其受之？"

曰："今之诸侯取之于民也，犹御也。苟善其礼

际矣，斯君子受之，敢问何说也？”

曰：“子以为有王者作，将比今之诸侯而诛之乎？其教之不改而后诛之乎？夫谓非其有而取之者盗也，充类至义之尽也。孔子之仕于鲁也，鲁人猎较[3]，孔子亦猎较。猎较犹可，而况受其赐乎？”

曰：“然则孔子之仕也，非事道与？”

曰：“事道也。”

“事道奚猎较也？”

曰：“孔子先簿正祭器[4]，不以四方之食供簿正。”

曰：“奚不去也？”

曰：“为之兆也。兆足以行矣而不行，而后去，是以未尝有所终三年淹也。孔子有见行可之仕，有际可之仕，有公养之仕。于季桓子[5]，见行可之仕也；于卫灵公[6]，际可之仕也；于卫孝公[7]，公养之仕也[8]。”

注释

[1]《康诰》:《尚书》中的一篇。　　[2]譈：同“憝”，怨恨。[3]猎较：古代风俗，打猎时争夺猎物，以所得用作祭祀。[4]簿正祭器：在簿书上规定祭器，使有定数。　　[5]季桓子：鲁国的正卿。　　[6]卫灵公：卫国国君，前534年至前493年在位。

[7] 卫孝公：不见于史书记载，按照文中推测，应该是继卫灵公之位的卫国国君。 [8] 公养：指对贤者的礼节待遇等。

译文

万章问道："请问交际时应如何用心？"

孟子说："恭敬之心。"

万章说："'一再拒绝别人的礼物是不恭敬的'，这话什么意思呢？"

孟子说："尊者赠送礼物，自己先考虑：'他取得这些东西是合乎义呢，还是不合乎义呢？'然后才接受，这是不恭敬的，所以就不拒绝。"

万章说："我说，不用语言去拒绝，而在心里拒绝，心想：'他是取自百姓的不义之财。'然后以别的借口不接受，不可以吗？"

孟子说："他以规矩来相交，以礼节来接待，这样，孔子也会接受礼物的。"

万章说："现在有人在国都郊外杀人抢劫，他以规矩来相交，以礼节来馈赠，这样，可以接受他抢来的东西吗？"

孟子说："不可以。《康诰》中说：'杀人抢劫，强横而不怕死，这种人，是没有百姓不痛恨的。'这种人不必等待教育就可诛杀的。殷朝接受了夏朝这条法规，周朝又接受了殷朝这条法规，这是它们所不愿更改的。现在这种杀人抢劫更厉害了，怎么能接受呢？"

万章说："现在的诸侯从百姓那里取财物，如同杀人抢劫。如果他们把交际的礼节搞好，这样，君子也就接受了，请问这又该怎样解释呢？"

孟子说："你以为若有圣王兴起，会将现在的诸侯一律诛杀吗？还是先教育他们，如果再不悔改然后诛杀呢？所谓不是自己所有

的东西而去谋取是盗贼行径，那只是类推究义到极点的说法。孔子在鲁国做官时，鲁人争夺猎物，孔子也争夺猎物。争夺猎物都可以，更何况接受馈赠呢？”

万章说：“那么，孔子做官不是为了行道义吗？”

孟子说：“是为了行道义。”

万章说：“既为了行道义，为什么又要争夺猎物呢？”

孟子说：“孔子先用文书规定祭器的数目，不以四方的食物来供祭祀之用。”

万章说：“孔子为什么不离去呢？”

孟子说：“孔子是以此为开端（以行道义），开端说明足以能行但（国君）不愿施行，他才离去，所以孔子不曾在一个朝廷停留满三年的。孔子有见有行道的可能而做官的，有因为国君礼遇他而做官的，有因为国君能养贤而做官的。对于季桓子，是见有行道的可能而做官的；对于卫灵公，是因为国君礼遇他而做官的；对于卫孝公，是由于国君能够养贤而做官的。”

延伸阅读

调整自己必亲师取友

梁漱溟

做人必须要时时调理自己，求心志清明，思想有条理。如果大家能照此去行，简直是一生受用不尽；如果不能够注意这话，就是自暴自弃，就是自己不要自己。

但在这调理自己的方面，有什么好方法呢？前次曾说过调理自己要自觉，要反省，时刻去发现自己的毛病。比如自己的毛病在于性子太急，或在于太乱太散懈，这都须自觉地去求医治。但是人每不易做到，不易自知其病，虽知病又不易去管理自家。古人云:“智者不能自见其面,勇者不能自举其身。”这就是说人不易看清楚自己的面孔,即看清了又不易随时可以自主地调理自己。于是这时唯一的方法,就是“亲师取友”,此外别无他法。为什么呢?因为每人常会把自己忽忘了,如果不忽忘,就一切都无问题;无奈都易于忽忘,因此就得师友常常提醒你,使你不忽忘。

靠朋友之提醒以免于忽忘,这是一层;更进一层,就是靠朋友的好处,以融化感应自己的缺短而得其养。假定我的脾气是急躁的,与脾气和平者相处,可以改去急躁;我的精神不振,而得振作的朋友,我处于其中,也自然会于无形中振作起来。

所以如果我们有意去调理自己,则亲师取友,潜移默化,受其影响而得其养,是一个最好的办法。说得再广泛一些,如果要想调理自己,就得找一个好的环境。所谓好的环境,就是说朋友团体,求友要求有真志趣的朋友;好的朋友多,自然向上走了。如果在一块的人是不好的,那就很危险,不知不觉地就会日趋于下流。

再则,朋友彼此帮忙时所应注意的,就是:以同情为根本,以了解为前提。我们对朋友如果是爱护他的,自然要留意他的毛病短处,而顶要紧的,还是要对于他的毛病短处,须有一种原谅的意思。我们指点他的毛病短处的时候,应当是出于一个好的感情,应当是一个引导他帮助他的意思。是要给他以调理,不是只给他一个刺激就算完了。自然,有时候一个严重的刺激,也是不可少。即是说有时候有给他一个痛责的必要。但大体上说,你不要只给他一个刺激算完,必须得给他一种调治。如果爱惜他的意思不够,说话就不会发生效力。

思考讨论

1. 你的交友之道是什么?

2. 你愿意把老师和父母当做朋友吗?

君子安贫乐道

孟子曰："仕非为贫也，而有时乎为贫；娶妻非为养也，而有时乎为养。为贫者，辞尊居卑，辞富居贫。辞尊居卑，辞富居贫，恶乎宜乎？抱关击柝[1]。孔子尝为委吏矣[2]，曰：'会计当而已矣。'尝为乘田矣[3]，曰：'牛羊茁壮长而已矣。'位卑而言高，罪也；立乎人之本朝，而道不行，耻也。"

注释

[1]抱关：守门。柝（tuò）：巡夜所敲的木梆。 [2]委吏：负责管理仓库的小官。 [3]乘田：管理牲畜的小吏。

译文

孟子说："做官不是因为贫穷，但有时却是因为贫穷；娶妻不是为了奉养父母，但有时却是为了奉养父母。因为贫穷而做官，就该不做大官而做小官，不要高薪只求薄禄。不做大官做小官，不要高薪求薄禄，干哪样最适宜呢？守门打更就行了。孔子曾经做过管仓库的小吏，说道：'账目清楚就行了。'又曾经做过管理牲畜的小吏，说道：'牛羊长得肥壮就行了。'职位卑下而议论朝政，是罪过；在君主的朝廷上做官，却不能推行道义，是耻辱。"

万章曰："士之不托诸侯，何也？"

孟子曰："不敢也。诸侯失国，而后托于诸侯，礼也；士之托于诸侯，非礼也。”

万章曰：“君馈之粟，则受之乎？”

曰：“受之。”

“受之何义也？”

曰：“君之于氓也，固周之。”

曰：“周之则受，赐之则不受，何也？”

曰：“不敢也。”

曰：“敢问其不敢何也？”

曰：“抱关击柝者皆有常职以食于上，无常职而赐于上者，以为不恭也。”

曰：“君馈之，则受之，不识可常继乎？”

曰：“缪公之于子思也，亟问，亟馈鼎肉[1]。子思不悦。于卒也，摽使者出诸大门之外，北面稽首再拜而不受[2]，曰：‘今而后知君之犬马畜伋[3]。’盖自是台无馈也[4]。悦贤不能举，又不能养也，可谓悦贤乎？”

曰：“敢问国君欲养君子，如何斯可谓养矣？”

曰：“以君命将之，再拜稽首而受。其后廪人继粟，庖人继肉，不以君命将之。子思以为鼎肉使己仆仆尔亟拜也[5]，非养君子之道也。尧之于舜也，

使其子九男事之，二女女焉，百官牛羊仓廪备，以养舜于畎亩之中，后举而加诸上位，故曰，王公之尊贤者也。”

注释

[1]鼎肉：朱熹《四书集注》云：“鼎肉，熟肉也。” [2]稽（qǐ）首再拜：稽首，古代跪拜礼，行礼时两手拱至地，头至手，不触及地；再拜，拜两次。据考，“稽首再拜”称为“凶拜”，有拒绝之意；下文“再拜稽首”称为“吉拜”，有接受之意。 [3]伋：子思之名。 [4]台：义同“始”，才。 [5]仆仆：烦扰的样子。

译文

万章问道：“士不能依附诸侯过日子，这是为什么？”

孟子说：“是不敢。诸侯失掉了国家，去依附别的诸侯，这合乎礼；士依附诸侯，不合乎礼。”

万章说：“要是国君送给他粮食，那接不接受呢？”

孟子说：“接受。”

万章说：“接受是什么道理呢？”

孟子说：“国君对于外来的人士，本就可以周济的。”

万章说：“周济他就接受，赐予他就不接受，这又是为什么？”

孟子说：“是不敢。”

万章说：“请问不敢接受的理由何在？”

孟子说：“看门、打更的小吏都是由于有职务才接受上面的给养，没有正当的职务却接受上面的赐予，被认为是不恭敬的。”

万章说：“国君送东西给他，就接受，不知可以经常不断吗？”

孟子说："过去缪公对子思，屡次派人去问候，并赠送肉食。子思很不高兴。到最后，他把来人赶出大门，朝北面先叩头后作揖地拒绝了，说：'今天才知道君主是把我当做狗马那样畜养的。'从此仆人就不再来送东西了。喜爱贤士既不能举用，又不能奉养，能说是喜爱贤士吗？"

万章说："请问国君要奉养君子，怎样做才能说是奉养呢？"

孟子说："以国君的名义馈赠，他先作揖、后叩头地接受了。以后管粮仓的经常来送粮食，管膳食的经常来送肉食，就不再以国君的名义来送了。子思认为，馈送肉食使自己十分麻烦地一再作拜行礼，这不是奉养君子的做法。尧对于舜，派他九个儿子侍奉他，把两个女儿嫁给他，还有百官、牛羊、粮仓都齐备，以奉养舜于田野之中，然后提拔他到高位上，所以说，这才是王公尊敬贤士的典范。"

万章曰："敢问不见诸侯，何义也？"

孟子曰："在国曰市井之臣，在野曰草莽之臣，皆谓庶人。庶人不传质为臣[1]，不敢见于诸侯，礼也。"

万章曰："庶人，召之役，则往役；君欲见之，召之，则不往见之。何也？"

曰："往役，义也；往见，不义也。且君之欲见之也，何为也哉？"

曰："为其多闻也，为其贤也。"

曰："为其多闻也，则天子不召师，而况诸侯乎？为其贤也，则吾未闻欲见贤而召之也。缪公亟见于子思，曰：'古千乘之国以友士，何如？'子思不悦，曰：'古之人有言，曰事之云乎，岂曰友之云乎？'子思之不悦也，岂不曰：'以位，则子君也，我臣也，何敢与君友也？以德，则子事我者也，奚可以与我友？'千乘之君求与之友而不可得也，而况可召与？齐景公田，招虞人以旌，不至，将杀之。志士不忘在沟壑，勇士不忘丧其元。孔子奚取焉？取非其招不往也。"

曰："敢问招虞人何以？"

曰："以皮冠[2]。庶人以旃[3]，士以旂[4]，大夫以旌[5]。以大夫之招招虞人，虞人死不敢往；以士之招招庶人，庶人岂敢往哉？况乎以不贤人之招招贤人乎？欲见贤人而不以其道，犹欲其入而闭之门也。夫义，路也；礼，门也。惟君子能由是路，出入是门也。《诗》云：'周道如底，其直如矢；君子所履，小人所视[6]。'"

万章曰："孔子，君命召，不俟驾而行。然则孔子非与？"

曰："孔子当仕有官职，而以其官召之也。"

注释

[1]传质：指求见君主的人将献给君主的见面礼品交给通报的人，由他传送进去。质，见面礼。 [2]皮冠：打猎时戴的皮帽子。 [3]旃（zhān）：赤色曲柄的旗。 [4]旂：上画龙形，杆头系铃的旗。 [5]旌：用旄牛尾和彩色鸟羽做杆饰的旗。 [6]“周道”四句：出自《诗经·小雅·大东》。底，通“砥”，磨刀石。

译文

万章说：“请问，不去见诸侯，这是什么道理呢？”

孟子说：“（无职位的士人）在都市的叫做市井之臣，在郊野的叫做草莽之臣，统称为百姓。百姓没有传送见面礼而为臣属，不敢谒见诸侯，这是合乎礼的。”

万章说：“百姓，召他服役就去服役；国君要见他，召他，却不去见。这是为什么呢？”

答道：“去服役，合乎义；去见，不合乎义。而且国君要见他，是为什么呢？”

万章说：“是因为他见多识广，是因为他德高望重。”

孟子说：“如果因为他见多识广，那即使天子也不能召见老师，何况诸侯呢？如果因为他德高望重，那我从未听说过想与贤士相见却是召唤他来的。鲁缪公多次去见子思，说：‘古代拥有千辆兵车的国君与士人交友，是怎么做的？’子思不高兴地说：‘古代人的话，是说国君应拜他为师，哪会说与他交友呢？’子思的不高兴，难道（心里）不是说：‘论地位，那你是君主，我是臣下，怎么敢与君主交朋友呢？论品德，那你是该拜我为师的人，怎么可以与我交朋友呢？’拥有千辆兵车的国君想与他交友都办不到，更何况召唤他呢？齐景公打猎，拿饰有羽毛装饰的旌旗召唤管山林苑

囿的小吏，小吏没有去，景公要杀掉他。（孔子得知后说：）‘志士不怕弃尸山沟，勇士不怕丢掉脑袋。’孔子的赞赏是取他哪一点呢？就是取他敢于对不合乎礼仪的召唤不接受。”

万章说：“请问，召唤管山林苑囿的小吏该用什么东西？”

孟子答：“用皮帽子。召唤百姓用旃，召唤士人用旗，召唤大夫用旌。用召唤大夫的礼仪去召唤管山林苑囿的小吏，小吏死也不敢去；用召唤士人的礼仪去召唤百姓，百姓难道敢去吗？何况用召唤不贤之人的礼仪去召唤贤德之人呢？想见贤德之人却不遵循应有的礼节，就像请他进屋却把门关了。义，好比是路；礼，好比是门。只有君子能从这条路走，从这个门出入。《诗经》中说：‘大道平如磨刀石，又如箭矢一般直；有德君子上面走，百姓步步来效法。’”

万章说：“孔子，君命召唤，不等套好马车立即便走。那孔子错了吗？”

孟子说：“孔子当时正在做官，担任了职务，国君是以他的职务召唤他的。”

延伸阅读

安贫乐道

孟子说，“富贵不能淫，贫贱不能移，威武不能屈”（《孟子·滕文公下》），在他看来，这些都是成就君子品格的要求，同时，他说的“孔颜乐处”自然也是一种本色，物欲与品格如何才能明辨和取舍呢？这是一个历史命题，更是一个时代命题。今天人类倡导的节约能源、保护环境、高效低耗都是要求人们在获取快乐的同时，尽量降低对外界的索取。虽然古人不具备保护环境、持续发展的观念，但是，生活勤俭始终都是一种优良的品格。

春秋时期，鲁国有一个大夫叫做季文子，他官显位高，是文帝、宣帝、成帝朝代的宰相，不过他生活非常勤俭。他和他家人穿着朴素，从不铺张，别人对他说："你老婆从来不穿绸裹缎，你家养的马都不吃精料，大家都认为你太吝啬，而且你官那么大，实在有损国家的荣耀啊！"季文子说："许多老百姓都穿不起绵绸，而且每日吃糠咽菜。让我的妻妾和牲畜都骄奢淫逸，实在是失职和罪过呀！"孟子所说的"庖有肥肉，厩有肥马，民有饥色，野有饿莩"(《孟子·梁惠王上》)，同季文子的想法如出一辙。可见，官员的勤俭和政治的清廉是必然联系的。

思考讨论

1. 孟子安贫乐道的人生哲学你认同吗？为什么？

2. 你认为人在物质上的索取与为学、为道是相冲突的吗？为什么？

3. 谈谈你对孟子的为官之道的认识。

论友情

孟子谓万章曰："一乡之善士斯友一乡之善士，一国之善士斯友一国之善士，天下之善士斯友天下之善士。以友天下之善士为未足，又尚论古之人。颂其诗[1]，读其书，不知其人，可乎？是以论其世也。是尚友也。"

注释

[1] 颂：通“诵”。

译文

孟子对万章说：“一乡中的善士和这一乡的善士交朋友，一国中的善士和这一国的善士交朋友，天下的善士和天下的善士交朋友。认为同天下的善士交朋友还不够，就又上溯评论古代的人物。吟诵他们的诗，读他们的著作，（但）不了解他们的为人，行吗？所以还要研究他们所处的时代。这就是上溯同古人交朋友。”

齐宣王问卿。

孟子曰：“王何卿之问也？”

王曰：“卿不同乎？”

曰：“不同。有贵戚之卿，有异姓之卿。”

王曰：“请问贵戚之卿。”

曰：“君有大过则谏，反复之而不听，则易位。”

王勃然变乎色。

曰：“王勿异也。王问臣，臣不敢不以正对[1]。”

王色定，然后问异姓之卿。

曰：“君有过则谏，反复之而不听，则去。”

注释

[1] 正：诚实。

译文

齐宣王问有关公卿的问题。

孟子说："大王问哪一种公卿呢？"

宣王问："公卿还有不同的吗？"

孟子说："不同。有王室宗族的卿，有与王族不同姓的卿。"

宣王说："请问王室宗族之卿。"

孟子说："国君有了重大错误就要劝谏，反复劝谏还不听，就另立国君。"

宣王一下子变了脸色。

孟子说："大王不要奇怪。大王问我，我不敢不以实语回答您。"

宣王脸色恢复了正常，然后问与王族不同姓的卿。

孟子说："国君有过错就要劝谏，反复劝谏而不听，就离开。"

延伸阅读

劝谏与纳谏

孟子和齐宣王讨论什么是"卿"时，指出有贵戚之卿，有异姓之卿。贵戚之卿在国君有大过的时候应当反复劝谏，若国君不听劝告，则另立新君；异姓之卿在国君有过错时也应反复劝谏，若国君不听，就离开他的国家。因此，作为国君应当广开言路，尊重贤者，不管是谁的意见，只要正确就要听取。虚怀纳谏是上下交流的重要途径，也是使国家长盛不衰的重要保证。

唐太宗和魏征被认为是中国历史上君主虚怀纳谏、臣子勇于进谏的典范。唐太宗刚刚登基时，汲取隋朝灭亡的教训，他曾说："舟所以比人君，水所以比黎庶。水能载舟，亦能覆舟。"因此，他开始了一段较有作为的政略，出现了历史上有名的"贞观之治"。可是，

到了贞观中期，唐太宗开始大修庙宇宫殿，四处游玩，劳民伤财。于是，魏征在贞观十一年（637）的三月到七月这五个月中，连给唐太宗上了四疏，《谏太宗十思疏》就是其中著名的一篇。在这篇文章中，魏征上疏劝谏唐太宗慎重思考以下十点：

君人者，诚能见可欲，则思知足以自戒；将有作，则思知止以安人；念高危，则思谦冲而自牧；惧满溢，则思江海下百川；乐盘游，则思三驱以为度；忧懈怠，则思慎始而敬终；虑壅蔽，则思虚心以纳下；惧谗邪，则思正身以黜恶；恩所加，则思无因喜以谬赏；罚所及，则思无以怒而滥刑。

唐太宗先后接受了魏征二百多次批评规劝，还把他比作可以纠正自己过失的一面镜子。魏征病逝时，唐太宗非常悲伤，痛哭说："夫以铜为镜，可以正衣冠；以古为镜，可以知兴替；以人为镜，可以明得失……今魏征殂逝，遂亡一镜矣！"

思考讨论

1. 你的朋友多吗？请说说他们身上值得你学习的地方。

2. 如果你屡次劝说朋友改正过错，但是他（她）仍然不听，你会怎么办？

第十一章　告子上

食色，性也

告子曰："性犹杞柳也[1]，义犹桮棬也[2]。以人性为仁义，犹以杞柳为桮棬。"

孟子曰："子能顺杞柳之性而以为桮棬乎？将戕贼杞柳而后以为桮棬也？如将戕贼杞柳而以为桮棬，则亦将戕贼人以为仁义与？率天下之人而祸仁义者，必子之言夫！"

注释

[1] 杞（qǐ）柳：即柜柳。枝条柔韧，可以编制箱筐等器物。

[2] 桮棬（bēi quān）：器名。先用枝条编成杯盘之形，再以漆加工制成杯盘。桮，同"杯"。

译文

告子说："人的本性好比柜柳，仁义好比杯盘。使人性具备仁义，就像把柜柳塑造成杯盘。"

孟子说："你能顺着柜柳的本性制成杯盘呢，还是残害柜柳的本性去制成杯盘呢？如果是残害柜柳的本性去制成杯盘，那么也要残害人的本性去使它具备仁义吗？带领天下人去祸害仁义的，一定是你的这种言论！”

告子曰：“性犹湍水也[1]，决诸东方则东流，决诸西方则西流。人性之无分于善不善也，犹水之无分于东西也。”

孟子曰：“水信无分于东西[2]，无分于上下乎？人性之善也，犹水之就下也。人无有不善，水无有不下。今夫水，搏而跃之，可使过颡[3]；激而行之[4]，可使在山。是岂水之性哉？其势则然也。人之可使为不善，其性亦犹是也。”

注释

[1] 湍：急流。 [2] 信：确实。 [3] 颡（sǎng）：额角。 [4] 激：阻挡，阻遏。

译文

告子说：“人性好比湍急的水，在东边开个口就往东流，在西边开个口就往西流。人性本来就不分善与不善，就像水流本来不分向东向西一样。”

孟子说：“水流确实不分向东向西，难道也不分向上向下吗？人性的善，就好比水朝下流一样。人性没有不善的，水没有不向下流的。水，拍打一下使它飞溅起来，能使它高过人的额头；阻挡住它使它倒流，可以使它流到山上。这难道是水的本性吗？是情势逼迫它这样的。人之所以可以使他变得不善，他本性也正像这样受到了逼迫。”

告子曰：“生之谓性[1]。”

孟子曰：“生之谓性也，犹白之谓白与？”

曰：“然。”

“白羽之白也，犹白雪之白；白雪之白，犹白玉之白与？”

曰：“然。”

“然则犬之性犹牛之性，牛之性犹人之性与？”

注释

[1] 生之谓性：“生”、“性”古音相同，傅斯年考证“生”、“性”上古不分。

译文

告子说：“天生的禀赋就叫性。”

孟子说：“天生的禀赋就叫性，就像白的就叫白吗？”

告子说：“是的。”

孟子说：“白羽毛的白，就像白雪的白；白雪的白，就像白玉的白吗？”

告子说：“是的。”

孟子说：“那么，狗的本性就像牛的本性，牛的本性就像人的本性吗？”

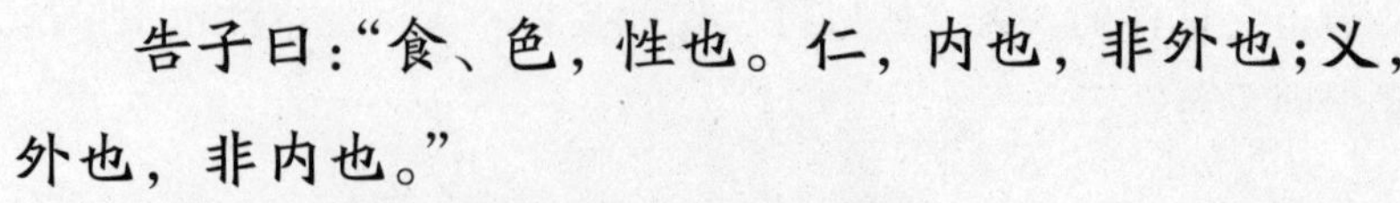

告子曰："食、色，性也。仁，内也，非外也；义，外也，非内也。"

孟子曰："何以谓仁内义外也？"

曰："彼长而我长之，非有长于我也；犹彼白而我白之，从其白于外也，故谓之外也。"

曰："异于白马之白也，无以异于白人之白也；不识长马之长也，无以异于长人之长与？且谓长者义乎？长之者义乎？"

曰："吾弟则爱之，秦人之弟则不爱也，是以我为悦者也，故谓之内。长楚人之长，亦长吾之长，是以长为悦者也，故谓之外也。"

曰："耆秦人之炙[1]，无以异于耆吾炙，夫物则亦有然者也。然则耆炙亦有外与？"

注释

[1] 耆（shì）：同"嗜"。炙：烤熟的肉。

译文

告子说："饮食、男女，是人的本性。仁，是内在的，不是外在的；义，是外在的，不是内在的。"

孟子说："为什么说仁是内在的、义是外在的呢？"

答道："他年长，我尊敬他，年长在他不在于我。就像那是白的东西，我认为它白，这是由于它外表的白色所决定的，所以说它是外在的。”

问道："白马的白和白人的白固然没有什么不同，但不知对老马的怜悯与对长者的尊敬是不是也没有什么区别呢？而且你所说的义，是在于长者呢，还是在于尊敬长者的人呢？”

告子说："我的弟弟就爱，秦人的弟弟就不爱，这是因为我的关系而乐意如此，所以说仁是内在的。尊敬楚人的长者，也尊敬我的长辈，这是因年长的关系而乐意如此，所以说义是外在的。”

孟子说："爱吃秦人的烤肉，与爱吃我自己的烤肉没有什么不同，事物也有类似的情形。那么，爱吃烤肉的心愿难道也是外在的吗？”

孟季子问公都子曰[1]："何以谓义内也？"

曰："行吾敬，故谓之内也。"

"乡人长于伯兄一岁，则谁敬？"

曰："敬兄。"

"酌则谁先？"

曰："先酌乡人。"

"所敬在此，所长在彼，果在外，非由内也。"

公都子不能答，以告孟子。

孟子曰："'敬叔父乎，敬弟乎？'彼将曰：'敬叔父。'曰：'弟为尸[2]，则谁敬？'彼将曰：'敬弟。'子曰：'恶在其敬叔父也？'彼将曰：'在位故也。'

子亦曰：‘在位故也。庸敬在兄，斯须之敬在乡人。’”

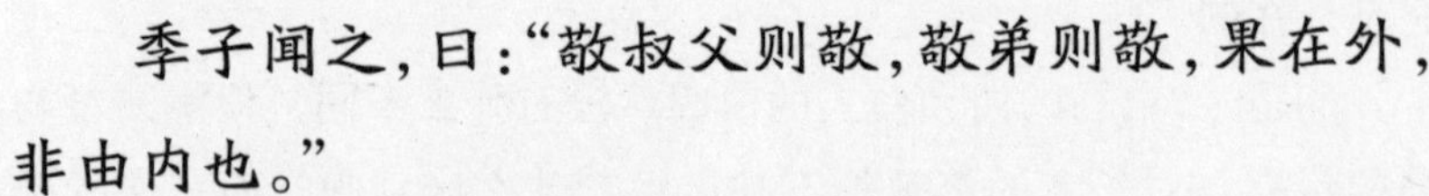

季子闻之，曰：“敬叔父则敬，敬弟则敬，果在外，非由内也。”

公都子曰：“冬日则饮汤，夏日则饮水，然则饮食亦在外也？”

注释

[1] 孟季子：朱熹云：“疑是孟仲子之弟也。”或说为任国国君之弟季任。　[2] 尸：古代祭祀时，代死者受祭、象征死者神灵的人，以臣下或死者的晚辈充任。后世改为用神主、画像。

译文

孟季子问公都子道：“为什么说义是内在的呢？”

答道：“它表达我的敬意，所以说是内在的。”

孟季子说：“如果有个乡人比你大哥大一岁，那你敬谁呢？”

公都子说：“敬大哥。”

孟季子说：“要是同席饮酒，你先给谁斟酒呢？”

公都子说：“先给乡人斟。”

孟季子说：“你内心敬的是大哥，却礼敬年长的乡人，可见义毕竟是外在的，并不是从内心发出的。”

公都子不能回答，便将它告诉了孟子。

孟子说：“（你可以反问）‘敬叔父，还是敬弟弟呢？’他会说：‘敬叔父。’你说：‘假如弟弟充任受祭的尸，那该敬谁呢？’他会说：‘敬弟弟。’你就说：‘那敬叔父又在哪里呢？’他会说：‘因为弟弟处在尸位的缘故。’那你也说：‘因为乡人处在客位的缘故。平常敬大哥，那一会儿敬乡人。’”

季子听了这话后，说：“该敬叔父时就敬叔父，该敬弟弟时就敬弟弟，可见义毕竟是外在的，不是发自内心的。”

公都子说：“冬天就喝热水，夏天喝凉水，那么，饮食也是外在的吗？”

公都子曰：“告子曰：‘性无善无不善也。’或曰：‘性可以为善，可以为不善。是故文、武兴，则民好善；幽、厉兴[1]，则民好暴。’或曰：‘有性善，有性不善。是故以尧为君而有象；以瞽瞍为父而有舜；以纣为兄之子，且以为君，而有微子启、王子比干[2]。’今曰‘性善’，然则彼皆非与？”

孟子曰：“乃若其情，则可以为善矣，乃所谓善也。若夫为不善，非才之罪也。恻隐之心，人皆有之；羞恶之心，人皆有之；恭敬之心，人皆有之；是非之心，人皆有之。恻隐之心，仁也；羞恶之心，义也；恭敬之心，礼也；是非之心，智也。仁义礼智，非由外铄我也[3]，我固有之也，弗思耳矣。故曰：‘求则得之，舍则失之。’或相倍蓰而无算者，不能尽其才者也。《诗》曰：‘天生蒸民，有物有则。民之

秉彝，好是懿德[4]。’孔子曰：‘为此诗者，其知道乎！故有物必有则，民之秉彝也，故好是懿德。’”

注释

[1]幽、厉：指周幽王、周厉王，周代两个暴君。　[2]微子启：据《左传》、《史记》记载，是纣王的庶兄。王子比干：纣王叔父，因劝谏而被纣王剖心而死。　[3]铄：以火销金，由外到内渐渐熔化。　[4]“天生”四句：出自《诗经·大雅·烝民》。蒸，《诗经》中作“烝”。秉，执、把握。彝，常规。

译文

公都子说：“告子说：‘人性没有善，也没有不善。’也有人说：‘人性可以为善，也可以为不善。所以周文王、武王在位，百姓就崇尚善；周幽王、厉王在位，百姓便崇尚暴戾。’还有人说：‘有的人性善，有的人性不善。所以，以尧这样的圣君，却有象这样的坏蛋；以瞽瞍这样坏的父亲，却有舜这样好的儿子；以纣这样暴虐的侄子，而且做了君主，却有微子启、王子比干这样仁德的贤人。’现在老师说人性本善，那么他们说的都不对吗？”

孟子说：“要说人的实情，那是可以为善的，这就是我所说的性善。至于有的人成为不善，不能归咎于他的初生之质不好。同情之心，人人都有；羞耻之心，人人都有；恭敬之心，人人都有；是非之心，人人都有。同情之心便是仁，羞耻之心便是义，恭敬之心便是礼，是非之心便是智。仁义礼智，不是从外面传给我的，是我本来就具有的，只是未曾去思索罢了。所以说：‘求索就可获得，放弃就会失去。’人与人有相差一倍、五倍甚至无数倍的，就是因为有些人不能充分发挥他们初生之质的缘故。《诗经》中说：‘上天生育了万民，有事物便有法则。民众把握了常规，爱好优美的德行。’孔子说：‘作这篇诗的人，真是懂得大道啊！所以有事物必然有法则，民众把握了常规，所以能爱好优美的德行。’”

孟子曰：“富岁子弟多赖[1]，凶岁子弟多暴，非天之降才尔殊也，其所以陷溺其心者然也。今夫麰麦[2]，播种而耰之[3]，其地同，树之时又同，浡然而生，至于日至之时[4]，皆熟矣。虽有不同，则地有肥硗[5]，雨露之养、人事之不齐也。故凡同类者，举相似也，何独至于人而疑之？圣人，与我同类者。故龙子曰：‘不知足而为屦[6]，我知其不为蒉也[7]。’屦之相似，天下之足同也。口之于味，有同耆也，易牙先得我口之所耆者也。如使口之于味也，其性与人殊，若犬马之与我不同类也，则天下何耆皆从易牙之于味也？至于味，天下期于易牙，是天下之口相似也。惟耳亦然，至于声，天下期于师旷，是天下之耳相似也。惟目亦然，至于子都[8]，天下莫不知其姣也。不知子都之姣者，无目者也。故曰：口之于味也，有同耆焉；耳之于声也，有同听焉；目之于色也，有同美焉。至于心，独无所同然乎？心之所同然者何也？谓理也，义也。圣人先得我心之所同然耳。故理、义之悦我心，犹刍豢之悦我口[9]。”

注释

[1] 赖：通“懒”，懒惰。 [2] 麰（móu）麦：大麦。 [3] 耰（yōu）：古农具，用于碎土平田。文中指播种后，覆土保护种子。 [4] 日至：夏至和冬至。文中指夏至。 [5] 硗（qiāo）：坚硬多石的贫瘠土地。 [6] 屦：草鞋。 [7] 蒉（kuì）：草编的筐。 [8] 子都：传说是古代的一位美男子。 [9] 刍豢：草食动物叫刍，如牛、羊等；谷食动物叫豢，如猪、狗等。

译文

孟子说：“丰收年成，青年子弟大多懒惰；灾荒年成，青年子弟大多横暴。并不是天生的资质如此，而是由于环境影响了他们的心才变成这样的。譬如大麦，播下种子，把地耙平，如土壤相同，播种时节也一样，便蓬勃生长，到夏至前后都成熟了。纵使有不同，那也是因为土地的肥瘠，雨露的滋养和人工管理的好坏不同罢了。所以，凡同类的东西，大体都是相似的，为什么唯独对人却要怀疑呢？圣人与我们是同类的。因此龙子说：‘即使不知道脚的大小去编草鞋，我也知道绝不会编成草筐。’草鞋的相似，是因为天下人的脚是相同的。口对于滋味，有相同的嗜好，易牙先掌握了我们口味的嗜好。假如口对于滋味，人人生来就不同，如狗、马与我们不同类一样，那为什么天下人都随从易牙烹调的口味呢？讲到口味，天下人都期望以易牙为标准，这说明天下人的味觉是相似的。耳朵也如此，讲到声音，天下人都期望以师旷为标准，这说明天下人的听觉是相似的。眼睛也如此，讲到子都，天下人没有不知道他的漂亮的。不知道子都漂亮的，那是没眼睛的人。所以说，口对于滋味，有相同的嗜好；耳对于声音，有相同的听觉；眼睛对于容色，有相同的美感。讲到人心，唯独就没有相同之处吗？人心相同之处是什么呢？是理，是义。圣人只是先掌握了我们内心的相同之处罢了。所以理、义愉悦我们的心，就如牛肉、猪肉等愉悦我们的口味一样。”

孟子曰：“牛山之木尝美矣[1]，以其郊于大国也[2]，斧斤伐之，可以为美乎？是其日夜之所息，雨露之所润，非无萌蘖之生焉[3]，牛羊又从而牧之，是以若彼濯濯也[4]。人见其濯濯也，以为未尝有材焉，此岂山之性也哉？虽存乎人者，岂无仁义之心哉？其所以放其良心者，亦犹斧斤之于木也，旦旦而伐之，可以为美乎？其日夜之所息，平旦之气，其好恶与人相近也者几希，则其旦昼之所为[5]，有梏亡之矣[6]。梏之反覆，则其夜气不足以存；夜气不足以存，则其违禽兽不远矣。人见其禽兽也，而以为未尝有才焉者，是岂人之情也哉？故苟得其养，无物不长；苟失其养，无物不消。孔子曰：‘操则存，舍则亡；出入无时，莫知其乡。’惟心之谓与？”

注释

[1]牛山：在齐国国都临淄南（今山东临淄南）。[2]郊：邻近。大国：这里指大城市，即临淄。[3]萌：草木萌发。蘖(niè)：树木被砍伐后再生的枝芽。[4]濯濯：光秃秃的样子。[5]旦昼：白天。[6]梏(gù)：通“搅”，搅乱。亦可理解为扼杀。

译文

孟子说：“牛山的树木曾很茂盛，由于它长在都市的郊外，人们经常用斧子去砍伐，它还能茂盛吗？虽然它日夜在生长，雨露也不断滋润着它，并不是说没有新枝嫩芽长出来，无奈牛羊又随之放牧其上，因此变得光秃秃的了。人们因其光秃秃了，便以为它从来没有长过树木，这难道是山的本来面目吗？就说在人身上吧，难道就没有仁义之心吗？之所以有人会丢失他本有的善心，那就像斧子对于树木一样，天天去砍伐它，它还能茂盛吗？他日夜所息养的善心，凌晨时接触的清明之气，使他的好恶与别人也差不多，可白天的作为，又使之泯灭了。这样反复地泯灭，那他夜晚所接触的清明之气就不足以保存；夜晚所接触的清明之气不足以保存，那他离禽兽就不远了。人们见他如同禽兽，便以为他不曾有过那本善的初生之质，这难道是人的实情吗？所以，如能得到培养，没有东西不会生长；如失去培养，没有东西不会丧失。孔子说：‘把握就存在，舍弃就消亡，出入无定时，不知去何方。’说的就是人心吧！”

延伸阅读

孟子说才志气欲（节选）

林语堂

最好是孟子讲“才”字，孟子要人“能尽其才”。“富岁子弟多赖，凶岁子弟多暴，非天之降才尔殊也。”孟子也明白人才善恶和环境的关系，“乃若其情，则可以为善矣，乃所谓善也。若夫为不善，非才之罪也。”“可以为善”四字，是性善的精义，是说有可以为善之才。既然人无有不善，只能不失其本性，使吾固有之善，可以培养滋长。“苟得其养，无所（物）不长；苟失其养，无物不消”，孟子言“才”，与“性”字同。牛山有材，是牛山之本性，日夜之所息，雨露之所润，非无萌蘖之生也。旦旦而伐之，则夜气不足以存，所以濯濯。人见其濯濯，以为未尝有材，“此岂山之性哉”？古人教育，皆是养才；今之教育，皆是恶补，是旦旦而伐之一类，哪里还有雨露之养、时雨之化意义？

思考讨论

1. 古今中外有许多关于人性的论述，请说说你所知道的。

2. 孟子讲性善，他说的“善”到底是什么？你认为“善”包含哪些内容呢？

3. 你认为仁义道德是人的天性，还是后天所得？

一曝十寒

孟子曰："无或乎王之不智也[1]。虽有天下易生之物也，一日暴之[2]，十日寒之，未有能生者也。吾见亦罕矣，吾退而寒之者至矣，吾如有萌焉何哉？今夫弈之为数[3]，小数也，不专心致志，则不得也。弈秋，通国之善弈者也。使弈秋诲二人弈，其一人专心致志，惟弈秋之为听。一人虽听之，一心以为有鸿鹄将至，思援弓缴而射之[4]，虽与之俱学，弗若之矣。为是其智弗若与？曰：非然也。"

注释

[1] 或：通"惑"，困惑。 [2] 暴：同"曝"。 [3] 弈：对弈，下棋。数：技巧，技艺。 [4] 缴（zhuó）：拴在箭上的生丝绳，这里指代箭。

译文

孟子说："（齐宣）王的不明智不足为怪。即使是天下最容易生长的东西，晒它一天，冻它十天，没有能生长的。我见君王的机会很少，我一退出，那些佞谄而陷王于不义的人便到了，我能拿王刚萌发的那点善心如何呢？好比下棋这种技艺，本是小技艺，如不专心致志，就学不好。弈秋是全国最擅长下棋的。让弈秋教两个人下棋，其中一人专心致志，一心只听弈秋讲解。另外一人虽然也在听，却一心以为有只天鹅要飞来了，想着拿弓箭去射它，虽然他同前一人一起在学，却不如人家。能说这是他的智力不如人家吗？我说，不是这样的。”

延伸阅读

持之以恒

孟子认为，人之为学，最大的不足就是缺乏恒心，没有恒心就会半途而废。同样，学习不用心，只能是一知半解。“一曝十寒”用通俗一点的语言说，就是“三天打鱼，两天晒网”，努力少，荒废多，很难取得成果。无论是学习还是做任何事情，都贵在坚持，贵在有恒心。

儒家的另外一位学者荀子对恒心的问题也有精辟的论述，荀子在《劝学》里说：骐骥传说可以日行千里，可是这样的良马跳跃一下，还不到十步远的距离；驽马虽然是劣种马，但是如果拉车走上十天，也可以走很远，原因就是它坚持不停止。雕刻木料，如果刻几下就停下来了，那么即使是腐烂的木头，也刻不断。如果不停刻下去，即使是金石也能雕刻成功。蚯蚓没有锋利的爪子和牙齿，可是它可以向上吃到泥土，向下喝到泉水，这是因为它用心专一。螃蟹有八只脚、两个钳子，但是如果没有蛇、鳝的洞穴，它就无处藏身，这是因为它用心浮躁，自己不肯努力。

王羲之早年的书法比不上当时的书法家庾翼，但是他练字非常刻苦。他从四五岁开始练字，直到五十九岁去世时，总共练习了五十多年，越到晚年，他的字写得越好。他不但每天都有大半时间用在练习写字上，就算是吃饭或者与朋友闲谈时，也总是用手到处指指划划。据说有一次，他正在书房里练字，书童送来了他最爱吃的蒜泥馒头，几次催他吃饭，他头也不抬，继续奋笔疾书。书童只好将王羲之的夫人请来劝他用膳。夫人来到书房，看见他

手里拿着一块沾满墨汁的馒头正往嘴里塞，弄得满嘴乌黑。原来他在吃饭时，眼睛还是看着字，脑子里想着写字，错把墨汁当成了蒜泥。正是因为不懈的努力，王羲之才取得了如此高的成就。他的《兰亭序》被称为“天下第一行书”。

北宋文坛领袖欧阳修说，他大多数的文章都是在马上、枕上、厕上所写（《归田录》），这些都是琐碎不起眼的时间，正是这些被大多数人浪费的时间，造就了中国文学史上一位璀璨的大家。

每个个体在小时候的差别是很小的，然而几十年后，当我们反观自己的一生，境遇差别却非常之大，有的人在专注的领域取得了杰出的成就，有的人却一事无成。与其抱怨命运的不公平，不如反求诸己：我们是否为我们希望的成就投入了足够多的时间？我们是否为了未来所需要的知识，做了足够多的积累？孟子告诉我们，一件事情是否成功，并不在于当时是否投入了足够多的热情，而在于是否一直坚持。

思考讨论

你做事情有半途而废的时候吗？读了这一节小故事，你有什么启发？

舍生取义

孟子曰：“鱼，我所欲也；熊掌，亦我所欲也。二者不可得兼，舍鱼而取熊掌者也。生，亦我所欲也；义，亦我所欲也。二者不可得兼，舍生而取义者也。生亦我所欲，所欲有甚于生者，故不为苟得也；死亦我所恶，所恶有甚于死者，故患有所不辟也。如使人之所欲莫甚于生，则凡可以得生者，何不用也？使人之所恶莫甚于死者，则凡可以辟患者，何不为也？由是则生而有不用也，由是则可以辟患而有不为也。是故所欲有甚于生者，所恶有甚于死者。非独贤者有是心也，人皆有之，贤者能勿丧耳。一箪食，一豆羹[1]，得之则生，弗得则死，嘑尔而与之，行道之人弗受；蹴尔而与之，乞人不屑也。万钟则不辨礼义而受之[2]。万钟于我何加焉？为宫室之美、妻妾之奉、所识穷乏者得我与？乡为身死而不受，今为宫室之美为之；乡为身死而不受，今为妻妾之奉为之；乡为身死而不受，今为所识穷乏者得我而为之[3]。是亦不可以已乎？此之谓失其本心。"

注释

[1] 豆：古代一种盛食物的器皿，形似高脚盘。 [2] 钟：古代量器，六石四斗为一钟。 [3] 得：通"德"，此处作动词。

译文

孟子说："鱼，是我想要的；熊掌，也是我想要的。要是两者不能兼有，就舍弃鱼而选取熊掌。生命，也是我想要的；义，也是我想要的。要是两者不能兼有，就舍弃生命而选取义。生命也是我想要的，但所想要的有胜过生命的，所以就不能苟且地去得到它；死亡也是我所厌恶的，但所厌恶的有胜过死亡的，所以对有些祸患就不能躲避。如果人们所要的东西没有胜过生命的，那一切可保持生命的手段，哪有不用的呢？如果人们所厌恶的东西没有胜过死亡的，那一切可逃避祸患的事情，哪有不做的呢？这样的手段可保存生命，可是有的人却不采用；这样的事情可躲避祸患，有的人却不做。这是因为人们所喜爱的东西有胜过生命的，所厌恶的东西有胜过死亡的。不独贤者有这种心，人人都有，不过贤者不会丧失它罢了。一筐饭，一碗汤，得到它就可以活，得不到它就可能要死，呵斥着施舍给人，就是饿着的过路人也不会接受；脚踏过再施舍给人，就是乞丐也不屑要。可现在万钟的俸禄却不问是否合乎礼义便接受了。万钟俸禄对我有什么好处呢？是为了住宅的豪华、妻妾的供养或相识的穷朋友能得我恩惠吗？过去宁可身死也不愿接受，今天却为住宅的豪华而接受了；过去宁可身死也不愿接受，今天却为妻妾的供养而接受了；过去宁可身死也不愿接受，今天却为相识的穷朋友能得我恩惠而接受了。这难道不可以罢手的吗？这就叫丧失了本心。"

延伸阅读

"杀身成仁"与"舍生取义"

中国有两个成语能显示出一种特别伟大的精神，一个叫"杀身成仁”，一个叫“舍生取义”。“杀身成仁”是孔子说的，“舍生取义”是孟子说的。孔子说：“志士仁人，无求身以害仁，有杀身以成仁。”（《论语·卫灵公》）在孔子看来，一个志士仁人绝不会为了求自己的生存而伤害仁德，他所能选择的只有一种，就是为了仁德不惜牺牲自己的生命。孟子讲的“舍生取义”，在孔子的“杀身成仁”基础上，重申了中华民族的这样一种伟大精神。

孔子并没有对“杀身成仁”做出论证，他只是提出了一个口号，孟子把这个论证的任务完成了。孟子首先用了一个比喻，他说鱼是我想要的，熊掌也是我想要的。鱼是比较容易得到的，而熊掌是比较难得的东西。然后孟子做了一个假设：假如两者之间只能取一，我们该怎么办？结论很简单，我们肯定会取难得的，而放弃比较常见的，所以结论是“舍鱼而取熊掌者也”。有了这么一个比喻所做的前提之后，孟子引出自己的观点，生命当然是很珍贵的，但是，义也是应该加以珍惜的东西。这两者不可得兼的时候怎么办？孟子斩钉截铁地得出了一个结论：放弃生命，珍惜义。

生命想要生存下去并不难，但是如果不思进取，只是想保持形体上的生命，便如孔子所说的“饱食终日，无所用心”（《论语·阳货》），那么一生便如白驹过隙，只是白白浪费了时间而已。孟子的鱼与熊掌的比喻，更强调的是生与死、义与利之间的选择。孟子注重人生价值的献身精神，后来发展成中华民族的一种昂扬的民族精神。正如孟子还说过这样的话：“天下有道，以道殉身；天下无道，以身殉道。”（《孟子·尽心上》）就是天下有秩序的时候，我们就按着道去做，天下无道的时候，用我们的生命去践行道，为道献身。这样的话说得非常有志气，非常有尊严。能够有这样的思想，能够说出这样的话的人，一定是志士仁人，绝不是蝇营狗苟的人。

思考讨论

1. 你如何看待“舍生取义”的行为？有没有比生命更可贵的东西？你认为是什么？

2. “志士仁人”这句成语出自哪里？中国历史上有许多志士仁人的故事，请举一两个你知道的。

心之官则思

孟子曰：“仁，人心也；义，人路也。舍其路而弗由，放其心而不知求，哀哉！人有鸡犬放，则知求之；有放心而不知求。学问之道无他，求其放心而已矣。”

孟子曰：“今有无名之指屈而不信[1]，非疾痛害事也，如有能信之者，则不远秦楚之路，为指之不若人也。指不若人则知恶之，心不若人则不知恶，此之谓不知类也[2]。”

孟子曰：“拱把之桐梓，人苟欲生之，皆知所以养之者。至于身，而不知所以养之者，岂爱身不若桐梓哉？弗思甚也。”

孟子曰：“人之于身也，兼所爱。兼所爱，则

兼所养也。无尺寸之肤不爱焉，则无尺寸之肤不养也。所以考其善不善者，岂有他哉？于己取之而已矣。体有贵贱，有小大[3]。无以小害大，无以贱害贵。养其小者为小人，养其大者为大人。今有场师，舍其梧槚[4]，养其樲棘[5]，则为贱场师焉。养其一指而失其肩背，而不知也，则为狼疾人也[6]。饮食之人，则人贱之矣，为其养小以失大也。饮食之人无有失也，则口腹岂适为尺寸之肤哉[7]？"

注释

[1] 信：同"伸"。 [2] 不知类：朱熹《四书集注》云："言不知轻重之等也。" [3]"体有贵贱"二句：朱熹《四书集注》云："贱而小者，口腹也；贵而大者，心志也。" [4] 梧：梧桐树。槚（jiǎ）：即梓树，木理细密，是上等木料。 [5] 樲（èr）棘：果木名，即酸枣。 [6] 狼疾：同"狼藉"，散乱、错杂的样子。这里是昏聩糊涂的意思。 [7] 适：通"啻（chì）"，但，只。

译文

孟子说："仁，是人的本心；义，是人的正路。舍弃正路而不走，放失本心而不知去找，可悲呀！有人家中的鸡狗走失了，还知道去找，可放失了本心却不知道去找。学问之道没别的，只是将放失的本心找回来罢了。"

孟子说："现在有个人无名指弯曲不能伸直，不是病痛也不碍

做事，但如有人能使它伸直，就是到秦国、楚国去（求医）也不觉得路远，为的只是手指(功能)不如别人。手指不如别人知道嫌恶，心不如别人却不知道嫌恶，这就叫做不分轻重缓急。”

孟子说：“一两把手粗的桐树、梓树，人们如果要使它生长，都知道怎样去培养。对于自身却不知道怎样去修养，难道爱自身还不如桐树、梓树吗？真是太不动脑筋了。”

孟子说：“人对于身体，所有部分都爱护。所有部分都爱护，那所有部分都得保养。没有一块肌肤不爱护，便没有一块肌肤不保养。所以看他对身体保养得好不好，难道有别的方法吗？只看他注重身体的哪一部分罢了。身体的部分有重要和次要、小和大的区别。不要因为小的损害大的，也不要因为次要的损害重要的。只注意保养小的是小人，能注意保养大的是君子。现在有个园艺师，舍弃梧桐、梓树，却去培植酸枣、荆棘，那是个蹩脚的园艺师。仅注意保养自己的一个手指却遗忘了肩和背，自己还不知道，那是个糊涂透顶的人。只讲吃喝的人，人们鄙视他，因为他只注意保养小的而遗忘了大的。讲究吃喝的人不遗忘品德的培养，那满足口腹的需要难道只是为了保养口腹那一小部分吗？

公都子问曰：“钧是人也[1]，或为大人，或为小人，何也？”

孟子曰：“从其大体为大人，从其小体为小人。”

曰：“钧是人也，或从其大体，或从其小体，何也？”

曰：“耳目之官不思，而蔽于物。物交物，则引

之而已矣。心之官则思，思则得之，不思则不得也。此天之所与我者。先立乎其大者，则其小者不能夺也。此为大人而已矣。”

注释

[1] 钧：同“均”，同。

译文

公都子问道：“同样是人，有的是君子，有的是小人，为什么呢？”

孟子说：“依从重要器官需要的是君子，依从次要器官需要的是小人。”

公都子又问：“同样是人，有的依从重要器官需要，有的依从次要器官需要，为什么呢？”

孟子说：“耳朵、眼睛这些器官不会思考，所以被外物蒙蔽。它们与外物一接触，就只能被外物引诱罢了。心这个器官是会思考的，思考就能得到（善性），不思考就得不到（善性）。这是天赋予我们的。先确立起大的东西（善性），那次要的东西就无法与之争夺了。成为君子的道理仅此而已。”

孟子曰：“有天爵者，有人爵者[1]。仁义忠信，乐善不倦，此天爵也；公卿大夫，此人爵也。古之人修其天爵，而人爵从之。今之人修其天爵以要人爵，既得人爵而弃其天爵，则惑之甚者也，终亦必亡而已矣。”

孟子曰：“欲贵者，人之同心也。人人有贵于己者，弗思耳矣。人之所贵者，非良贵也。赵孟之所贵[2]，赵孟能贱之。《诗》云：‘既醉以酒，既饱以德[3]。’言饱乎仁义也，所以不愿人之膏粱之味也。令闻广誉施于身，所以不愿人之文绣也。”

孟子曰：“仁之胜不仁也，犹水胜火。今之为仁者，犹以一杯水救一车薪之火也；不熄，则谓之水不胜火，此又与于不仁之甚者也，亦终必亡而已矣。”

孟子曰：“五谷者，种之美者也，苟为不熟，不如荑稗[4]。夫仁，亦在乎熟之而已矣。”

孟子曰：“羿之教人射，必志于彀[5]，学者亦必志于彀。大匠诲人必以规矩，学者亦必以规矩。”

注释

[1] 天爵、人爵：天爵指仁义忠信等，孟子认为天爵是天然的荣耀。人爵通常指卿相大夫等封赏的爵位。 [2] 赵孟：即赵盾，字孟。春秋时晋国正卿，掌握晋国的实权，因而他的子孙后来也称赵孟。 [3]“既醉”二句：出自《诗经·大雅·既醉》，是周代祭祖时祭辞中的两句。 [4] 荑（tí）：即稊，稗类植物，结的果实很小，用以喂养家畜，荒年也可充作口粮。 [5] 彀（gòu）：把弓拉满。朱熹《四书集注》：“志，犹期也；彀，弓满也。”

译文

孟子说："有天然的爵位，有人世的爵位。仁义忠信，好善不止，这是天然的爵位；公、卿、大夫，这是人世的爵位。古代的人修养其天然的爵位，人世的爵位也随之而来。现在的人修养其天然的爵位以追求人世的爵位，一旦获得人世的爵位，便抛弃天然的爵位，那真是糊涂透顶了，最终也必然会失去人世的爵位。"

孟子说："想要得到尊贵，是人们的共同心愿。每个人都有可尊贵的东西，只是未曾去思索罢了。别人给予的尊贵，不是真正的尊贵。赵孟（加官晋爵）使之尊贵的人，赵孟也能使之低贱。《诗经》中说：'酒已经醉了，德已经饱了。'这是说仁义已使我富足了，也就不羡慕别人的肥肉精米了。广为传播的好名声在我身上，也就不羡慕别人的锦绣衣裳了。"

孟子说："仁胜过不仁，如水能扑灭火一样。现在行仁的人，就如以一杯水去救一车木柴所燃的火；扑灭不了，便说水扑灭不了火，这又大大助长了那些很不仁的人，最终连已行的那一点点仁也必定会消失的。"

孟子说："五谷，是粮食作物中的好东西，但如果种了不能成熟，那就反倒不如荑稗这类野生植物了。仁，也只在于使它成熟罢了。"

孟子说："羿教人射箭，必定要求拉满弓，学射之人也必定期望拉满弓。著名的木匠教人，必定得依循规矩，学做木工的人必定要依循规矩。"

延伸阅读

孟子的理性原则

孔子之后，孟子之前，理性原则受到了墨、道等学派的挑战，维护与重建儒家理性主义传统成了当务之急，这一历史背景使孟子将理性原则放在了一个更为突出的地位。

这里，我们先对当时的历史背景做一个简单的介绍。墨家学说重视感性实践，《墨子》一书中有这样一个例子：盲人也可以从理论上说什么是黑，什么是白，可是把黑色和白色的东西混在一起，让盲人来分辨，盲人马上就不知所措了。由此得出结论，只有实践才能检验一个人是否真知。进而，墨子提出了著名的三表说，即先王的历史事迹、众人的感知、治理国家的政治实践。他认为判断某一观点是否正确，就必须从以上三个方面来考察。在墨子所建立的是非判断标准中，把历史经验和直接经验视为检验对错的终极标准，然而，经验总是有条件的、片面的、有适用范围的，墨子以狭隘的经验来判断对错，忽视了理性认识的作用，显然是片面的。墨子甚至由狭隘的经验论出发，判定了鬼神的存在。

而老子则走入了另外一个极端，即过分重视直觉的作用而怀疑经验认识的可靠性。老子把人的认识行为分成了“为学”和“为道”两种。“为学”相当于经验范围的认识；“为道”则是超越经验范围的认知，其所认知的对象不是一个个具体的事物，而是世界的本质和规律性。老子把“道”作为认识的主要对象，他认为无论是人类的感性认知还是理性思考，都无法真正认识玄妙的“道”，所以他提出“塞其兑”的主张，即关闭感觉的大门，使主体达到一种虚静的状态，通过“玄览”（直觉）来把握感性与理性认识都无法把握的“道”。

基于以上两种学说对儒家理性原则的挑战，孟子把重建理性思维放在了一个非常重要的地位。孟子首先对人的认识能力做了具体考察，区分了人的两种认识功能：其一，以眼、耳、鼻、口等感官为中介的感性认识；其二，以“心之官”为中介的理性认识。在孟子看来，以感官为中介的感性思维容易受到外部力量的蒙蔽，而“心之官”则具有思维的功能，离开了理性思维，人无法获得正确的认知。

孟子提高了理性思维的地位：一、“耳目之官”不如“心之官”，因为前者欠缺思维的功能；二、理性思维被认为是获得正确认识的唯一条件，所谓“思则得之，不思则不得”（《孟子·告子上》）。于是，理性认识成了整个认识的决定性因素，而没有被提升为理性认知的感性知觉则被排斥在正确认识之外。相较于孔子兼容感性认知，孟子更重视理性主义的原则。

思考讨论

1. 请讲述感性和理性在认知过程中的作用。

2. 你认为感性认识和理性认识哪个重要？为什么？

3. 孟子谈的“大人”与“小人”的区别是什么？谈谈你对人格境界的理解。

第十二章　告子下

“礼”之由来

任人有问屋庐子曰[1]：“礼与食孰重？”

曰：“礼重。”

“色与礼孰重？”

曰：“礼重。”

曰：“以礼食，则饥而死；不以礼食，则得食。必以礼乎？亲迎[2]，则不得妻；不亲迎，则得妻。必亲迎乎？”

屋庐子不能对，明日之邹以告孟子。

孟子曰：“于答是也何有？不揣其本[3]，而齐其末，方寸之木可使高于岑楼[4]。金重于羽者，岂谓一钩金与一舆羽之谓哉[5]？取食之重者与礼之轻者而比之，奚翅食重[6]？取色之重者与礼之轻者而比之，奚翅色重？往应之曰：‘紾兄之臂而夺之食[7]，则得食；不紾，则不得食，则将紾之乎？逾东家墙

而搂其处子[8]，则得妻；不搂，则不得妻，则将搂之乎？’”

注释

[1]任：国名。大皞之后，风姓，在今山东济宁。屋庐子：姓屋庐，名连，孟子弟子。 [2]亲迎：古代结婚六礼之一，新郎亲自至女家，迎新娘入室，行交拜合卺之礼。 [3]揣：揣摩。《方言》云：“度高为揣。” [4]岑楼：高楼。朱熹《四书集注》曰：“岑楼，楼之高锐似山者。”《说文解字》：“岑，山小而高。” [5]钩：重量单位，比两要小。 [6]翅：同“啻”，止，转折。 [7]紾（zhěn）：扭。赵岐注：“紾，戾也。” [8]搂：《说文解字》：“搂，曳聚也。”赵岐注：“搂，牵也。”此处应为挟持之意。处子：未出嫁的女子。

译文

有个任国人问屋庐子说：“礼仪和饮食哪个重要？”

屋庐子说：“礼仪重要。”

这人又问：“性欲和礼仪哪个重要？”

屋庐子说：“礼仪重要。”

这人便说：“按照礼仪去谋食，就得饿死；不按照礼仪去谋食，就能得到食物。那一定要按照礼仪吗？行亲迎礼，就得不到妻子；不行亲迎礼，就能得到妻子。那一定要行亲迎礼吗？”

屋庐子不能回答，第二天便到邹国把这些问题告诉了孟子。

孟子说：“回答这个又有何难？不度量根基是否一致，却只比较它们顶端的高低，即使寸把厚的木块（搁在高处）也可以高过

尖顶高楼。金子比羽毛重，难道说一丁点金子也比一车羽毛重？拿饮食的重要方面与礼仪的细微方面去比，岂止是饮食重要？拿性欲重要方面与礼仪的细微方面去比，岂止是性欲重要？你去回答他说：‘扭折哥哥的胳膊而夺去他的食物，就能有吃的；不扭折，就得不到吃的，那会去扭吗？翻过东邻的墙去搂抱他家的姑娘，就能有妻室；不去搂抱，就得不到妻室，那会去搂抱吗？’”

曹交问曰[1]：“人皆可以为尧、舜，有诸？”

孟子曰：“然。”

“交闻文王十尺，汤九尺，今交九尺四寸以长，食粟而已，如何则可？”

曰：“奚有于是？亦为之而已矣。有人于此，力不能胜一匹雏，则为无力人矣；今曰举百钧，则为有力人矣。然则举乌获之任[2]，是亦为乌获而已矣。夫人岂以不胜为患哉？弗为耳。徐行后长者谓之弟，疾行先长者谓之不弟。夫徐行者，岂人所不能哉？所不为也。尧舜之道，孝弟而已矣。子服尧之服，诵尧之言，行尧之行，是尧而已矣。子服桀之服，诵桀之言，行桀之行，是桀而已矣。”

曰：“交得见于邹君，可以假馆，愿留而受业于门。”

曰："夫道若大路然，岂难知哉？人病不求耳。子归而求之，有余师。"

注释

[1] 曹交：人名，生平不详。　　[2] 乌获：人名，传说是古代的一个大力士。

译文

曹交问道："人人都可以成为尧舜，是这样吗？"

孟子说："是的。"

曹交说："我听说文王身高十尺，汤身高九尺，如今我身高九尺四寸，只会吃饭罢了，要怎样才可以呢？"

孟子说："这有什么呢？只要去做就是了。这里有个人，自以为一只小鸡都提不起，那就是毫无力气的人；现在他说能举得起三千斤，那就是很有力气的人了。那么，能举起乌获所能举的重量，也就是乌获了。人怕的难道是不能胜任吗？只是不做罢了。缓慢地走在长者后面叫做悌，飞快地走在长者前面叫做不悌。缓慢地走，难道人们不能做吗？是不做罢了。尧舜之道，只是孝悌而已。你穿尧的衣服，说尧的话，做尧的事，便是尧了。你穿桀的衣服，说桀的话，做桀的事，就是桀了。"

曹交说："我去谒见邹君，可以借个住所，愿意留在您的门下受教。"

孟子说："道就像大路一样，难道难于知晓吗？就怕人们不去寻求。你回去自己寻求吧，老师多的是。"

延伸阅读

礼

中国在历史上号称“礼仪之邦”，这种称呼从何而来呢？“礼貌待人”、“礼贤下士”、“克己复礼”这些说法大家都常常见到，那么“礼”到底是什么意思？它是怎么来的？下面我们一起了解一下吧！

“礼”在中国古代用于定亲疏，决嫌疑，别同异，明是非。《释名》曰：“礼，体也，得事体也。”礼是一个人为人处事的根本，也是人之所以为人的一个标准。

“礼”的产生要从武王伐纣说起，武王攻陷商的都城之后，商朝灭亡了，周王朝建立起来。没过多久，周武王去世，武王的儿子成王即位，成王当时年幼，由武王的弟弟周公摄政。周公的政绩之一，就是定“礼”，史上称“周公制礼”。他制定了关于冠、婚、丧、祭、乡、射、朝、聘等比较完善的礼仪制度。《礼记》云：“以之居处有礼，故长幼辨也；以之闺门之内有礼，故三族和也；以之朝廷有礼，故官爵序也；以之田猎有礼，故戎事闲也；以之军旅有礼，故武功成也。是故宫室得其度……鬼神得其飨，丧纪得其哀，辨说得其党，官得其体，政事得其施。”可见周公制定的礼仪范围之广，“君子无物而不在礼矣”。

春秋时期，诸侯混战，分封制遭到破坏，周王室衰微，“礼崩乐坏”，孔子希望通过恢复周礼，重建伦理道德规范体系，约束人们的行为，他曾说：“周监于两代，郁郁乎文哉！吾从周。”（《论语·八佾》）“仁”与“礼”构成了孔子学说的核心内容。“仁”是“礼”的内涵，“礼”则是“仁”的外化。《论语·颜渊》记载：“颜渊问仁。子曰：‘克己复礼为仁。一日克己复礼，天下归仁焉。为仁由己，而由人乎哉？’颜渊曰：‘请问其目。’子曰：‘非礼勿视，非礼勿听，非礼勿言，非礼勿动。’颜渊曰：‘回虽不敏，请事斯语矣。’”

儒家的经典著作《论语》、《孟子》、《荀子》中都有大量关于“复礼”、“礼治”的论述。伴随着儒学的官方化，“礼”文化也就渗透到了中国文化和中国社会的方方面面。《三礼》（《周礼》、《礼仪》、《礼记》）更被列入儒家的“十三经”之中，成为古代科举考试的必考科目。“礼”作为中国社会的道德规范和生活准则，对中华民族精神素质的修养起到了重要作用。同时，随着社会的变革和发展，“礼”不断被赋予新的内容，不断发生着改变和调整。

思考讨论

1. 中国为什么会被称为“礼仪之邦”？
2. 有句俗语叫“礼多人不怪”，你怎么看待？

亲亲之怨

公孙丑问曰：“高子曰[1]：《小弁》[2]，小人之诗也。”

孟子曰：“何以言之？”

曰：“怨。”

曰：“固哉，高叟之为诗也！有人于此，越人关弓而射之，则己谈笑而道之。无他，疏之也。其兄

关弓而射之，则己垂涕泣而道之。无他，戚之也。《小弁》之怨，亲亲也。亲亲，仁也。固矣夫，高叟之为诗也！”

曰：“《凯风》何以不怨[3]？”

曰：“《凯风》，亲之过小者也；《小弁》，亲之过大者也。亲之过大而不怨，是愈疏也；亲之过小而怨，是不可矶也[4]。愈疏，不孝也；不可矶，亦不孝也。孔子曰：‘舜其至孝矣，五十而慕[5]。’”

注释

[1] 高子：生平不详，因孟子称之为“高叟”，或许较孟子年长。 [2]《小弁（pán）》：《诗经·小雅》中的一篇。旧说是指责周幽王的诗。周幽王先娶申后，生宜臼，立为太子；后宠褒姒，改立褒姒之子伯服为太子，废申后及太子宜臼。此诗述说的就是宜臼的哀伤、怨恨之情。传说是宜臼的老师所作。 [3]《凯风》：《诗经·邶风》中的一篇。旧说卫国有个已有七个儿子的母亲想改嫁，于是七个儿子作此诗来自责不孝，以使母亲感悟。 [4] 矶（jī）：激怒，触犯。 [5] 慕：依恋。

译文

公孙丑问道：“高子说：《小弁》是小人的诗。”

孟子说：“为什么这么说呢？”

公孙丑说：“因为诗中有怨恨之情。”

孟子说：“高老先生的论诗太机械了！如果有一个人，越国人拉开弓去射他，他可以有说有笑地讲这件事。没有别的原因，只因为越国人与他关系疏远。如果是他哥哥拉开弓射他，他就会啼哭着讲这件事。没有别的原因，只因为哥哥是他的家人。《小弁》的怨恨，是出于爱护亲人。爱护亲人，是仁的表现。高老先生如此解诗太机械了！”

公孙丑说：“《凯风》这首诗为什么没有怨恨之情？”

孟子说：“《凯风》是因为亲人过错小，《小弁》是因为亲人过错大。父母过错大却不怨恨，就愈显得与父母疏远；父母过错小却怨恨，是不应该的激怒。更加疏远父母，是不孝；不应该的激怒，也是不孝。孔子说：‘舜是最孝顺的了，到五十岁还依恋父母。’”

宋牼将之楚[1]，孟子遇于石丘[2]，曰：“先生将何之？”

曰：“吾闻秦楚构兵，我将见楚王说而罢之。楚王不悦，我将见秦王说而罢之。二王我将有所遇焉。”

曰：“轲也请无问其详，愿闻其指。说之将何如？”

曰：“我将言其不利也。”

曰：“先生之志则大矣[3]，先生之号则不可[4]。先生以利说秦楚之王，秦楚之王悦于利，以罢三军之师，是三军之士乐罢而悦于利也。为人臣者怀利以事其君，为人子者怀利以事其父，为人弟者怀利

以事其兄，是君臣、父子、兄弟终去仁义[5]，怀利以相接，然而不亡者，未之有也。先生以仁义说秦楚之王，秦楚之王悦于仁义，以罢三军之师，是三军之士乐罢而悦于仁义也。为人臣者怀仁义以事其君，为人子者怀仁义以事其父，为人弟者怀仁义以事其兄，是君臣、父子、兄弟去利，怀仁义以相接也，然而不王者，未之有也。何必曰利？”

注释

[1]宋牼（kēng）：宋国人，战国时著名学者，又称为宋子。　[2]石丘：地名，在当时的宋国。　[3]大：善，好的。　[4]号：说辞，提法。　[5]终：全部。

译文

宋牼要去楚国，孟子在石丘遇见他，问道：“先生要到哪里去？”

宋牼说：“我听说秦楚两国交战，我要去进见楚王劝说他罢兵。楚王要是不听，我就去进见秦王劝说他罢兵。两个君王中我总会遇上听从的。”

孟子说：“我不想打听详细内容，只想听听你的大意。您将怎样劝说呢？”

宋牼说：“我将陈说交兵的不利。”

孟子道：“先生的用心是好的，但先生的提法却不行。先生以利去劝说秦楚两国君王，秦楚两国君王因对利感兴趣而罢兵，这就使三军官兵乐于罢兵而喜欢利。做人臣的怀着利去侍奉君主，做人子的怀着利去侍奉父亲，做人弟的怀着利去侍奉哥哥，这就使得君臣、父子、兄弟间完全去除仁义，怀着利来相互对待，如此而不灭亡的，还未曾有过。先生要是以仁义去劝说秦楚两国君王，秦楚两国君王因对仁义感兴趣而罢兵，这就使三军官兵乐于罢兵而喜欢仁义。做人臣的怀着仁义去侍奉君主，做人子的怀着仁义去侍奉父亲，做人弟的怀着仁义去侍奉哥哥，这就使得君臣、父子、兄弟间完全去除利，怀着仁义来相互对待，如此而不称王天下的，还未曾有过。何必说利呢？”

孟子居邹，季任为任处守[1]，以币交，受之而不报。处于平陆[2]，储子为相，以币交，受之而不报。他日，由邹之任，见季子；由平陆之齐，不见储子。屋庐子喜曰："连得间矣[3]。"问曰："夫人之任，见季子；之齐，不见储子，为其为相与？"

曰："非也。《书》曰：'享多仪[4]，仪不及物曰不享，惟不役志于享。'为其不成享也。"

屋庐子悦。或问之，屋庐子曰："季子不得之邹，储子得之平陆。"

注释

[1]季任:任国国君的弟弟。 [2]平陆:地名,战国时为齐地。[3]连：屋庐子的名。 [4]多：称赞。

译文

孟子住在邹国时，季任代理任国的国政，送礼物来结交，孟子接受了礼物却不回报。孟子住在平陆时，储子做齐国的相，送礼物来结交，孟子接受了礼物却不回报。过了些日子，孟子从邹国到任国，拜访了季子；从平陆到齐都，却没去拜访储子。屋庐子高兴地说："我明白其中的区别了。"便问道："老师到任国，拜访了季子；到齐都，却不拜访储子，是因为他仅是个国相吧？"

孟子说："不是的。《尚书》中说：'进献以有仪节为贵，仪节与礼物不相称只能称作没有进献，这是进献之人没把心意用在进献上。'是因为他不成其为进献。"

屋庐子很高兴。有人问他，屋庐子说："季子不能去邹国，储子却能去平陆的。"

延伸阅读

《小弁》与《凯风》

《小弁》是一首充满忧愤情绪的哀怨诗。从诗本身所表述的内容来看，是诗人的父亲听信了谗言，把他放逐，致使他幽怨哀伤、抱怨父亲。诗文如下：

弁彼鸒（yù）斯，归飞提提。民莫不谷，我独于罹。何辜于天？我罪伊何？心之忧矣，云如之何？

踧（cù）踧周道，鞫为茂草。我心忧伤，惄（nì）焉如捣。假寐永叹，维忧用老。心之忧矣，疢（chèn）如疾首。

维桑与梓，必恭敬止。靡瞻匪父，靡依匪母。不属于毛，不离于里。天之生我，我辰安在？

菀彼柳斯，鸣蜩嘒（huì）嘒，有漼（cuǐ）者渊，萑苇淠（pèi）

淠。譬彼舟流，不知所届。心之忧矣，不遑假寐。

鹿斯之奔，维足伎伎。雉之朝雊（gòu），尚求其雌。譬彼坏木，疾用无枝。心之忧矣，宁莫之知？

相彼投兔，尚或先之。行有死人，尚或墐之。君子秉心，维其忍之。心之忧矣，涕既陨之。

君子信谗，如或酬之。君子不惠，不舒究之。伐木掎矣，析薪扡（chǐ）矣。舍彼有罪，予之佗矣。

莫高匪山，莫浚匪泉。君子无易由言，耳属于垣。无逝我梁，无发我笱（gǒu）。我躬不阅，遑恤我后！

这篇诗文翻译成现代汉语，意思如下：

那些小鸟多快活，安闲翻飞在巢窠。人们生活多美好，唯独我遭遇灾祸。我有何罪？忧伤充满我心中，对此我又能如何？

平平坦坦的大道，到处长满青草。深深忧伤在我心，忧伤如同棒杵捣。和衣而卧哀声叹，忧伤使我容颜老。忧伤充满我心中，头疼心烦真焦躁。

看到桑树梓树林，恭敬顿生敬爱心。无时不尊敬父亲，无时不眷恋母亲。不连皮裘外面毛，不附皮裘内里衬。老天如今生下我，哪里有我好运时？

株株柳树真茂密，上面蝉鸣声声急。深不见底一潭水，周围芦苇真密集。我像漂流的小舟，不知漂流到哪里。忧伤充满我心中，没空打盹思不停。

看那野鹿奔跑快，扬起四蹄真轻巧。听那野鸡早晨叫，雄鸟尚且求雌鸟。我就像生病的树，病得长不出枝条。忧伤充满在心中，难道就没人知道？

看那野兔入罗网，尚且有人把它放。路上遇到了死人，尚且有人把他葬。父亲对我的处置，为何残忍这般样？忧伤充满我心中，使我眼泪落千行。

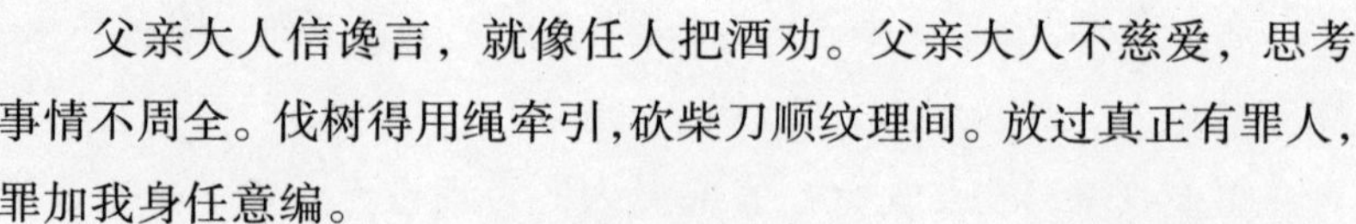

父亲大人信谗言，就像任人把酒劝。父亲大人不慈爱，思考事情不周全。伐树得用绳牵引，砍柴刀顺纹理间。放过真正有罪人，罪加我身任意编。

不高就不是山峦，不深就不是泉水。君子不能轻发言，有人耳朵贴墙边。不要把我鱼梁拆，不要把我鱼笼扳。我身已经无处容，后事哪有空挂念！

关于《凯风》的主题，说法不一。《毛诗序》说：“《凯风》，美孝子也。卫之淫风流行，虽有七子之母，犹不能安其室。故美七子能尽其孝道，以慰其母心，而成其志尔。”认为是赞美孝子的诗。朱熹《诗集传》承其意，进一步说：“母以淫风流行，不能自守，而诸子自责，但以不能事母，使母劳苦为词。婉词几谏，不显其亲之恶，可谓孝矣。”这种说法在我们看来显然有些牵强。而魏源、皮锡瑞、王先谦总结今文三家遗说，认为是七子孝事其继母的诗，则比较通达。现代诗人闻一多认为这是一首“名为慰母，实为谏父”的诗（《诗经通义》）。诗文如下：

凯风自南，吹彼棘心。棘心夭夭，母氏劬（qú）劳。
凯风自南，吹彼棘薪。母氏圣善，我无令人。
爰有寒泉？在浚之下。有子七人，母氏劳苦。
睍睆（xiàn huǎn）黄鸟，载好其音。有子七人，莫慰母心。

这首诗翻译成现代汉语意思如下：

和风徐徐自南来，吹拂酸枣树的心。
树心还小太娇嫩，母亲实在很辛勤。
和风徐徐自南来，吹拂酸枣粗枝条。
母亲明理有美德，我不成器难回报。
寒泉寒泉水清凉，源头就在浚土上。

儿子纵然有七个，母亲仍是很劳苦。

小小黄雀婉转鸣，声音悠扬真动听。

儿子纵然有七个，不能宽慰慈母心。

思考讨论

1. 中国人常说“百善孝为先”，你是个孝顺的孩子吗？你认为孝顺应该表现在哪些方面呢？

2. 孟子善于用比喻和设问的方式劝说别人，你认为语言艺术重要吗？读了《孟子》以后，你学会了哪些语言艺术呢？

君子之所为，众人固不识也

淳于髡曰：“先名实者，为人也；后名实者，自为也。夫子在三卿之中[1]，名实未加于上下而去之，仁者固如此乎？”

孟子曰：“居下位，不以贤事不肖者，伯夷也；五就汤，五就桀者，伊尹也；不恶污君，不辞小官者，柳下惠也。三子者不同道，其趋一也。一者何也？曰：仁也。君子亦仁而已矣，何必同？”

曰：“鲁缪公之时，公仪子为政[2]，子柳、子思为臣[3]，鲁之削也滋甚。若是乎，贤者之无益于国也！”

曰："虞不用百里奚而亡，秦穆公用之而霸。不用贤则亡，削何可得与？"

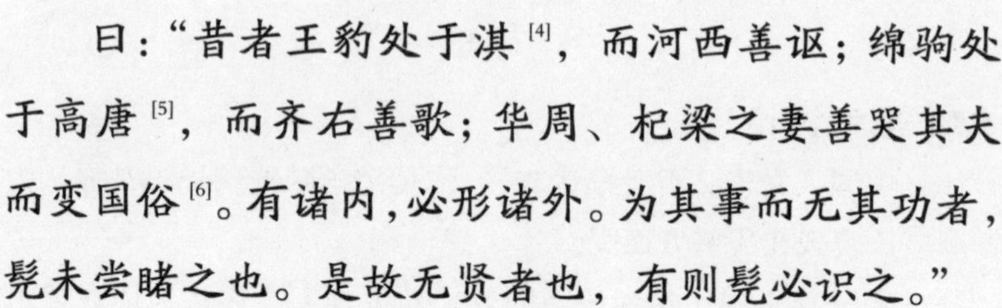

曰："昔者王豹处于淇[4]，而河西善讴；绵驹处于高唐[5]，而齐右善歌；华周、杞梁之妻善哭其夫而变国俗[6]。有诸内，必形诸外。为其事而无其功者，髡未尝睹之也。是故无贤者也，有则髡必识之。"

曰："孔子为鲁司寇，不用，从而祭，燔肉不至[7]，不税冕而行。不知者以为为肉也，其知者以为为无礼也。乃孔子则欲以微罪行[8]，不欲为苟去。君子之所为，众人固不识也。"

注释

[1] 三卿：指上卿、亚卿、下卿，都是爵位。另一种说法，三卿指相、将、客卿。　[2] 公仪子：即公仪休，曾任鲁国的相。[3] 子柳：子柳，即泄柳，曾任鲁缪公的卿。　[4] 王豹：卫国人，善于唱歌。淇：淇水，卫国河流名。　[5] 绵驹：一位善于唱歌的人。高唐：齐国邑名。　[6] 华周、杞梁：都是齐国大夫，在齐国攻打莒国时战死，传说他们的妻子闻讯后，对着城墙痛哭，把城墙哭塌了。齐国人受到感染，以至善哭成风。　[7] 燔（fán）肉：祭时用的熟肉。古礼，天子和诸侯祭祀后，要将一部分祭肉赐给大夫。[8] 乃孔子则欲以微罪行：这句隐含的意思是，孔子不想让人觉得自己弃官而去都是鲁国执政者的过错，因为那样做是失礼的。

译文

淳于髡说："以名誉功业为重的人，是志在为民众；不重视名誉功业的人，是为了其身。先生身居齐国三卿之中，从上辅君王到下济万民的名誉功业都还无所建树，却要离开齐国，仁人原来是这样的吗？"

孟子说："身居下位，不愿以贤者的身份去侍奉不中用的人，是伯夷；五次投到汤的门下，又五次投到桀的门下的，是伊尹；不嫌弃恶浊的君主，不拒绝微贱职务的，是柳下惠。三个人的行事态度不同，但取向是一致的。一致的取向是什么呢？应该说就是仁。君子只要趋于仁就行了，何必要相同呢？"

淳于髡说："鲁缪公时，公仪子主持国政，子柳和子思当大臣，可鲁国被削弱得更厉害。贤者无益于国家竟是像这样呀！"

孟子说："虞国不用百里奚而灭亡，秦穆公用了他而成就霸业。不用贤者就灭亡，哪里仅是削弱一点呢？"

淳于髡说："从前王豹住在淇水边，河西的人因而都擅长唱歌；绵驹住在高唐，齐国西部的人因而也都擅长唱歌；华周、杞梁的妻子很会痛哭她们的丈夫，因而改变了国家的习俗。里面有什么，外面也一定会表现出来。从事某件事却见不到功效，我还不曾看到过。所以是没有贤者，如果有，我一定会知道的。"

孟子说："孔子做鲁国司寇，不被信用，跟随去祭祀，祭肉也没有按规定送来，于是立刻离去了。不了解孔子的人以为是为了祭肉的缘故，了解孔子的人知道是由于无礼的缘故。而孔子是想找个微小的过错离开，不愿意随便出走。君子的作为，普通人本来就不易明白的。"

延伸阅读

三公九卿

三公也叫三卿，是中国古代最尊显的三个官职的合称；九卿是指古代中央政府里官位很高的人。九卿不一定是九个人，“九”除了具有其他数词表示事物的数量和顺序以外，还常表示“多”的意思，九卿意为官职完备。

《礼记》记载：“天子立六官、三公、九卿、二十七大夫、八十一元士。”这是关于三公九卿的最早记载。

周朝以司马、司空、司徒为三公，《韩诗外传》云：“三公之得者何？曰司马、司空、司徒也。司马主天，司空主土，司徒主人。”

秦朝以丞相取代三公，《史记》记载：“汉初，因秦置丞相，而弘为之，则丞相为三公矣。”天下之事皆决丞相府，又设太尉管理军事、御史大夫为丞相副手。

汉成帝绥和元年（前 8），采纳何武的建议，将御史大夫改为大司空，又把大司马、大司空的俸禄提高到与丞相相等，确立起大司马、大司空和丞相鼎足而立的三公制。

汉光武帝刘秀推行更极端的帝王集权，不使权归大臣，名义上仍设名位显贵的三公官，但实权渐归尚书台。在魏晋南北朝时期，三公依然位居极品，且开府置僚佐，但实权则进一步向尚书机构转移。至隋，三公不再开府，僚佐全部撤销，完全变成虚衔。宋代以后，往往称太师、太傅、太保为三公，但其虚衔性质不变，并渐次演化成加官、赠官。

关于“九卿”的具体官职，各代说法不一。西汉时九卿是列卿或众卿之意。《续汉书》将太常、光禄勋、卫尉、太仆、廷尉、大鸿胪、宗正、大司农、少府定为九卿。魏晋以后，九卿多同东汉之制，仅廷尉有时改称大理；北魏改少府为太府。故隋唐九卿为太常、光禄、卫尉、宗正、太仆、大理、鸿胪、司农、太府，已无行政之权。南宋、金、元，九卿多有省并。明、清遂改以吏、户、礼、兵、刑、工为六部尚书，都御史，大理寺卿、通政司使为九卿，以前的九卿之官或有保留，但已成虚衔或加官、赠官。

思考讨论

1. 孟子的政治理想是什么？

2. 孟子是如何将个人宿命和对政治的诉求联系在一起的？

春秋五霸

孟子曰："五霸者[1]，三王之罪人也；今之诸侯，五霸之罪人也；今之大夫，今之诸侯之罪人也。天子适诸侯曰巡狩，诸侯朝于天子曰述职。春省耕而补不足，秋省敛而助不给。入其疆，土地辟，田野治，养老尊贤，俊杰在位，则有庆，庆以地；入其疆，土地荒芜，遗老失贤，掊克在位[2]，则有让。一不朝，则贬其爵；再不朝，则削其地；三不朝，则六师移之。是故天子讨而不伐，诸侯伐而不讨。五霸者，搂诸侯以伐诸侯者也，故曰：五霸者，三王之

罪人也。五霸，桓公为盛。葵丘之会[3]，诸侯束牲载书而不歃血[4]。初命曰，诛不孝，无易树子，无以妾为妻。再命曰，尊贤育才，以彰有德。三命曰，敬老慈幼，无忘宾旅。四命曰，士无世官，官事无摄，取士必得，无专杀大夫。五命曰，无曲防[5]，无遏籴[6]，无有封而不告[7]。曰：凡我同盟之人，既盟之后，言归于好。今之诸侯皆犯此五禁，故曰：今之诸侯，五霸之罪人也。长君之恶其罪小，逢君之恶其罪大。今之大夫皆逢君之恶，故曰：今之大夫，今之诸侯之罪人也。"

注释

[1] 五霸：指春秋时代先后称霸的五个诸侯。　[2] 掊（póu）克：《诗经·大雅·荡》："曾是掊克。"《释文》云："掊克，聚敛也。"　[3] 葵丘之会：葵丘，地名，在今河南兰考东。会，盟会，古代诸侯间聚会而结盟。盟会时要用牛作祭品，或杀，或不杀。　[4] 束牲：牺牲，缚而不杀。载书：古代盟约谓之载书。歃（shà）血：结盟时的一种仪式。立盟时杀牲取血，盟誓者口含其血，或涂于口旁，表示诚信。　[5] 无曲防：当时诸侯兴修水利而殃及邻国的举动。　[6] 籴（dí）：买进粮食。　[7] 有封：获得封赏。

译文

孟子说："五霸，是三王的罪人；现在的诸侯，是五霸的罪人；现在的大夫，是现在诸侯的罪人。天子到诸侯的国家去叫做巡狩，诸侯去朝见天子叫做述职。春天视察耕种而补助穷困户，秋天视察收割而周济缺粮户。进入某诸侯的疆界，如果土地开垦，农事井井有条，老人得到赡养，贤人受到尊敬，杰出人才任官职，就有奖赏，赏给土地；进入某诸侯的疆界，如果土地荒芜，老人被遗弃，贤人散在野，搜括民财者任官职，就给予责罚。（诸侯）一次不朝见，便降低爵位；两次不朝见，便削减封地；三次不朝见，便派出军队进行讨伐。所以天子只声讨而不亲自征伐，诸侯只奉命征伐而不声讨。五霸，是强拉着诸侯去攻伐诸侯，所以说，五霸是三王的罪人。五霸中，齐桓公是最强大的。在葵丘的盟会上，与诸侯们捆绑祭神的牲口，把盟书放在它的身上（因相信诸侯不敢负约）而没有歃血。第一条盟约说：诛罚不孝者，不改立太子，不立妾为妻。第二条盟约说：尊敬贤人，培育人才，以此表彰有德者。第三条盟约说：尊敬老人，慈爱幼儿，不怠慢宾客、旅人。第四条盟约说：士人不世袭官职，公务不要兼代，选拔人才要任贤，不擅自杀戮大夫。第五条盟约说：不遍筑堤防，不阻止邻国来买粮食，不要有封赏而不报告。最后说：凡是参加盟会者，订立盟约后，恢复正常的友好邦交。现在的诸侯都违犯了这五条禁令，所以说，现在的诸侯，是五霸的罪人。助长君主的恶行，这罪还小一点；逢迎君主的恶行，这罪行就大了。现在的大夫都逢迎君主的恶行，所以说，现在的大夫，是现在诸侯的罪人。"

鲁欲使慎子为将军[1]。孟子曰："不教民而用之，谓之殃民。殃民者，不容于尧舜之世。一战胜齐，遂有南阳[2]，然且不可。"

慎子勃然不悦曰："此则滑釐所不识也。"

曰："吾明告子。天子之地方千里，不千里，不足以待诸侯；诸侯之地方百里，不百里，不足以守宗庙之典籍[3]。周公之封于鲁，为方百里也，地非不足，而俭于百里[4]。太公之封于齐也，亦为方百里也，地非不足也，而俭于百里。今鲁方百里者五，子以为有王者作，则鲁在所损乎，在所益乎？徒取诸彼以与此，然且仁者不为，况于杀人以求之乎？君子之事君也，务引其君以当道，志于仁而已。"

注释

[1] 慎子：名滑釐（lí），据说是一个善于用兵的人。朱熹注为"鲁臣"。　[2] 南阳：地名，在泰山西南面，本属于鲁，后被齐侵夺。　[3] 典籍：这里指记载先祖典章法度的文册。　[4] 俭：少。

译文

鲁国打算让慎子做将军。孟子说："不先教导百姓就使用他们，这叫做坑害百姓。坑害百姓的人，在尧舜的时代是容不得的。即使一次战斗便打赢齐国，得到了南阳，这仍然不行。”

慎子顿时不高兴地说：“这是我所不明白的。”

孟子说：“我明白地告诉你。天子的土地方圆千里，不到千里，便不足以接待诸侯；诸侯的土地方圆百里，不到百里，便不足以奉守历代相传的文物典章。周公被封在鲁，是方圆百里，土地并非不够，实际却少于百里。太公被封在齐，也是方圆百里，土地并非不够，实际却少于百里。现今鲁国的土地有五个方圆百里，你认为如有称王天下的人兴起，鲁国的土地是在削减之列，还是在增加之列呢？白白地从那里取来给予这里，仁者尚且不干，更何况用杀人来求取呢？君子侍奉君主，务必引导他的君主做事合于大道，有志于仁罢了。”

孟子曰：“今之事君者皆曰：‘我能为君辟土地，充府库。’今之所谓良臣，古之所谓民贼也。君不乡道，不志于仁，而求富之，是富桀也。‘我能为君约与国[1]，战必克。’今之所谓良臣，古之所谓民贼也。君不乡道[2]，不志于仁，而求为之强战，是辅桀也。由今之道，无变今之俗，虽与之天下，不能一朝居也。”

注释

[1] 与国：友好的国家。　　[2] 乡：同“向”，向往、追求。

译文

孟子说："现在那些侍奉君主的人都说：'我能为君主开辟土地，充实府库。'现在所谓的好臣子，正是古代所说的残害百姓的人。君主不追求大道，不立志行仁，（做臣的）却谋求让他富足，这好比是让夏桀富足。（这些人又说：）'我能为君王缔结战争同盟，战无不胜。'现在所谓的好臣子，正是古代所说的残害百姓的人。君主不追求大道，不立志行仁，（做臣的）却为他拼命打仗，这好比是帮夏桀打仗。沿着现在这条路走，不改变现在这种习俗，即使把天下给了他，他也不能有一天安居。"

延伸阅读

"春秋五霸"简介

从公元前770年到公元前476年，历史上称为春秋时代。在这二百九十多年间，一共发生过四百八十多场战争，大国吞并小国，到了战国时代，几百个诸侯国变成了实力最强的七个诸侯国和少数的小国。司马迁说："（春秋之中）弑君三十六，亡国五十二，诸侯奔走不得保其社稷者，不可胜数。"

在这些诸侯国中，有些国家的君王在经济、军事、政治等领域采取一些措施，使其国力在当时的诸侯国中脱颖而出，国富民强。他们或兼并周边国家，或使小国臣服，被称为"春秋五霸"。春秋五霸是指齐桓公、宋襄公、晋文公、秦穆公和楚庄王。此说见于《史记》。

齐桓公

齐桓公，姜姓，名小白，是首先称霸中原的国君。公元前685年至公元前643年在位。

齐桓公任命管仲为相国，在管仲的主持下，齐国在政治、经济、军事各方面进行了一系列的改革，特别是因地制宜，发展渔业，使齐国富强起来，为称霸奠定了基础。

为了扩大影响，他兴兵伐鲁，大获全胜，灭掉了附庸于鲁的遂国。后又归还战争中夺取的土地，各国诸侯认为他是一个可信的贤德之君，愿和他同盟，使他声名鹊起。齐桓公派遣使臣朝拜刚继位的周僖王，赢得了周天子的欢心。他召集各国诸侯到北杏开会，被推举为盟主，后又在幽地与宋、鱼、卫、曹等八国歃血为盟，齐国称霸的局面终于确立，齐桓公成为春秋首霸。

宋襄公

宋襄公，名兹甫。公元前 650 年至公元前 637 年在位。

公元前 645 年和公元前 643 年，成就了齐国霸业的管仲、齐桓公相继去世。齐桓公的五个儿子为争夺君位发生内讧，齐国因内乱而国力渐衰，彻底丧失了霸主地位。公元前 642 年，野心勃勃的宋襄公趁机联合曹、卫、邾等国出兵讨伐齐国，并扶持逃到宋国避难的公子昭当上了齐国国君（即齐孝公）。宋襄公此举受到了各诸侯国的称赞，宋国的地位也得到了提高。

宋襄公自恃定齐有功，野心越来越大，妄图称霸中原。公元前 639 年，宋襄公发起鹿上之盟，再次邀请各国在宋国开会，商议订立盟约，想以此来抬高自己的声望。同年秋，他又约楚、陈、蔡、郑、许、曹等国之君会盟于盂。赴约时，宋襄公不听目夷的劝告，执意不带兵马，而楚国却设伏兵于盂，抓获宋襄公。随后楚国起兵伐宋，但遭到了目夷所领导的宋国军民的顽强抵抗。后经鲁僖公的调解，宋襄公才被楚国释放。

晋文公

晋文公，姬姓，名重耳，晋国第二十四位国君。公元前 636

年至公元前 628 年在位。

晋文公早年曾因“骊姬之乱”，在外流亡十九年，饱尝艰辛。即君位后，他任用狐偃、赵衰等贤良，整顿内政，改革政治，发展经济，整军经武，取信于民，安定王室，和好秦国，使国力大盛。晋文公即位之时，周室发生内乱，襄王蒙难出奔于郑。晋文公于公元前 635 年匡扶周室，迎襄王复位，于是晋之声名大噪。周襄王二十年（前 633），楚军包围宋国都城商丘。次年初，晋文公领齐、宋、秦之军在城濮（今山东鄄城西南）与楚军交战。由于楚国立国至此，从未有败战记录，甚至齐桓公也不敢与楚人开战，因此当时所有人都以为晋国必败无疑。而晋文公为了回报昔日流亡时楚成王的接济之恩，坚持先退让三舍（约四十五公里）才接战。这场战役最后晋国赢了，打破了楚国荆蛮大军的不败神话。

晋文公归途中会诸侯于践上（今河南郑州北），天子遣人封其为“伯”（霸）。后来，晋文公又会诸侯于河阳（今河南孟州西），周襄王亦被召与会。晋文公因战胜楚国而称霸于诸侯。文公死后，晋国之霸业犹维持百年之久。

秦穆公

秦穆公，嬴姓，名任好。公元前 659 年至前 621 年在位。他在位期间，内修国政，外图霸业，统一了今甘肃、宁夏等地，秦国开始崛起。

秦国原是居住在秦亭（今甘肃张家川）周围的一个嬴姓部落。因秦襄公护送平王东迁有功，封为诸侯，赐给岐以西地，正式建国。秦穆公即位后，锐意进取，重用百里奚、蹇叔等良臣，推行富国强兵的政策，发展军事，奖励生产，使国家实力大大增强。

晋文公死后，秦穆公想取代晋成为霸主。为稳定后方，他全力进攻西戎（泛指秦国西边散布于广大地区的戎族），扩地千里。

这样，东从陕西、山西交界的黄河起，一直到遥远的西方，都为秦国所控制，秦穆公终于成为西方的霸主。秦穆公开创的霸业，为战国末年秦统一整个中国打下了基础。

楚庄王

楚庄王，芈（mǐ）姓，熊氏，名旅（一作吕、侣）。公元前613 年至公元前 591 年在位。

庄王即位时年龄尚不足二十岁，国内矛盾重重，爆发了公子燮与子仪发动的叛乱。叛乱虽被及时平息，但对他这个幼主来说，却是一次不小的考验和不利的开端。

在复杂的形势下，楚庄王采取了以静观动的对策，三年后，他对楚国的政局和各类人物有了一个基本的了解。他重用了伍举、苏从等忠直之臣，攻灭了前来进犯的庸国，使楚国的势力向西北扩展。他任用孙叔敖为令尹，虚心听取孙叔敖对治理国家的意见。在位期间，君臣上下和睦，一致对外。

楚国要北进中原，争霸诸侯，首先就要拉拢与其相邻的郑国。楚国在北林打败晋国军队后，郑国开始听命于楚国，但仍然摇摆不定。为了争当霸主，楚晋之间进行了长时间的战争，最后楚军大获全胜，声威大震，国势日强，而晋国在中小国中威信下降，失去了支配他们的能力。不久，楚庄王灭掉了萧国，又连续三年攻伐宋国，迫使宋国向楚求和。楚庄王问鼎中原，实现了自己称霸的愿望。

思考讨论

1. 你知道哪些关于“春秋五霸”的故事？

2. 孟子为什么说“春秋五霸”是王道政治的罪人？他对“春秋五霸”提出过哪些批评？

天将降大任于斯人

白圭曰[1]："吾欲二十而取一，何如？"

孟子曰："子之道，貉道也[2]。万室之国，一人陶，则可乎？"

曰："不可，器不足用也。"

曰："夫貉，五谷不生，惟黍生之；无城郭、宫室、宗庙、祭祀之礼，无诸侯币帛饔飧[3]，无百官有司，故二十取一而足也。今居中国，去人伦，无君子，如之何其可也？陶以寡，且不可以为国，况无君子乎？欲轻之于尧舜之道者，大貉小貉也；欲重之于尧舜之道者[4]，大桀小桀也。"

注释

[1] 白圭：姓白，名丹，字圭，曾任魏相，善治水，善生产。[2] 貉（mò）：同"貊"，北方的一个小国名。[3] 饔飧（yōng sūn）：熟食。饔，早餐。飧，晚餐。文中指用饮食款待客人的礼节。[4] 尧舜之道：孟子曾说："夏以藉，商以助，周以彻，皆十一也。"这里指十取一的土地税。

译文

白圭说："我想采用二十抽一的税率，怎么样？"

孟子说："你的做法是貉国的做法。有一万户的国家，只有一个人制作陶器，那行吗？”

白圭说：“不行，陶器会不够用的。”

孟子说：“那个貉国，五谷不能生长，只有黍能生长；没有城墙、宫室、宗庙和祭祀的礼仪，没有诸侯之间赠礼宴请之类的交际往来，没有各种官府、官吏，所以二十抽一也就够了。而现在你居住在中原，抛弃人伦，废掉官吏，怎么能行呢？制作陶器的人少了，尚且不能治国，何况没有官吏呢？如果采取轻于尧舜十取一的税率，那就是大貉、小貉；如果重于尧舜十取一的税率，那就是大桀、小桀。”

白圭曰：“丹之治水也愈于禹。”

孟子曰：“子过矣。禹之治水，水之道也，是故禹以四海为壑。今吾子以邻国为壑[1]。水逆行谓之洚水，洚水者，洪水也，仁人之所恶也。吾子过矣。”

注释

[1] 以邻国为壑：据《韩非子·喻老篇》说，白圭治水注重修筑和保护堤防，致使水无出路，流入邻国。壑，沟壑，这里代指排水沟。

译文

白圭说：“我治水胜过大禹。”

孟子说：“你错了。大禹治水，是循着水原来所走的道路加以疏导，所以大禹是把四海当做纳水之所。现在你却是把邻国当做纳水之所。倒流的水叫洚水，洚水就是洪水，它是仁者所憎恶的。你错了。”

孟子曰："君子不亮[1]，恶乎执？"

注释

[1] 亮：同"谅"，诚信。

译文

孟子说："君子不讲求诚信，如何能有操守呢？"

鲁欲使乐正子为政。孟子曰："吾闻之，喜而不寐。"

公孙丑曰："乐正子强乎？"

曰："否。"

"有知虑乎？"

曰："否。"

"多闻识乎？"

曰："否。"

"然则奚为喜而不寐？"

曰："其为人也好善。"

"好善足乎？"

曰："好善优于天下，而况鲁国乎？夫苟好善，则四海之内皆将轻千里而来告之以善；夫苟不好善，

则人将曰：‘訑訑[1]，予既已知之矣。’訑訑之声音颜色距人于千里之外。士止于千里之外，则谗谄面谀之人至矣[2]。与谗谄面谀之人居，国欲治，可得乎？”

注释

[1]訑（yí）訑：赵岐注曰：“自足其智不嗜善言之貌。”比喻志得意满，不能采纳他人意见。 [2]谗谄面谀：恭迎君主，诬陷忠良的小人。

译文

鲁国想让乐正子治理国政。孟子说：“我听到这消息，高兴得睡不着。”

公孙丑说：“乐正子坚强吗？”

孟子说：“不。”

公孙丑说：“他有智谋、会思考吗？”

孟子说：“不。”

公孙丑说：“他见多识广吗？”

孟子说：“不。”

公孙丑说：“那您为什么会高兴得睡不着呢？”

孟子说：“他的为人喜好善。”

公孙丑说：“喜好善就足够了吗？”

孟子说：“喜好善足以治理天下，更何况鲁国？假如喜好善，那四方的人都会不远千里地赶来把善告诉他；假如不喜好善，那人会说：‘嗯，嗯！我早就知道了。’那种嗯嗯的声音、脸色，把别人拒绝在千里之外了。好善之士止步在千里之外，那些进谗言、拍马屁的人就来了。与进谗言、拍马屁的人在一起，要想把国家治理好，能做到吗？”

陈子曰[1]：“古之君子何如则仕？”

孟子曰：“所就三，所去三。迎之致敬以有礼；言，将行其言也，则就之。礼貌未衰[2]，言弗行也，则去之。其次，虽未行其言也，迎之致敬以有礼，则就之。礼貌衰，则去之。其下，朝不食，夕不食，饥饿不能出门户，君闻之，曰：‘吾大者不能行其道，又不能从其言也，使饥饿于我土地，吾耻之。’周之，亦可受也，免死而已矣。”

注释

[1]陈子：即陈臻，孟子弟子。　[2]礼貌：文中应指态度或待遇。赵岐注曰：“礼衰，不敬也；貌衰，不悦也。”

译文

陈子说：“古代的君子怎样才出来做官呢？”

孟子说：“就职有三种情况，去职也有三种情况。迎接时恭敬而有礼貌；有所进言，就打算实行，便就职。礼貌虽未减弱，可对他的进言不实行了，就去职。其次，虽没有实行他的进言，但迎接时能恭敬而有礼貌，便就职。如果礼貌减弱了，就去职。最下的，早上没有吃，晚上也没有吃，饿得无力出门，国君知道后，说：

‘从大的说我不能实行他的主张，又不能听从他的进言，使他在我的国土上挨饿，我感到耻辱。’如果给予周济，也可以接受，这不过是为了免于一死罢了。”

孟子曰：“舜发于畎亩之中，傅说举于版筑之间[1]，胶鬲举于鱼盐之中[2]，管夷吾举于士[3]，孙叔敖举于海[4]，百里奚举于市。故天将降大任于斯人也，必先苦其心志，劳其筋骨，饿其体肤，空乏其身，行拂乱其所为[5]，所以动心忍性，曾益其所不能。人恒过，然后能改；困于心，衡于虑，而后作；征于色，发于声，而后喻。入则无法家拂士[6]，出则无敌国外患者，国恒亡。然后知生于忧患而死于安乐也。”

注释

[1]傅说（yuè）：传说是商代一位贤人，因罪服刑，在傅险筑墙，后被商王武丁访求到而提拔为相。版筑：古代筑墙的方法，用两版相夹，填入泥土，用杵捣实，拆版后即成土墙。 [2]胶鬲：传说是商纣王的臣，他怎么被提拔、被谁提拔，已不见于记载。 [3]管夷吾：即管仲。 [4]孙叔敖：楚国隐士，后被楚庄王提拔为令尹。 [5]拂（fú）：违背，不顺。 [6]拂（bì）：通“弼”，辅佐。

译文

孟子说："舜兴起于田野之中，傅说被提拔于筑墙的苦役中，胶鬲被提拔于贩卖鱼盐的行当中，管仲被提拔于牢狱官的手中，孙叔敖被提拔于海边僻远之地，百里奚被提拔于集市上。因此，上天将要把重任加在此人的肩上，一定先要苦恼他的心志，劳累他的筋骨，饥饿他的肠胃，穷困他的身子，他想做点什么便干扰打乱，这是为了震动他的内心，坚韧他的性格，增加他所不具备的能力。一个人经常犯错误，然后才能改正；内心困苦，思虑阻塞，然后才能有所愤发作为；表现在脸色上，吐发在言谈中，然后才能被人了解。（一个国家）国内没有知法度的大臣和辅弼之士，国外又缺乏相抗衡之国和外患忧虑，这样的国家常常会灭亡。由此可知，忧患能使人生存，而安逸享乐能使人死亡。"

孟子曰："教亦多术矣，予不屑之教诲也者，是亦教诲之而已矣。"

译文

孟子说："教育也是有多种方式的，我不屑去教诲他，这也是对他的一种教诲啊。"

延伸阅读

勾践卧薪尝胆

"故天将降大任于斯人也，必先苦其心志，劳其筋骨，饿其体肤，空乏其身，行拂乱其所为，所以动心忍性，曾益其所不能。"

这是传诵千古的励志名言，激励人们在艰难困苦之中经历磨难，以坚韧不拔的意志经受各种考验，在磨难中锻炼、充实并提高自己，使自己意志更加坚定，能力更为增强，最终成就一番事业。

本节中，孟子列举了几位先贤的事例：舜是田野耕作出身的，傅说是在劳役中被殷王武丁发现的，胶鬲是捕鱼炼盐的，管仲原来是监狱里的犯人，孙叔敖曾是淮河边的粗鄙人，百里奚是市场的奴隶。这些人都经历过长期困苦的磨炼，从而“动心忍性，曾益其所不能”，最后成就了辉煌的事业。

我们再来看看勾践卧薪尝胆的故事：公元前 497 年，越王勾践即位，时值楚国联越制吴，吴、越冲突初起，而越国实力尚弱。公元前 496 年，吴王阖闾兴师伐越。勾践统兵抗击来攻的吴军于槜李，“使死士挑战三行至吴阵呼而自刭”，一举打败吴军，射伤吴王。吴王阖闾受伤而死，导致吴、越矛盾激化。

吴王阖闾临终告诫儿子夫差：“必毋忘越。”夫差即位后，遵照遗训，日夜勤兵，誓报父仇。公元前 494 年，勾践听说吴王夫差日夜练兵欲攻越以报父仇，打算先伐吴国。吴王夫差闻之，亲率精兵击越，两军大战于夫椒（今江苏太湖洞庭山）。勾践终因力不能敌而惨败，率残兵五千，退守会稽山（今绍兴东南）。夫差追而围之。勾践采纳了范蠡委曲求全、以退为进之谋，卑辞厚礼以求和，派文种向吴求和。

开始，吴王夫差采纳伍子胥之谏，不同意交好。文种谏而献以美女宝器厚赂吴太宰嚭（pǐ），向夫差请求称臣纳贡。终于夫差同意赦越，罢兵而归。公元前 492 年，勾践率妻子和大臣范蠡到吴国做人质，夫差有意羞辱他，将他囚于阖闾坟前的一个小石屋里，要他守坟喂马，有时夫差骑马出门还故意要他牵马在国人面前走过。勾践忍辱负重，自称贱臣，对吴王执礼极恭，吃粗粮、睡马

房、服苦役，小心伺候。三年不愠怒，无恨色。由于勾践尽心服侍，再加上伯嚭不时接受文种派人所送之礼而在夫差前为勾践说好话，夫差认为勾践已经真心臣服，决定放勾践夫妇和范蠡回国。

公元前490年，勾践归国，为了激励自己不忘报仇雪耻，睡觉时不铺褥子而铺上柴草。在房间里挂了一个苦胆，每次吃饭前都要尝尝，这就是“卧薪尝胆”典故的由来。他和夫人始终过着清贫的生活，吃饭没有鱼肉，穿衣不加修饰。自己经常同百姓下田耕种，夫人也自己养蚕织布。

公元前485年，夫差为争霸而北上伐齐，伍子胥不赞成，指出越国才是心腹大患。夫差不听，继续伐齐，在艾陵之战中大败齐军，获胜而归，夫差十分得意，不久又听信了伯嚭的谗言，赐剑令伍子胥自尽，伍子胥死前说：“必取吾眼置吴东门，以观越兵入也！”

吴越之战

公元前475年开始，越国对吴都实施长达三年的围困，吴王夫差被越军长期围困，力不能支，遂派王孙雒（luò）袒衣膝行向勾践求和。勾践于心不忍，正要应允，范蠡上前说：“大王您忍辱受苦二十余年，为了什么？现在能抛弃之前所做的吗？”转头又回绝王孙雒说：“过去是上天把越赐予吴国，你们不受；今天是上天以吴赐越，我们不敢违背天命而听从你们的请求。”王孙雒还要哀求，范蠡毅然鸣鼓进兵。吴王夫差见大势已去，求和不成就自杀而死，临死时说：“吾无面以见子胥也！”

后来，越国吞并了吴国，从此变成了一个强国。

思考讨论

1. 孟子希望天下统一的方式是仁德感召，你认为可行吗？
2. 你认为治国需要具备哪些品格和才能？
3. 你如何看待“生于忧患，死于安乐”？

第十三章　尽心上

万物皆备于我

孟子曰："尽其心者，知其性也。知其性，则知天矣。存其心，养其性，所以事天也。夭寿不贰，修身以俟之，所以立命也。"

孟子曰："莫非命也，顺受其正，是故知命者不立乎岩墙之下[1]。尽道而死者，正命也；桎梏死者，非正命也。"

孟子曰："求则得之，舍则失之，是求有益于得也，求在我者也。求之有道，得之有命，是求无益于得也，求在外者也。"

孟子曰："万物皆备于我矣。反身而诚，乐莫大焉。强恕而行[2]，求仁莫近焉。"

孟子曰："行之而不著焉，习矣而不察焉，终身由之而不知其道者，众也。"

注释

[1] 岩墙：将要倒塌的墙。　[2] 强恕：勉力于恕道。

译文

孟子说："能够尽人的本心，便能知晓人的本性。知晓人的本性，便能知晓上天。保持人的本心，培养人的本性，这就是侍奉上天的方法。短命、长寿都不三心二意，修身养性以等待天命的安排，这就是安身立命的方法。"

孟子说："人无不受命运的支配，顺应命运就是承受正常命运，所以懂得命运的人不会站在将要倾倒的墙下面。完全按正道行事而死的人，他所受的就是正常的命运；犯罪而死的人，所受的就不是正常的命运。"

孟子说："追求就能得到，放弃就会失掉，这种追求有益于获得，因为所追求的东西就在我本身之内。追求有一定的方式，能否得到由命运的安排，这种追求无益于获得，因为所追求的东西存在于我本身之外。"

孟子说："万事万物的道理都具备在我自身之内。反躬自问而觉得它们都真实无妄，快乐就没有比这个更大的了。努力不懈地以推己及人的恕道去行事，求仁的道路便没有比这更近的了。"

孟子说："做了却不明白为何要这样做，习以为常却不问所以然，一生遵循却不知它的道理，这种便是普通的人。"

延伸阅读

养心寡欲

"万物皆备于我"是孟子的一个哲学命题，从属于孟子的尽心

知性学说。这个学说曾受到中国哲学界的猛烈批判，许多人对它有误解。其实，这句话中“物”和“我”的关系，说的并不是物质和精神、存在和意识的关系，它的内涵并不是哲学的本体论问题，也不能把它归入唯心主义。“备”有顺、循的含义，比如《礼记·祭统》说：“备者，百顺之名也，无所不顺者之谓备。”杨伯峻的《孟子译注》把“万物皆备于我”翻译为“一切我都具备了”。

孟子虽然认为人性本善，但是他同时认为，人容易受到外界的影响，而把“善端”蒙蔽，这样人就会变坏。因为“善端”只是一个小苗子，所以必须不断地扩充它。怎么扩充呢？就是存心养性。“存心”就是保持和尽量扩充本心中的德性；“养性”就是深刻认识事物所蕴涵的道理（即规律），并以之处理万事万物，在实践中不断充实、巩固和发扬。孟子的“养心”说在中国历史上影响深远，甚至明清的皇帝居住的地方，都起名叫“养心殿”。

存心养性的关键就在于寡欲，孟子说：“养心莫善于寡欲。其为人也寡欲，虽有不存焉者，寡矣；其为人也多欲，虽有存焉者，寡矣。”（《孟子·尽心下》）在孟子看来，欲望来自人的本能需求，他并不要求人无欲或者断绝欲望，而是希望人们减少和节制欲望，不能让欲望无止境地扩大。

“寡欲”的思想在中国历史上并不是儒家的“专利”，道家也同样重视这一思想。老子曾经说：“五色令人目盲，五音令人耳聋，五味令人口爽，驰骋田猎令人心发狂，难得之货令人行妨。”（《老子·第十二章》）意思为，缤纷的色彩使人眼睛昏花，变幻的音响使人耳朵发聋，丰腴的美食使人口味败坏，驰骋打猎令人心意狂荡，珍奇财宝令人行为不轨。

孟子认为，天理和人欲是互为消长的。天理内存于每一个人，人性善是与生俱来的；人欲则是口、鼻、耳、目等人体的器官接触到外物而引发的。孟子说："物交物，则引之而已矣。"（《孟子·告子上》）口、鼻、耳、目等器官接触外在事物，譬如口好五味、鼻好五嗅、耳好五音、目好五色等等，人容易被外在的五味、五嗅、五音、五色所牵引，于是心灵向外驰逐，而纯然至善的本心也就遭到了蒙蔽。

真正有价值的人生应该打破世俗物欲的桎梏，追求精神的升华，实现人生价值的旨归。孟子虽然不否认人的物质追求，却鄙弃过度追求物质而使精神受损，孟子说："说大人，则藐之，勿视其巍巍然。堂高数仞，榱题数尺，我得志，弗为也。食前方丈，侍妾数百人，我得志，弗为也。般乐饮酒，驱骋田猎，后车千乘，我得志，弗为也。"（《孟子·尽心下》）

思考讨论

1. 现今社会物质生活极其丰富，你觉得还需要提倡"养心寡欲"吗？

2. 儒、道、佛都提出过"寡欲"的思想，请比较这三者的"寡欲"思想有何不同。

穷则独善其身，达则兼善天下

孟子曰："人不可以无耻。无耻之耻，无耻矣。"

孟子曰："耻之于人大矣。为机变之巧者[1]，无所用耻焉。不耻不若人，何若人有？"

孟子曰："古之贤王好善而忘势，古之贤士何独不然？乐其道而忘人之势，故王公不致敬尽礼，则不得亟见之[2]。见且由不得亟，而况得而臣之乎？"

注释

[1]机变之巧：机巧诈变。 [2]亟：多次。

译文

孟子说："人不可以没有羞耻。如果能以没有羞耻为耻辱，便不再有耻辱了。"

孟子说："羞耻对于人关系重大。搞机巧诈变的人，是没有地方用得着羞耻的。不把不如别人看做羞耻，那还有什么地方能比得上别人呢？"

孟子说："古代的贤君好善而忘记自己的权势，古代的贤士又何尝不是这样？他们乐于行道而忘记了别人的权势，所以王公大人不恭敬尽礼，就不能常常见到贤士。相见尚且不可多得，更何况要把他们当臣属呢？"

孟子谓宋勾践曰[1]："子好游乎？吾语子游。人知之，亦嚣嚣[2]；人不知，亦嚣嚣。"

曰："何如斯可以嚣嚣矣？"

曰："尊德乐义，则可以嚣嚣矣。故士穷不失义，达不离道。穷不失义，故士得己焉；达不离道，

故民不失望焉。古之人，得志，泽加于民；不得志，修身见于世。穷则独善其身，达则兼善天下。”

注释

[1] 宋勾践：人名，身世不详。　[2] 嚣嚣：形容与世无争。赵岐注曰：“自得无欲之貌。”

译文

孟子对宋勾践说：“你喜欢游说吗？我告诉你游说（的态度）。人家理解，我悠然自得无所求；人家不理解，我也悠然自得无所求。”

宋勾践问道：“怎样就能做到悠然自得无所求呢？”

孟子说：“崇尚德，爱好义，就能悠然自得无所求。所以士人穷困时不丢失义，得志时不背离道。穷困时不丢失义，所以士人能保持自己的操守；得志时不背离道，所以不会使百姓失望。古代的人，得志时，施给百姓恩泽；不得志时，修养品德立身在世。穷困时就做好自身的修养，得志便把善普施于天下。”

孟子曰：“待文王而后兴者，凡民也。若夫豪杰之士，虽无文王犹兴。”

孟子曰：“附之以韩魏之家[1]，如其自视欿然[2]，则过人远矣。”

注释

[1] 韩魏之家：指春秋末期晋国六卿中的韩魏两家。这两家当

时拥有很大的权势和很多的财产。　[2] 飲（kǎn）然：形容以淡泊的心态对待人生荣耀的神态。飲，不自满。

译文

孟子说："等文王（那样的圣君）出现才奋起的，是平凡的人。至于杰出人物，即使没有文王出现，也会奋起的。"

孟子说："把韩魏两大家的财富增加给他，如果他并不自满，那他超出常人就很远了。"

孟子曰："以佚道使民，虽劳不怨。以生道杀民，虽死不怨杀者。"

孟子曰："霸者之民驩虞如也[1]，王者之民皞皞如也[2]。杀之而不怨，利之而不庸[3]，民日迁善而不知为之者。夫君子所过者化，所存者神，上下与天地同流，岂曰小补之哉？"

孟子曰："仁言不如仁声之入人深也，善政不如善教之得民也。善政，民畏之；善教，民爱之。善政得民财，善教得民心。"

孟子曰："人之所不学而能者，其良能也；所不虑而知者，其良知也。孩提之童无不知爱其亲者，及其长也，无不知敬其兄也。亲亲，仁也；敬长，义也。无他，达之天下也。"

注释

[1] 骥虞：即"欢娱"，开心快乐。 [2] 皞（hào）皞：朱熹《孟子集注》云："广大自得之貌。" [3] 庸：酬功。

译文

孟子说："为谋求百姓生活安逸而役使百姓，他们即使劳累也不会怨恨。为谋求百姓生存而不得已杀人，被杀者也不会怨恨杀他的人。"

孟子说："称霸诸侯者的百姓欢喜快乐，称王天下者的百姓怡然自得。百姓被杀却并不怨恨，蒙受好处也不酬谢谁，百姓天天向善而不知是谁使他们这样的。圣人所到之处，人们受到感化；他所留存的东西神妙莫测，上与天下与地一同运转不息，这难道说仅是小小的补益吗？"

孟子说："仁爱的言辞不如仁爱的声望深入人心，良善的政措不如良善的教育更能赢得民众。良善的政措为百姓所畏惧，良善的教育为百姓所喜爱。良善的政措得到的是百姓的财物，良善的教育得到的是百姓的心。"

孟子说："人无需学就会的，是他的良能；无需思考就知道的，是他的良知。二三岁的小孩没有不知道爱自己父母的，等到长大了，没有不知道尊敬自己兄长的。亲爱父母，是仁；尊敬兄长，是义。这没有其他原因，因为仁义是通行于天下的。"

延伸阅读

独善与兼善

"穷则独善其身，达则兼善天下"，是儒家人生观的重要传统。唐朝中晚期，大唐盛世经安史之乱付之一炬。随着士族社会的解体、

科举制度的完善和党争的激化，士人所面临的社会环境日趋复杂，与此相应，士人心态在中唐时期也出现了转折。于是，如何才能"独善"，如何才算"兼善"，以及如何处理两者之间的关系，成了士人思考的核心问题，进而深刻影响了诗歌精神。白居易的讽喻诗和闲适诗，堪称当时"独善兼善"思想的集中表达。

白居易《与元九书》云："自拾遗来，凡所适所感，关于美刺兴比者。又自武德讫元和，因事立题，题为新乐府者，共一百五十首，谓之讽谕诗。又或退公独处，或移病闲居，知足保和，吟玩情性者一百首，谓之闲适诗……故仆志在兼济，行在独善……谓之讽谕诗，兼济之志也；谓之闲适诗，独善之义也。"

白居易一生以四十四岁被贬江州（今江西九江）司马为界，可分为前后两期。前期是兼善天下时期，后期是独善其身时期。贞元二十六年（800），白居易二十九岁，中进士，先后任秘书省校书郎、盩至尉、翰林学士，元和年间任左拾遗，写了大量讽喻诗，代表作是《秦中吟》十首和《新乐府》五十首。现举其中一首：

厚地植桑麻，所要济生民。生民理布帛，所求活一身。
身外充征赋，上以奉君亲。国家定两税，本意在忧人。
厥初防其淫，明敕内外臣：税外加一物，皆以枉法论。
奈何岁月久，贪吏得因循。浚我以求宠，敛索无冬春。
织绢未成匹，缫丝未盈斤。里胥迫我纳，不许暂逡巡。
岁暮天地闭，阴风生破村。夜深烟火尽，霰雪白纷纷。
幼者形不蔽，老者体无温。悲喘与寒气，并入鼻中辛。
昨日输残税，因窥官库门：缯帛如山积，丝絮似云屯。
号为羡余物，随月献至尊。夺我身上暖，买尔眼前恩。
进入琼林库，岁久化为尘！（《秦中吟·重赋》）

白居易的讽喻诗"意激而言直"，是他"兼善天下"的政治抱负的具体体现，也是他新乐府诗歌理论的具体实践。白居易的讽喻诗数量虽不太多，但内容广泛，现实性很强，不但反映了人民的辛劳，同时是对统治者横征暴敛的强烈控诉。

元和六年（811），白居易母亲因患病死在长安，白居易按当时的规矩，回故乡守孝三年，服孝结束后回到长安，皇帝安排他做了左赞善大夫。元和十年（815）六月，白居易四十四岁时，因率先上书请急捕刺杀武元衡凶手，被贬江州司马。次年写下《琵琶行》，开始“吏隐”，在庐山建草堂，思想从“兼善天下”转向“独善其身”，闲适、感伤的诗渐多。白居易于大和八年（834）作的《序洛诗》中说：“自（大和）三年春至八年夏，在洛凡五周岁，作诗四百三十二首。除丧朋哭子十数篇外，其他皆寄怀于酒，或取意于琴，闲适有余，酣乐不暇，苦词无一字，忧叹无一声，岂牵强所能致耶！”

白居易的闲适诗语言朴实平淡，写尽诗人简单的生活。虽然生活单调，但诗人有着吟咏诗句的乐趣，善于在平凡的事物中悟出简单的快乐来。正如他的《官舍小亭闲望》中所写：

亭上独吟罢，眼前无事时。数峰太白雪，一卷陶潜诗。

人心各自是，我是良在兹。回谢争名客，甘从君所嗤。

思考讨论

1. 请谈谈顺境和逆境对人的不同影响。

2. 你认同古人“穷则独善其身，达则兼善天下”的做法吗？

3. 你认为人具有先天不用学习就可以知道的“良知良能”吗？为什么？

舜跖之辨

孟子曰："舜之居深山之中，与木石居，与鹿豕游，其所以异于深山之野人者几希。及其闻一善言，见一善行，若决江河，沛然莫之能御也。"

孟子曰："无为其所不为，无欲其所不欲，如此而已矣。"

孟子曰："人之有德慧术知者，恒存乎疢疾[1]。独孤臣孽子[2]，其操心也危，其虑患也深，故达。"

孟子曰："有事君人者，事是君则为容悦者也；有安社稷臣者，以安社稷为悦者也；有天民者[3]，达可行于天下而后行之者也；有大人者，正己而物正者也。"

孟子曰："君子有三乐，而王天下不与存焉。父母俱存，兄弟无故，一乐也；仰不愧于天，俯不怍于人，二乐也；得天下英才而教育之，三乐也。君子有三乐，而王天下不与存焉。"

注释

[1]疢疾：义同灾患。　　[2]孤臣：受疏远的臣。孽（niè）子：非嫡妻所生之子。　　[3]天民：以奉行天道作为责任所在的人。

朱熹《四书集注》云："民者，无位之称，以其全尽天理，乃天之民，故谓之天民。"

译文

孟子说："舜住在深山时，和树木、石头相处，和麋鹿野猪为伴，与深山中草野之人的区别很少。可等到他听到一句善言，看到一件善行，（便立即采纳实行）就像江河决口，浩浩荡荡地没有什么力量能阻挡得了。"

孟子说："不做不该做的，不要不该要的，做到这样就行了。"

孟子说："那些有德行、聪明、本领和知识的人，常常是由于他们灾患的处境。只有那些孤立之臣、庶孽之子，他们提心吊胆，对于祸患考虑得深，所以能通达事理人情。"

孟子说："有侍奉君主的人，那是侍奉这个君主即为讨得君主欢心的人；有安邦定国的臣子，那是以安邦定国为乐事的人；有天民，那是要他的道可行于天下时然后实行的人；有大人，那是端正自己外物便随之也端正的人。"

孟子说："君子有三种快乐，而称王天下并不包括在内。父母都健在，兄弟没病没灾，这是第一件快乐的事；抬头无愧于天，低头无愧于人，这是第二件快乐的事；得到天下的优秀人才而教育他们，这是第三件快乐的事。君子有这三件快乐的事，但称王天下并不在其中。"

孟子曰："广土众民，君子欲之，所乐不存焉；中天下而立，定四海之民，君子乐之，所性不存焉。君子所性，虽大行不加焉，虽穷居不损焉，分定故

也。君子所性，仁义礼智根于心，其生色也睟然[1]，见于面，盎于背[2]，施于四体[3]，四体不言而喻。”

孟子曰：“伯夷辟纣，居北海之滨，闻文王作，兴曰：‘盍归乎来[4]！吾闻西伯善养老者。’太公辟纣，居东海之滨，闻文王作，兴曰：‘盍归乎来！吾闻西伯善养老者。’天下有善养老，则仁人以为己归矣。五亩之宅，树墙下以桑，匹妇蚕之，则老者足以衣帛矣。五母鸡，二母彘，无失其时，老者足以无失肉矣。百亩之田，匹夫耕之，八口之家足以无饥矣。所谓西伯善养老者，制其田里，教之树畜，导其妻子使养其老。五十非帛不暖，七十非肉不饱。不暖不饱，谓之冻馁。文王之民无冻馁之老者，此之谓也。”

注释

[1] 睟（suì）然：朱熹《四书集注》云：“清和润泽之貌。”
[2] 盎：显现。　[3] 施：延及。　[4] 盍：何不。

译文

孟子说：“拥有广阔的土地、众多的人民，是君子所希望的，但是乐趣不在这儿；居于天下的中央，安定普天下的百姓，君子对此感到快乐，但是本性不在这儿。君子的本性，即使他的理想完全实现了也不会因此而有所增加，即使困窘隐居也不会因此而有所减少，这是由于本分已经确定的缘故。君子的本性，仁义礼智植根在心中，它们生发出来的神色温润纯和，显现在脸上，充满在体内，延伸到四肢，四肢的动作不必言语就能使人一目了然。”

孟子说：“伯夷躲避商纣，居住在北海边上，听说文王兴盛起来了，振奋地说：‘何不去归属！我听说西伯是善于奉养老人的。’太公姜尚躲避商纣，居住在东海边上，听说文王兴盛起来了，振奋地说：‘何不去归属！我听说西伯是善于奉养老人的。’天下有善于养老的人,那么仁人们便把他当做自己的依靠了。五亩的宅田，在墙下种植桑树，妇女养蚕缫丝，老年人就足以有丝织衣服穿了。五只母鸡，两头母猪，不失时节地饲养繁殖，老年人就足以有肉吃了。百亩田地，男人去耕种，八口之家就足以有饭吃了。所谓的西伯善于养老，指的是他规定土地制度，教会百姓栽种和畜牧，引导他们的妻子儿女奉养家中的老人。到了五十岁没有丝绵便穿不暖，到了七十岁没有肉食便吃不饱。穿不暖、吃不饱，叫做挨冻受饿。文王的百姓中没有挨冻受饿的老人，说的就是这个意思。”

孟子曰：“易其田畴，薄其税敛，民可使富也。食之以时，用之以礼，财不可胜用也。民非水火不生活，昏暮叩人之门户求水火，无弗与者，至足矣。圣人治天下，使有菽粟如水火。菽粟如水火，而民焉有不仁者乎？”

孟子曰：“孔子登东山而小鲁，登泰山而小

天下。故观于海者难为水，游于圣人之门者难为言。观水有术，必观其澜。日月有明，容光必照焉。流水之为物也，不盈科不行；君子之志于道也，不成章不达。”

孟子曰：“鸡鸣而起，孳孳为善者[1]，舜之徒也；鸡鸣而起，孳孳为利者，蹠之徒也[2]。欲知舜与蹠之分，无他，利与善之间也。”

注释

[1] 孳(zī)孳：同“孜孜”，勤勉努力。 [2] 蹠(zhí)：通“跖”，相传为柳下惠的兄弟，春秋时大盗，聚众数千，横行天下。

译文

孟子说：“（让百姓）种好他们的地，减轻他们的赋税，就可以使百姓富足。按一定时节食用，按礼的规定使用，财物就用不完了。百姓没有水和火就无法生存，晚上敲人门户求水讨火，没有人不给的，因为家家水火都多极了。圣人治理天下，就要使百姓的粮食多得像水火。粮食多得像水火，那么老百姓哪还有不仁爱的呢？”

孟子说：“孔子登上了东山，觉得鲁国变小了；登上了泰山，觉得天下变小了。所以看过大海的人，就难以被别的水吸引了；在圣人门下学习的人，就难以被别的言论吸引了。观赏水有一定的方法，一定要观赏它的波澜。日月都有光，细小的缝隙必定都照到。流水这东西，不流满洼坑就不再向前流；君子立志追求人生正道，不到一定程度，就不会通达。”

孟子说："鸡叫就起身，孜孜不倦地行善，是舜一类的人；鸡叫就起身，一刻不停地求利，是跖一类的人。要想知道舜和跖的区别，没有别的，只是利和善的不同罢了。"

延伸阅读

孟子的理想人格

孟子把舜和跖的行为放在一起对比，在思想史上被称为"舜跖之辨"。舜是儒家传统中的圣人，跖是《庄子》寓言故事中的盗贼。《庄子·盗跖篇》说："盗跖从卒九千人，横行天下，侵暴诸侯。穴室枢户，驱人牛马，取人妇女，贪得忘亲，不顾父母兄弟，不祭先祖。所过之邑，大国守城，小国入保，万民苦之。"意思是，盗跖的部下有九千人，横行天下，侵扰各国诸侯。穿室破门，掠夺牛马，抢劫妇女，贪财妄亲，全不顾及父母兄弟，也不祭祀祖先。他们所经过的地方，大国避守城池，小国退入城内，百姓因为他们而生活很苦。

孟子将此二人对比，大有深意。虽然舜是圣人，跖是盗贼，但是他们源头的区别只是在利与善之间，"鸡鸣而起，孳孳为善者"是舜，"鸡鸣而起，孳孳为利者"是盗跖。这就说明，人与人之间的区别原本并不大，只要努力都可以成为圣人。孟子开展舜跖之辨，就是要人们扩充自己原本具有的善性，以舜为榜样成为圣人。

从理论上说，舜跖之辨的实质是追求理想人格。什么是理想人格？孟子把人格分成了若干层次："可欲之谓善，有诸己之谓信，充实之谓美，充实而有光辉之谓大，大而化之之谓圣，圣而不可知之之谓神。"（《孟子·尽心下》）孟子在这里将人格分成善、信、美、大、圣、神六个层次。

六个层次中最基本的是善。朱熹《孟子集注》中说："天下之理，其善者必可欲，其恶必可恶。"对人而言，善是天生喜欢的东西，善人是天生喜欢善的人。人之初，性本善，沿着人心自然趋向走，必然走向善的方向，人就达到了"善"。

信，"诚也"（《说文解字》）。人在行动中处处以自己原本具有的善性为指引，就是"诚"，如果处处都能做到这一点，就达到了"信"。

美，充实善、信的行为就叫做"美"。朱熹《孟子集注》说："力行其善，至于充满而积实，则美在其中而无待于外矣。"

大，充实而有光辉。《孟子》中的"大人"一词有三种含义：一、位高之人，如"说大人，则藐之"（《孟子·尽心下》）；二、有德之人，如"养其大者为大人"（《孟子·告子上》）；三、有德同时也有功业之人，如"唯大人为能格君心之非"（《孟子·离娄上》）。孟子所讲的人格层次上的"大"是第三种含义。"美"和"大"的区别在于，"美"只是充实于内在，而"大"还要显示于外，发于事业。

圣，孟子对圣人的标准比孔子低一些。孔子云："圣人，吾不得而见之矣。"（《论语·述而》）然而在孟子那里，伯夷、伊尹、柳下惠虽然道有不同，各有不足之处，然而孟子认为他们都能行仁道，使一方百姓受尧舜之道的恩泽，所以都是圣人。

神，是指君子存心养性达到一定境界后，在践行仁义的过程中，权变自如，可以根据不同的条件，采取不同的做法。也就是说，"神"是"圣"达到一定程度后，可以根据情况调整自己的行为方案，从而达到游刃有余、出神入化的境界。

在孟子的理论体系中，尧、舜、禹、汤、文王、孔子是理想人格的典范，理想人格是一种精神力量，它来自人的内心持久以及自发的向善。当个体在面临选择的时候，把大家的利益放在前面，把个人的利益放在后面，多一些利他主义，少一些自私自利，那么这个世界上就多了许多圣贤，少了许多盗跖。

思考讨论

1. 你知道尧、舜、禹这些古代先贤的事迹吗？他们身上有哪些值得学习的闪光点呢？

2. 个人利益和集体利益应该如何平衡？请举具体事例说明一下。

孟子辟杨墨

孟子曰："杨子取为我[1]，拔一毛而利天下，不为也。墨子兼爱，摩顶放踵利天下[2]，为之。子莫执中[3]。执中为近之。执中无权，犹执一也。所恶执一者，为其贼道也，举一而废百也。"

孟子曰："饥者甘食，渴者甘饮，是未得饮食之正也，饥渴害之也。岂惟口腹有饥渴之害？人心亦皆有害。人能无以饥渴之害为心害，则不及人不为忧矣。"

孟子曰："柳下惠不以三公易其介[4]。"

孟子曰："有为者辟若掘井，掘井九轫而不及泉[5]，犹为弃井也。"

孟子曰："尧、舜，性之也；汤、武，身之也；五霸，假之也。久假而不归，恶知其非有也？"

注释

[1] 杨子：即杨朱。取：采取，主张。　[2] 摩顶放踵（zhǒng）：比喻尽心尽力。顶，头顶。踵，脚跟。　[3] 子莫：战国时鲁国人。[4] 介：操守，志节。　[5] 轫（rèn）：同"仞"。古代七尺（或说八尺）为一仞。

译文

孟子说："杨子奉行'为我'，拔根汗毛就对天下有利，他也不干。墨子提倡'兼爱'，（哪怕）摩秃头顶、走破脚跟，只要对天下有利，就愿干。子莫采取中道。主张中道便差不多了。但是主张中道如果不懂得变通，便是固执一偏了。之所以厌恶固执一偏，是因为它有损于大道，只是拿起一点而废弃了其余。"

孟子说："饥饿的人觉得食物都美，口渴的人觉得饮料都甜，这是没有尝到饮料、食物的正常滋味，原因是饥渴妨害了他们的正常感觉。难道只是嘴巴和肠胃有饥渴的妨害吗？人心也都有类似的妨害。人们如能使他们的心不受像饥渴对嘴巴、肠胃那样的妨害，那就不会因及不上别人而忧愁了。"

孟子说："柳下惠不因为居高官之位而改变他的操守。"

孟子说："有作为的人譬如打井一样，井挖到六七丈深还没有挖到泉水，也还是一口废井。"

孟子说："尧、舜（行仁）是本性使然，商汤、周武王是身体力行，五霸是假借利用。借久了不归还，怎么知道他们不是真有呢？"

公孙丑曰："伊尹曰：'予不狎于不顺[1]。'放太甲于桐，民大悦。太甲贤，又反之，民大悦。贤者之为人臣也，其君不贤，则固可放与？"

孟子曰："有伊尹之志，则可；无伊尹之志，则篡也。"

注释

[1] 狎（xiá）：亲近，亲昵。

译文

公孙丑说："伊尹说：'我不亲近不顺礼义的人。'他把太甲放逐到桐邑，百姓非常高兴。太甲改过自新了，又让他回来，百姓非常高兴。贤人作为臣子，如果他的君主不贤德，本来就可以将他放逐吗？"

孟子说："有伊尹那样的心志就可以；没有伊尹那样的心志，那就是篡位了。"

公孙丑曰："《诗》曰：'不素餐兮[1]！'君子之不耕而食，何也？

孟子曰："君子居是国也，其君用之，则安富尊荣；其子弟从之，则孝悌忠信。'不素餐兮！'孰大于是？"

注释

[1] 不素餐兮：出自《诗经·魏风·伐檀》。素餐，吃白饭。

译文

公孙丑说："《诗经》说：'不白吃饭啊！'可君子不种庄稼也吃饭，为什么呢？"

孟子说："君子居住在一个国家，国君用他，就会安定富足、尊贵荣耀；学生们跟随他，就会孝敬父母、尊敬兄长、忠诚而守信用。'不白吃饭啊！'还有什么比这重要呢？"

王子垫问曰[1]："士何事？"

孟子曰："尚志。"

曰："何谓尚志？"

曰："仁义而已矣。杀一无罪非仁也，非其有而取之非义也。居恶在？仁是也。路恶在？义是也。居仁由义，大人之事备矣[2]。"

注释

[1] 王子垫：齐王之子，名垫。　[2] 大人：朱熹注为"公卿大夫"。

译文

王子垫问道："士该做什么事？"

孟子说："使自己志向高尚。"

王子垫问："什么叫使自己志向高尚？"

孟子说："遵行仁义罢了。杀一个无罪的人是不仁的，不该是自己的东西而取来，是不义的。居处在哪里？就在于仁。行路在哪里？就在于义。居住于仁，行走由义，大人的事务都齐备了。"

孟子曰："仲子[1]，不义与之齐国而弗受，人皆信之，是舍箪食豆羹之义也。人莫大焉亡亲戚君臣上下。以其小者信其大者，奚可哉？"

注释

[1] 仲子：即陈仲子。见上册《滕文公下·义字当先》注 [2]。

译文

孟子说："陈仲子这个人，如果不合道义地把齐国送给他，他不会接受，人人都相信这一点，不过这只是拒绝一筐饭、一碗汤那样的小义罢了。人的罪过没有比不讲亲属、君臣、尊卑关系更大的了。因为他的小节而相信他的大节，（这）怎么可以呢？"

延伸阅读

百家争鸣

战国时代，政治上动荡不安，但在思想文化上却光辉灿烂，出现了"百家争鸣"的盛况。这是中国历史上一个难以逾越的文化高峰。

其实，战国诸子虽然号称"百家"，实际却没有那么多，只有"九流十家"。刘歆撰写《七略》，把战国诸子归为儒、道、阴阳、法、

名、墨、纵横、杂、农、小说家，共十家。十家中小说家除去不算，称为“九流”。这些学者们互相争辩、诘难，因此称为“百家争鸣”。

孟子为了捍卫儒家学说，自然不免对其他学派进行批判，其中最为著名的就是对告子的人性论的批判及对杨朱、墨子的“为我”与“兼爱”的批判。孟子认为，“杨墨之道不息，孔子之道不著”（《孟子·滕文公下》）。

杨朱是道家代表人物之一，生卒年不详，大约生活在战国初期。他主张“贵生”、“重己”，重视个人生命，反对他人对自己利益的侵夺，也反对自己侵夺他人利益。孟子认为：“杨子取为我，拔一毛而利天下，不为也。”（《孟子·尽心上》）孟子认为杨子“为我”，实质就是无君。儒家强调社会等级秩序，主张尊卑有别、长幼有序，“君君、臣臣、父父、子子”。如果人人“为我”，那么社会等级秩序就无法保证，所以孟子说这是“无君”。

墨家是当时的显学，墨子的核心思想主要有兼爱、非攻、尚贤、尚同、节用、节葬等。孟子认为：“墨子兼爱，摩顶放踵利天下，为之。”（《孟子·尽心上》）他认为，“兼爱”的实质就是“无父”。儒家虽然也讲“仁者爱人”，但是儒家所讲是从人之常情出发的“爱有差等”，是一种推己及人、由近及远、有疏有亲的爱。而墨家讲“爱无差等”，爱没有亲疏远近之分。这在孟子看来是泯灭了人与人之间的亲疏之别，将别人的父亲等于自己的父亲，那就是等于“无父”。他认为墨家的主张不仅不符合人之常情，而且大逆不道。

孟子辟杨墨，不但维护了孔子的儒家学说，也反映了儒、墨、杨三派互相对立的立场。

思考讨论

孔孟、杨朱和墨子的学说，你赞同哪个？为什么？

窃负而逃

桃应问曰[1]："舜为天子，皋陶为士，瞽瞍杀人，则如之何？"

孟子曰："执之而已矣。"

"然则舜不禁与？"

曰："夫舜恶得而禁之？夫有所受之也。"

"然则舜如之何？"

曰："舜视弃天下犹弃敝蹝也[2]。窃负而逃，遵海滨而处，终身䜣然[3]，乐而忘天下。"

注释

[1] 桃应：孟子的学生。 [2] 蹝（xǐ）：没有后跟的鞋子。一说草鞋。 [3] 䜣（xīn）：同"欣"。

译文

桃应问道："舜做天子，皋陶做法官，假如舜的父亲瞽瞍杀了人，那怎么办？"

孟子说："把他逮起来就是了。"

"难道舜不阻止吗？"

孟子说："舜怎么能够阻止呢？皋陶是按所受职责办事。"

"那么，舜该怎么办呢？"

孟子说："舜把抛弃天子之位看得像丢弃破鞋子一样。他偷偷地背负父亲逃走，沿着海滨住下来，终身逍遥，快乐得把曾经做过天子的事情忘掉。”

孟子自范之齐[1]，望见齐王之子，喟然叹曰：“居移气，养移体，大哉居乎！夫非尽人之子与？”

孟子曰：“王子宫室、车马、衣服多与人同，而王子若彼者，其居使之然也，况居天下之广居者乎？鲁君之宋，呼于垤泽之门[2]。守者曰：‘此非吾君也，何其声之似我君也？’此无他，居相似也。”

注释

[1]范：齐国地名，其地在今濮阳范县东南，是齐邑王庶子的封地。　[2]垤（dié）泽：宋城门。

译文

孟子从范邑到齐国去，远远地看见了齐王的儿子，很感慨地说：“居住环境改变人的气质，奉养改变人的体质，所处的环境真是关系大极了！他和别人不都一样是做儿子的吗？”

孟子说：“王子的住房、车马、衣服大多与别人相同，而王子显得那样与众不同，这是因为他居住的环境造成的，何况住在天下最宽广居处（指仁）的人呢？鲁君到宋国去，在宋国的垤泽城门下吆喝。守门人议论说：‘这个人不是我们的君主，为什么他的声音像我们的君主呢？’这没有别的原因，只是居处环境相似罢了。”

孟子曰："食而弗爱，豕交之也；爱而不敬，兽畜之也。恭敬者，币之未将者也[1]。恭敬而无实，君子不可虚拘[2]。"

孟子曰："形色，天性也，惟圣人然后可以践形。"

注释

[1]币：礼物。将：送。　　[2]拘：留。

译文

孟子说："只给吃而不爱抚，那就像养猪一样；爱抚而不恭敬，那就像豢养禽兽一样。恭敬之心是礼物送上之前就该具有的。只有恭敬的形式，却没有诚心实意，君子不可以被这种虚假的礼教所留住。"

孟子说："形体容貌是天生的，只有圣人才能体现它们的天性。"

齐宣王欲短丧。公孙丑曰："为期之丧，犹愈于已乎？"

孟子曰："是犹或纱其兄之臂[1]，子谓之姑徐徐云尔，亦教之孝悌而已矣。"

王子有其母死者，其傅为之请数月之丧。公孙丑曰："若此者何如也？"

曰："是欲终之而不可得也。虽加一日愈于已，谓夫莫之禁而弗为者也。"

注释

[1]缈：阻拦。

译文

齐宣王想缩短服丧的时间。公孙丑说：“（父母死）服丧一年，还是比完全不服丧好些吧？”

孟子说：“这好比有人在扭他哥哥的胳膊，你对他说姑且慢慢地扭，（这又有什么用呢。）也只有教他孝父母、敬兄长罢了。”

有个王子死了生母，他老师替他请求服丧几个月。公孙丑说：“像这样的事该怎么样呢？”

孟子说：“这是王子想服完三年丧而做不到。哪怕多服一天丧也比完全不服好，这是对那些没有谁禁止他服丧却不服的人而言的。”

孟子曰：“君子之所以教者五：有如时雨化之者，有成德者，有达财者[1]，有答问者，有私淑艾者[2]。此五者，君子之所以教也。”

注释

[1]财：通“材”。　　[2]私淑艾（yì）：私下拾取。淑，通“叔”，拾取。艾，同“刈”，取。此处指因自己仰慕而私下自学所得。

译文

孟子说：“君子教育人的方式有五种：有像及时雨一样滋润化育

的，有成全品德的，有培养才能的，有解答疑问的，有以学识风范影响那些不能登门受业的。这五种，就是君子教育人的方式。”

公孙丑曰：“道则高矣，美矣，宜若登天然，似不可及也。何不使彼为可几及而日孳孳也？”

孟子曰：“大匠不为拙工改废绳墨[1]，羿不为拙射变其彀率[2]。君子引而不发，跃如也；中道而立，能者从之。”

注释

[1]绳墨：木工取直用的工具。 [2]彀率：开弓的限度。

译文

公孙丑说：“道很崇高，很完美，可好像登天一样，似乎不可企及。为什么不使它变成可以接近而让人每日孜孜去努力呢？”

孟子说：“高明的工匠不会因笨拙的工人而改变或废弃规矩，羿不会因拙劣的射手而改变开弓的标准。君子（教人如教射）搭上箭、拉满弓却不发射，让箭在弦上跃跃欲出；他站在正确的道路中，有能力的就跟上来。”

孟子曰：“天下有道，以道殉身；天下无道，以身殉道。未闻以道殉乎人者也。”

译文

孟子说："天下清明，以道与自身相从；天下黑暗，以自身与道相从。没听说过以道来迁就世人的。"

公都子曰："滕更之在门也[1]，若在所礼，而不答，何也？"

孟子曰："挟贵而问，挟贤而问，挟长而问，挟有勋劳而问，挟故而问，皆所不答也。滕更有二焉。"

注释

[1]滕更：滕国国君的弟弟，曾就学于孟子。

译文

公都子说："滕更在您门下学习时，似乎是属于要以礼相待的人，然而您却不回答（他的发问），为什么呢？"

孟子说："倚仗地位来发问，倚仗能干来发问，倚仗年长来发问，倚仗有功劳来发问，倚仗老交情来发问，都是我不愿回答的。滕更占了其中的两条。"

孟子曰："于不可已而已者，无所不已。于所厚者薄，无所不薄也。其进锐者，其退速。"

孟子曰："君子之于物也，爱之而弗仁；于民也，仁之而弗亲。亲亲而仁民，仁民而爱物。"

孟子曰："知者无不知也，当务之为急；仁者无不爱也，急亲贤之为务。尧、舜之知而不遍物，急先务也；尧、舜之仁不遍爱人，急亲贤也。不能三年之丧，而缌、小功之察[1]；放饭流歠[2]，而问无齿决[3]，是之谓不知务。"

注释

[1]缌（sī）、小功：丧服名。古代丧服分为斩衰、齐衰、大功、小功、缌麻五个等级，服丧期相应分为三年、一年、九个月、五个月、三个月五等。　[2]放饭流歠（chuò）：大口吃饭，大口喝汤。按礼的规定，在尊长面前这样吃喝，是大不敬的行为。放，大。歠，饮。　[3]齿决：此指用牙咬断干肉。按礼的规定，在尊长面前这样做，是不礼貌的。

译文

孟子说："对于不可废弃的却废弃，那就没有什么不可废弃的了。对于该厚待的人却给予薄待，那就没有什么人不可薄待的了。进得快的，退得也快。"

孟子说："君子对于万物，爱惜而不必施予仁德；对于百姓，施予仁德而不亲爱。（君子）首先要亲爱亲人，进而把仁德施给百姓；把仁德施给百姓，进而爱惜万物。"

孟子说："智者无所不知，但急于当前的要务；仁者无所不爱，但把急于亲近贤人为要务。尧舜的智慧虽高却不遍知一切事物，因为他们急于知道首要事务；尧舜的仁德虽大却不遍爱所有的人，因为他们急于亲近贤人。不能行三年的丧礼，却苛察缌麻、小功这样轻的丧礼；（与长辈同席，没有礼貌地）大口吃饭、喝汤，却讲究不用牙齿咬断干肉，这叫做不识大体。”

延伸阅读

舜之“窃负而逃”

舜“窃负而逃，乐而忘天下”并不是历史事实，孟子杜撰这一故事反映了他对国家与小家地位问题的看法。在《孟子》一书中，“舜”被引用的次数达99次，远远超过《论语》中被引用的次数；舜被推崇的程度也远远超过了其他书籍。孟子把“舜”作为一个道德典范，孟子让舜“窃负而逃，乐而忘天下”的行为体现了孟子重家的思想。

孟子也许是受到了周武王的影响，周武王起义时，称商纣王为“独夫”，这也是一个跟家有关的观念。周武王在第一次会盟诸侯的时候，并没有接受大家立即进攻纣王的建议，他看到了“殷有三仁”，在纣王迫害了箕子、微子、比干等亲人，众叛亲离的情况下，才发起起义。这说明周武王认为众叛并不是革命成熟的标志，而亲离才是革命最终成熟的标志，他似乎也把家放在了国的前面。

舜“窃负而逃，乐而忘天下”，“窃负而逃”说的是与家庭的关系，“乐而忘天下”说的是与国的关系。“窃负而逃”是中国历史上著名的伦理设问。提问者说，舜做天子，皋陶做法官，假如舜的父亲瞽瞍杀了人，那该怎么办？

孟子处于伦理两难的困境中。这个问题中有一个前提：舜有能力曲法以救父。你不是说无父无君的人是禽兽吗？现在父亲犯法了，不救他是否禽兽呢？如果舜去干涉法律，人们又会说，原来儒家是不讲法的。一个人做了天子，就把天下当私产。

孟子是不是赞成腐败、徇私舞弊、徇情枉法？儒家提倡的“亲亲相隐”，是不是腐败的根源？儒家是不是该对后世的腐败现象负责任？我们讲，什么是腐败呢？它是对公权力的滥用。丁为祥先生说：《孟子·尽心上》里桃应的假设，皋陶既然为“士”，他的职责当然是维护法的公平性，而法的公平性是建立在人人平等、没有特权的基础上的。所以，假如舜的父亲瞽瞍杀人，即便瞽瞍有天子之父的尊位，皋陶也不能让他逍遥法外，而应绳之以法。这时，从另一方面讲，舜何以自处呢？舜既是天子，也是人子，如何平衡两者之间的矛盾呢？孟子给舜出的主意是：让舜从公权力的职分上离开，与父亲在一起，享受天伦之乐。孟子这样一个设计，一方面针对天子的尊位，另一方面针对亲子的情感，两者都不相伤，这与孔子讲人心之“直”是一致的。“直”是至情，是天性之常，是内在人心，是人性本有。《孟子·尽心上》讲君子“三乐”：“君子有三乐，而王天下不与存焉。父母俱存，兄弟无故，一乐也；仰不愧于天，俯不怍于人，二乐也；得天下英才而教育之，三乐也。君子有三乐，而王天下不与存焉。”所谓“父母俱存，兄弟无故”，就是天伦之乐。孟子所谓“乐”，最终是基于人心的。孟子讲舜可以窃负而逃，也就是说，在被逼迫上绝路时，舜丢弃天下，选择父亲，根源正在于维护人性之本。

思考讨论

1. “窃负而逃”的寓言，孟子想表达什么样的理念？

2. “厚葬久丧”要耗费巨大的精力和财力，你怎么看待这个传统呢？

第十四章　尽心下

民贵君轻

孟子曰："不仁哉梁惠王也！仁者以其所爱及其所不爱，不仁者以其所不爱及其所爱。"

公孙丑问曰："何谓也？"

"梁惠王以土地之故，糜烂其民而战之，大败，将复之，恐不能胜，故驱其所爱子弟以殉之，是之谓以其所不爱及其所爱也。"

译文

孟子说："梁惠王真不仁啊！仁人把他所喜爱的推及他所不喜爱的，不仁者把他所不喜爱的推及他所喜爱的。"

公孙丑问道："此话怎么讲？"

（孟子说：）"梁惠王因为土地的缘故，不惜百姓的血肉之躯去打仗，大败后准备再打，担心不能取胜，所以又驱使他所爱的子弟去为他献身，这就叫把他所不喜爱的推及他所喜爱的。"

孟子曰："春秋无义战。彼善于此，则有之矣。征者，上伐下也，敌国不相征也[1]。"

孟子曰："尽信《书》,则不如无《书》。吾于《武成》[2]，取二三策而已矣[3]。仁人无敌于天下，以至仁伐至不仁，而何其血之流杵也？"

孟子曰："有人曰：'我善为陈[4]，我善为战。'大罪也。国君好仁，天下无敌焉。南面而征，北狄怨；东面而征，西夷怨，曰：'奚为后我？'武王之伐殷也，革车三百两，虎贲三千人。王曰：'无畏！宁尔也，非敌百姓也。'若崩厥角稽首。征之为言正也，各欲正己也，焉用战？"

孟子曰："梓匠轮舆能与人规矩，不能使人巧。"

注释

[1]敌：匹敌，对等。　[2]《武成》:《尚书》篇名，早已亡佚。东汉王充《论衡·艺增》上说："夫《武成》之篇，言武王伐纣，血流浮杵，助战者多，故至血流如此。"　[3]策：竹简。[4]陈（zhèn）：同"阵"。

译文

孟子说："春秋时代没有符合正义的战争。那一方比这方好一点的情况，还是有的。所谓征，是指在上者讨伐在下者，同等的诸侯国是不能相互征伐的。”

孟子说：“完全相信《尚书》，不如没有《尚书》。我对于（《尚书》中的）《武成》篇，就只取其中二三处罢了。仁人无敌于天下，凭（武王那样）最仁的人去讨伐（商纣那样）最不仁的人，怎么会血流得把舂米的木棒都漂起来呢？”

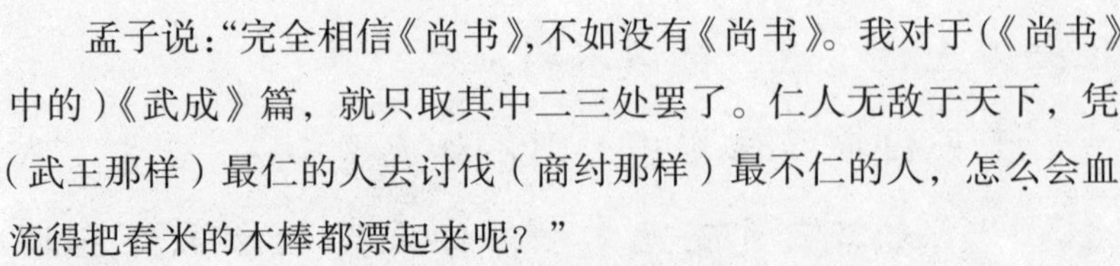

孟子说：“有人说：‘我善于布阵，我善于打仗。’这是大罪恶。国君爱好仁，就会天下无敌。（商汤）征伐南方，北方的狄族就埋怨；征伐东方，西方的夷族就埋怨，说：‘为什么把我们放在后边？’武王讨伐殷商，有战车三百辆，勇士三千人。武王说：‘不要害怕，我是来安定你们的，不是来同百姓为敌的。’百姓额角碰地的声音像山岩崩塌一般。‘征’就是‘正’的意思，如果各人都想端正自己，哪还用得着打仗？”

孟子说：“木匠和车匠能教给人圆规、曲尺的使用方法，却不能使人技术精巧。”

孟子曰：“舜之饭糗茹草也[1]，若将终身焉。及其为天子也，被袗衣[2]，鼓琴，二女果[3]，若固有之。”

孟子曰：“吾今而后知杀人亲之重也：杀人之父，人亦杀其父；杀人之兄，人亦杀其兄。然则非自杀之也，一间耳[4]。”

孟子曰：“古之为关也，将以御暴；今之为关也，将以为暴。”

孟子曰：“身不行道，不行于妻子；使人不以道，不能行于妻子。”

孟子曰：“周于利者凶年不能杀，周于德者邪世不能乱。”

孟子曰：“好名之人能让千乘之国，苟非其人，箪食豆羹见于色。”

孟子曰：“不信仁贤，则国空虚；无礼义，则上下乱；无政事，则财用不足。”

孟子曰：“不仁而得国者，有之矣；不仁而得天下者，未之有也。”

孟子曰：“民为贵，社稷次之，君为轻。是故得乎丘民而为天子[5]，得乎天子为诸侯，得乎诸侯为大夫。诸侯危社稷，则变置。牺牲既成，粢盛既洁[6]，祭祀以时，然而旱干水溢，则变置社稷。”

孟子曰：“圣人，百世之师也，伯夷、柳下惠是也。故闻伯夷之风者，顽夫廉，懦夫有立志；闻柳下惠之风者，薄夫敦，鄙夫宽。奋乎百世之上，百世之下闻者莫不兴起也。非圣人而能若是乎？而况于亲炙之者乎[7]？”

注释

[1] 饭：动词，吃。糗（qiǔ）：干粮。 [2] 袗（zhěn）：杨伯峻《孟子译注》译为“麻葛单衣”。 [3] 果：通“婐（wǒ）”，侍女，这里是侍候的意思。 [4] 一间（jiàn）：指相距很近。间，隔。[5] 丘民：民众。 [6] 粢盛（zī chéng）：盛在祭器中的谷物。[7] 亲炙：亲受教益熏陶。

译文

孟子说：“舜在吃干粮咽野菜的时候，就像打算终身这么过日子似的。到他做了天子后，穿着细葛布衣服，弹着琴，尧的两个女儿侍候着，又像本来就享有这种生活似的。”

孟子说：“我现在才知道杀害别人亲人的严重性：杀了人家的父亲，人家也会杀他父亲；杀了人家的哥哥，人家也会杀他哥哥。虽然不是他自己杀了父亲和哥哥，但也只差那么一点点了。”

孟子说：“古时候设立关卡，是要用它抵御强暴；现在设立关卡，却是想用它来施行强暴。”

孟子说：“自己不能践行道义，妻室、子女自然不会践行；没有按道义使唤别人，那连妻室、子女也使唤不动。”

孟子说：“富于财利的人荒年不能使他困窘，富于道德的人乱世不能使他迷乱。”

孟子说：“爱名声的人能够把有兵车千辆的国家让给人，如果不是这样的人，就是让出一小筐饭、一碗汤，脸色也会显出不高兴。”

孟子说：“不信任仁人贤士，国家实力就会空虚；没有礼义，上下等级关系就会混乱；没有政事，国家财用就会不足。”

孟子说：“不行仁德的人得到一个国家，有这样的情况；不行仁德的人却得到天下，是从来没有过的。”

孟子说：“百姓是最重要的，其次是国家，君主的地位更要轻些。所以得到许多百姓的信任就能做天子，得到天子信任就能做诸侯，得到诸侯信任就能做大夫。诸侯危及国家，那就改立他人。祭祀用的牲畜已合乎标准，谷物已清洁，祭祀按时进行，然而还是干旱水涝，那就改立土、谷之神。”

孟子说：“圣人是百代人的师表，伯夷、柳下惠就是这样的人。所以听到伯夷的道德风范，贪婪的人会变廉洁，懦弱的人会有立志的决心；听到柳下惠的道德风范，刻薄的人会变得厚道，狭隘的人会变得宽广。百代之前奋发有为，百代之后听说过他们事迹的人，没有不振作奋发的。不是圣人能像这样吗？何况亲身受过他们熏陶的人呢？”

延伸阅读

孟子的君民观

在君与民的关系上，孟子提出了一个非常重要的思想，那就是“民为贵，社稷次之，君为轻”。孟子就人民、社稷和君主三者的地位进行比较，人民的地位最重要，社稷的地位次于人民，君主的地位又次于社稷。“社稷”一词的原意，“社”是土地之神，“稷”为五谷之神。历代封建王朝立国，必先立社稷坛，而灭人之国，必变置被灭国的社稷。所以古人又把社稷当做国家政权的标志。

孟子的这一思想被简称为“民贵君轻”，较之他以前的思想家，他更明确地说明了人民是国家的根本，不是人民依赖君主，而是君主依赖人民。君主必须得到人民的拥护，好好地运用国家权力去实现人民的心意，才能得到人民的拥护，保住君主之位。如果

君主胡作非为，危及国家政权，这样的君主就可以更换。在孟子看来，得到诸侯的欢心便可以做大夫，得到天子的欢心便可以做诸侯，得到民众的欢心便可以做天子。如果诸侯危及国家，就改立诸侯；如果祭祀工作各方面都做得很好，却还是闹灾荒，就改立土神、谷神。

民心在孟子思想中占有极其重要的地位。孟子说："桀、纣之失天下也，失其民也；失其民者，失其心也。得天下有道：得其民，斯得天下矣；得其民有道：得其心，斯得民矣；得其心有道：所欲与之聚之，所恶勿施尔也。"（《孟子·娄离上》）商汤、周武得天下，是因为得到了民心，夏桀、商纣失天下，是因为失去了民心。得民心最好的办法，是把百姓想要的为他们积蓄起来，不把百姓憎恶的强加在他们身上。虽然这个效应不能立即可得，有待不断的积累，好比医生医治陈年老病，耗时很久，但是如果不这样做，国家必将陷于忧患。

"民贵君轻"具体的表现有以下几点：

第一，把百姓的生活问题放在重要位置上。"是故明君制民之产，必使仰足以事父母，俯足以畜妻子；乐岁终身饱，凶年免于死亡。然后驱而之善，故民之从之也轻。"（《孟子·梁惠王上》）使百姓生活有所保障，而不是国库充盈百姓却挨饿。只有百姓生活有了保障，才能领导他们行善从善。

第二，必须听从百姓意见。"国君进贤，如不得已，将使卑逾尊，疏逾戚，可不慎与？左右皆曰贤，未可也；诸大夫皆曰贤，未可也；国人皆曰贤，然后察之，见贤焉，然后用之。左右皆曰不可，勿听；诸大夫皆曰不可，勿听；国人皆曰不可，然后察之，见不可焉，然后去之。左右皆曰可杀，勿听；诸大夫皆曰可杀，勿听；国人皆曰可杀，然后察之，见可杀焉，然后杀之。故曰国人杀之也。如此，然后可以为民父母。”（《孟子·梁惠王下》）选拔贤能，是治理国家的一件大事，需要认真处理。在这个过程中，左右亲近的人和众大夫的意见不能随便听信，应当征求国人的意见，只有国人都说贤再起用，国人都说杀再去杀之。

第三，与民同忧乐。“今王鼓乐于此，百姓闻王钟鼓之声、管籥之音，举欣欣然有喜色而相告曰：‘吾王庶几无疾病与，何以能鼓乐也？’今王田猎于此，百姓闻王车马之音，见羽旄之美，举欣欣然有喜色而相告曰：‘吾王庶几无疾病与，何以能田猎也？’此无他，与民同乐也。今王与百姓同乐，则王矣。”（《孟子·梁惠王下》）国君喜欢鼓乐，喜欢狩猎，只要能够做到与民同乐并没有什么不好，因为一旦如此，民亦乐其乐，忧其忧，上下一致军民一心，便可以无敌于天下了。

第四，救民于水火之中。“取之而燕民悦，则取之。古之人有行之者，武王是也。取之而燕民不悦，则勿取。古之人有行之者，文王是也。以万乘之国伐万乘之国，箪食壶浆以迎王师，岂有他哉？避水火也。如水益深，如火益热，亦运而已矣。”（《孟子·梁惠王下》）燕国内乱后，齐国是否伐燕，有不同意见。孟子认为，燕国虐害本国的百姓，使百姓处于水深火热之中。在这种情况下，如果燕国百姓高兴，齐国就可以去征讨，如果燕国百姓不高兴，就不能征讨，否则只能使百姓更加苦难。

第五，最高权力转移的时候，也要为民着想。“使之主祭，而百神享之，是天受之；使之主事，而事治，百姓安之，是民受之也。天与之，人与之，故曰：天子不能以天下与人。舜相尧二十有八载，非人之所能为也，天也。尧崩，三年之丧毕，舜避尧之子于南河之南，天下诸侯朝觐者，不之尧之子而之舜；讼狱者，不之尧之子而之舜；讴歌者，不讴歌尧之子而讴歌舜。故曰：天也。夫然后之

中国，践天子位焉。而居尧之宫，逼尧之子，是篡也，非天与也。《泰誓》曰：'天视自我民视，天听自我民听。'此之谓也。"（《孟子·万章上》）舜帮助尧治理天下二十八年，尧死后，舜为了使尧的儿子能够继承天下，自己躲得远远的，但是天下诸侯朝见天子、打官司都不到尧的儿子那里去，而到舜这里来，这样舜才回来继续主持政事。孟子引用《尚书》的话总结说，顺从民心就是顺从了天意。

孟子的"民贵君轻"思想在中国历史上影响深远，后来荀子在孟子的基础上又做了发挥："天之生民，非为君也；天之立君，以为民也。"（《荀子·大略》）荀子又把君民关系比作水和船，水的浮力可以达到运载船的目的，也能激起惊涛骇浪使船沉没，这句话被通俗地表达为"水能载舟也能覆舟"。这一学说中包含的民主因素，到了十九世纪后期，发展为近代民主主义，如谭嗣同在《仁学》中说："因有民而后有君，君末也，民本也。天下无有因末而累及本者，亦岂可因君而累其民哉？"

这类近代民主主义理论大多从孟子的民贵君轻的民本学说中汲取了养分，足见孟子学说的历史作用。

思考讨论

1. 结合所学的历史知识，谈谈你对"春秋无义战"的看法。

2. 请谈谈战争对社会造成的危害。

3. 孟子的"民贵君轻"思想在中国思想史上影响深远，请举例说说你知道哪些思想家受到了孟子的影响。

仁者，人也

孟子曰："仁也者，人也。合而言之，道也。"

孟子曰："孔子之去鲁，曰：'迟迟吾行也，去父母国之道也。'去齐，接淅而行，去他国之道也。"

孟子曰："君子之厄于陈、蔡之间，无上下之交也。"

译文

孟子说："'仁'的意思就是'人'，合起来讲就是'道'。"

孟子说："孔子离开鲁国的时候，惆怅道：'我们慢慢走吧，我们是在离开祖国呀！'离开齐国的时候，把已浸在水中的米捞起来就走，这是离开别的国家的态度。"

孟子说："孔子在陈国和蔡国所遭遇的窘境，是没有与两国君臣交往的缘故。"

貉稽曰："稽大不理于口。"

孟子曰："无伤也。士憎兹多口。《诗》云：'忧心悄悄，愠于群小[1]。'孔子也。'肆不殄厥愠，亦不殒厥问。'文王也。"

注释

[1]"忧心"二句：出自《诗经·邶风·柏舟》。意为对于很多小人，心中都抱有怨恨，表面却不显露。愠，恼怒、怨恨。群小，众小人。

译文

貉稽说道："我被别人说得很坏。"

孟子说："何必在意呢！士人憎恶这种多嘴多舌。《诗经》说：'烦恼沉沉压在心，小人当我眼中钉。'孔子的遭遇便如此。又说：'别人的怨恨虽未消，自己的名声并不损。'这是说周文王。"

孟子曰："贤者以其昭昭使人昭昭，今以其昏昏使人昭昭。"

孟子谓高子曰："山径之蹊间，介然用之而成路[1]；为间不用[2]，则茅塞之矣。今茅塞子之心矣。"

注释

[1]介然：坚持，专一。　　[2]为间：为时不久。

译文

孟子说："贤人用自己清楚明白的道理使别人也清楚明白，现在的人却要用连他自己都糊里糊涂的道理去使人清楚明白。"

孟子对高子说："山上的小路很窄，人们一直走便成了路；只要一段时间不走，茅草就会堵塞住它。现在茅草堵塞住你的心了。"

高子曰："禹之声尚文王之声。"

孟子曰："何以言之？"

曰："以追蠡[1]。"

曰："是奚足哉？城门之轨，两马之力与？"

注释

[1] 蠡：形容器物磨损的严重程度。

译文

高子说："大禹对音乐的修养是在文王之上啊。"

孟子说："为什么这样讲？"

高子回答道："（大禹流传下来的）钟钮都快断了呀！"

孟子说："这怎么足以说明呢？城门内的车辙那样深，难道是一辆马车的力量所造成的吗？"

延伸阅读

人怎样变成人

何满子

这里不是谈生物学的人，也不是谈古猿人是怎样进化过来的，而是谈社会人，干脆说，谈包括我在内的中国人。

人之成为人，似乎是不成问题的，无须辩。但细按之并不尽然，真正成为"全人"的特殊材料构成的人，纵非绝无，确实罕见。不是指毫无错误没有丝毫缺点的无瑕美玉，人非圣贤，孰能无过；而且圣贤也有错误和过失，绝非完璧。再进一步说，把某人视之为圣贤，这观念的本身就有问题，就是人尚未变成人或尚未完全变成人的非理性概念，就是抬高极少数人而使绝大多数人遭受贬抑的人性暴弃。孟子还知道"舜亦人也，余亦人也"，我佛如来还肯定"众生皆有佛性"，圣贤与常人并无二致，并不高出一头。有了这样的人的觉醒，人庶几能站直身，变成人。

在人间，由于自然的社会的诸种复杂的原因，人是不平等也

不可能平等，要求完全的、绝对的平等是乌托邦。然而，不论社会地位，经济条件，才能智慧，身体素质等等有多少事实上的不平等，在作为人的类属关系上应该是平等的，大家都是人。举例说，谁要鄙视残疾人，就叫做不人道，也就是在这点上他没有人味，还没有变成人。触类以旁求之，这种有待于变，尔后才能成为人的地方，还多得不胜枚举。

人应有独立人格。若容我放肆说，则滔滔天下，有独立人格的人实在不多。不是我目无余子，倘反求诸己，从实招来，我自己也常缺乏独立人格。我是当编辑的，要审读和取决稿件，如有两份同样可用可不用的稿件，两者择其一，大抵采用名家权威作者的，而将无名作者的摒落，倒确不是崇拜权威或漠视小人物，周围的气氛，世俗风气，市场情况都逼令我如此选择，我不得不屈就之，其实并非我的素志。既然不能坚持素志，屈己以就人，就于独立人格有损。我又是写写文章的，虽自问尚不作违心之论，但提起笔来就东顾虑西顾虑，骨头已经抽掉得所剩不多，有时编辑先生还要提出要求，这删那改，为了使文章苟活，不得不从命，独立人格从何坚持？这大概是同道中很多人皆有的苦衷。因此，这篇手记之所以评人者也所以自评，所以责人者也所以自责。

思考讨论

孔子和孟子都曾经游说诸侯，可是他们的思想大多没有被当时的统治者所采纳，你认为这是什么原因呢？

君子不谓命也

齐饥。陈臻曰："国人皆以夫子将复为发棠[1]，殆不可复？"

孟子曰："是为冯妇也。晋人有冯妇者，善搏虎，卒为善士。则之野，有众逐虎，虎负嵎[2]，莫之敢撄。望见冯妇，趋而迎之。冯妇攘臂下车。众皆悦之，其为士者笑之。"

注释

[1]发棠：孟轲为推行仁政，曾劝齐宣王发放棠邑积谷赈济贫民。后称开仓赈济为"发棠"。　[2]嵎（yú）：小山丘。

译文

齐国饥荒。陈臻说："国都里的人都认为老师会再次（劝说齐王）打开棠邑的粮仓（救济百姓），大概不便再请求了吧！"

孟子说："这样就成冯妇了。晋国有个叫冯妇的人，善于打虎，后来成了善士（不打虎了）。（有一次）他去野外，有许多人在追逐一只虎，老虎背靠山的角落，没有人敢靠近它。（人们）远远看见了冯妇，便跑上去迎接他。冯妇便捋起袖子下车（去打虎）。大家都高兴，可作为士的那些人却讥笑他。"

孟子曰："口之于味也，目之于色也，耳之于声也，鼻之于臭也，四肢之于安佚也，性也。有命焉，

君子不谓性也。仁之于父子也，义之于君臣也，礼之于宾主也，知之于贤者也，圣人之于天道也，命也。有性焉，君子不谓命也。”

译文

孟子说：“口对于美味，眼睛对于美色，耳朵对于好听的声音，鼻子对于香味，四肢对于安逸，这些都是与生俱来的天性。但能否得到却由命运决定，君子并不认为它们是天性的必然。仁对于父子关系，义对于君臣关系，礼对于宾主关系，智慧对于贤者，圣人对于天道，都是命运。但能否实现却是天性的必然，所以君子不认为它们是由命运决定的（因而努力求其实现）。”

浩生不害问曰[1]：“乐正子何人也？”

孟子曰：“善人也，信人也。”

“何谓善？何谓信？”

曰：“可欲之谓善，有诸己之谓信，充实之谓美，充实而有光辉之谓大，大而化之之谓圣，圣而不可知之之谓神。乐正子，二之中、四之下也。”

注释

[1] 浩生不害：姓浩生，名不害，齐国人。

译文

浩生不害问道："乐正子是怎样一个人？"

孟子说："善良的人，有信誉的人。"

浩生不害问："什么叫'善'？什么叫'信'？"

孟子说："值得喜欢叫做'善'，善确实存于自身叫做'信'，使善和信充实叫做'美'，充实而能发扬出来叫做'大'，发扬光大而能化育天下叫做'圣'，圣达到妙不可测之境叫做'神'。乐正子处在前二者中间、后四者下面。"

孟子曰："逃墨必归于杨，逃杨必归于儒。归，斯受之而已矣。今之与杨、墨辩者，如追放豚，既入其苙[1]，又从而招之。"

孟子曰："有布缕之征，粟米之征，力役之征。君子用其一，缓其二。用其二而民有殍，用其三而父子离。"

孟子曰："诸侯之宝三：土地，人民，政事。宝珠玉者，殃必及身。"

注释

[1] 苙：圈养牲畜的栏。

译文

孟子说："脱离墨家必定归向杨朱派，脱离杨朱派必定归向儒家。如果有人愿意回归儒家，接纳他们就是了。今天和墨子杨朱两家辩论的人，就像去追赶那些逃跑的猪一样，已经赶到猪圈里了，还要把蹄子都绑起来。”

孟子说：“有征收布帛的赋税，有征收粮食的赋税，有征发人力的。君子采用其中一种，就缓征其他两种。同时征收两种，百姓就会有饿死的了；同时征收三种，就会使百姓们父子离散了。”

孟子说：“诸侯的宝物有三件：土地，百姓，政事。把珍珠美玉当做宝物的，灾祸必将落到他身上。”

盆成括仕于齐[1]。孟子曰：“死矣，盆成括！”

盆成括见杀，门人问曰：“夫子何以知其将见杀？”

曰：“其为人也小有才，未闻君子之大道也，则足以杀其躯而已矣。”

注释

[1] 盆成括：姓盆成，名括。

译文

盆成括在齐国做官。孟子说：“盆成括要丧命了！”

盆成括被杀，学生问道：“老师怎么会知道他将被杀？”

孟子说：“他有点小才智，但不懂君子的大道理，那就足以招来杀身之祸了。”

延伸阅读

乐正子的故事

乐正子（生卒年待考），复姓乐正，全名乐正子春，鲁国人。战国早期著名思想家，是曾子的门人，他推广了曾子的孝悌学说，形成了十分著名的“乐正子春学派”。孟子在论述人的道德、人格培养的层次时，把理想的人格分为善、信、美、大、圣、神六个层次，孟子认为乐正子达到了“善”和“信”的境界。

乐正子伤足念亲

乐正子扭伤了脚，很久没有出门。他的学生一起来探视他，见他足伤已经痊愈，但面带忧戚之色，都感到很奇怪，问是什么原因。乐正子春说：“你们只知道我的脚伤口痊愈，却不知我内心所受的伤害没有痊愈。我曾经听曾子说，孔夫子说过这样的话：在天地所生所养的一切事物中，人是最伟大的，父母把你完整地生下来，子女就要完整地把身体再交还给父母，这才能够称为孝。身体没有受到损伤，没有受到侮辱，这就叫完整。君子举步抬足都不敢忘记孝，不敢忘记父母，所以走路走大路而不走小路，过河乘船而不游泳，是不敢拿父母给我们的身体去冒险。说话不敢忘记父母，所以不说伤人的话，就不会招来别人的怨言。不玷污自身，不让父母蒙羞，就可以说是孝了，如今我因走路不慎而伤了脚，损伤了父母给我的身体，也是忘记了老师的教导，内心所受的伤害是如此深，还怎么敢出门？”

乐正子爱诚信

春秋时，鲁国珍藏着一只名为“谗”的鼎，这只谗鼎在诸侯中名声很大，各国国王都想得到它。有一次齐国发兵讨伐鲁国，索取谗鼎。鲁君舍不得谗鼎，可又不敢得罪齐国，就派人送去一只仿制

的赝鼎。齐君围着赝鼎上下左右查看完后问："这是赝品吗？"鲁君说："是真品。"齐君不信，就说："让乐正子来，我听听他的看法。"于是鲁君请来了乐正子，乐正子说："你为什么不把真的送给他呢？"鲁君说："我喜爱那只鼎。"乐正子说："臣一样珍爱我的诚信啊！"

思考讨论

1. "冯妇搏虎"这个成语出自哪里？它的含义是什么？

2. 中国传统的用人哲学认为：德才兼备的人才是栋梁，有德无才的人也可使用，有才无德的人坚决不可使用。你认同这种选拔人才的标准吗？为什么？

往者不追，来者不拒

孟子之滕，馆于上宫。有业屦于牖上[1]，馆人求之弗得。或问之曰："若是乎从者之廋也？"

曰："子以是为窃屦来与？"

曰："殆非也。"

"夫子之设科也，往者不追，来者不拒。苟以是心至，斯受之而已矣。"

注释

[1] 牖（yǒu）：窗户。

译文

孟子到滕国，住在上宫。有双没织完的草鞋放在窗台上，馆人找不到了。有人便问孟子说：“这是不是随从您的人藏起来了呢？”

孟子说：“你以为他们是为偷草鞋而来的吗？”

那人说：“恐怕不是的。”

孟子说：“我开设课程，（对学生的态度是）离去的不追赶，前来的不拒绝。只要他们抱着向学之心而来，就接受他们而已。”

孟子曰：“人皆有所不忍，达之于其所忍，仁也；人皆有所不为，达之于其所为，义也。人能充无欲害人之心，而仁不可胜用也；人能充无穿逾之心，而义不可胜用也；人能充无受尔汝之实[1]，无所往而不为义也。士未可以言而言，是以言餂之也[2]；可以言而不言，是以不言餂之也，是皆穿逾之类也。”

孟子曰：“言近而指远者，善言也；守约而施博者，善道也。君子之言也，不下带而道存焉[3]；君子之守，修其身而天下平。人病舍其田而芸人之田，所求于人者重，而所以自任者轻。”

孟子曰：“尧舜，性者也；汤武，反之也。动容周旋中礼者，盛德之至也。哭死而哀，非为生者也。经德不回，非以干禄也。言语必信，非以正行也。君子行法，以俟命而已矣。”

孟子曰："说大人，则藐之，勿视其巍巍然。堂高数仞，榱题数尺[4]，我得志，弗为也。食前方丈，侍妾数百人，我得志，弗为也。般乐饮酒，驱骋田猎，后车千乘，我得志，弗为也。在彼者，皆我所不为也；在我者，皆古之制也，吾何畏彼哉？"

孟子曰："养心莫善于寡欲。其为人也寡欲，虽有不存焉者，寡矣；其为人也多欲，虽有存焉者，寡矣。"

注释

[1] 尔汝：尔、汝，都是第二人称代词，古代年长对年幼或尊贵对卑贱的人称呼时使用。如果平辈之间用来称呼，则表示对对方的轻视。 [2] 餂（tiǎn）：诱取。 [3] 不下带：古人视不下带，即只视带之上。此处比喻注意眼前常见之事。带，腰带。 [4] 榱（cuī）题：屋檐下的椽子头，这里借指屋檐。

译文

孟子说："人都有他所不忍心之处，将它推及他所忍心之处，便是仁；人都有他所不愿做的事，将它推及他所愿做的事上，便是义。人能够扩充不愿害人的心，仁就用不尽了；人能够扩充不挖洞跳墙的心，义就用不尽了；人能够扩充不受人轻贱的言行，那不管到哪里都不会不合于义了。士人不可以言谈却与之言谈，这是用言语诱惑他以便自己取利；可以言谈却不与之言谈，这是用沉默诱惑他以便自己取利，这都属于挖洞跳墙一类的行为。"

孟子说："言语浅近而含意深远，这是善言；操守简要而恩惠广博，这是善道。君子的言谈，内容平常而道理却在其中；君子的操守，修饬自身而使天下太平。有些人的毛病在于放着自己的田不耘，却去耘别人的田；要求别人的很重，自己负担的却很轻。"

孟子说："尧、舜（的行事）是天性；商汤、周武王（的行事）是返回天性。举动、容貌都合于礼，是美德中的极点。哭死者而悲哀，不是做给生者看的。按道德行事而不违背，不是为了谋求官位。说话必守信用，不是为了博取行为端正的名声。君子依法度行事，（结果如何）就等待命运安排罢了。"

孟子说："去游说显贵就要藐视他，不要把他高高在上的样子放在眼里。殿堂台阶数丈高，屋檐几尺宽，我得志，不这样做。面前食物摆满一丈见方的地方，侍候的姬妾几百人，我得志，不这样做。饮酒作乐，跑马打猎，随从的车子上千辆，我得志，不这样做。凡他所做的，都是我所不做的；凡我所做的，都合乎古代制度，我为什么怕他呢？"

孟子说："养心的方法没有比减少欲望更好了。他的为人，减少了欲望，虽也会失去善性，但失去不多；他的为人，增多了欲望，虽也会保存善性，但保存很少。"

曾皙嗜羊枣，而曾子不忍食羊枣。公孙丑问曰："脍炙与羊枣孰美？"

孟子曰："脍炙哉！"

公孙丑曰："然则曾子何为食脍炙而不食羊枣？"

曰："脍炙所同也，羊枣所独也。讳名不讳姓，姓所同也，名所独也。"

译文

曾皙喜欢吃羊枣，曾子因而不忍吃羊枣。公孙丑问道："小烤肉与羊枣哪一种好吃？"

孟子说："当然是小烤肉嘛！"

公孙丑说："那曾子为什么吃小烤肉而不吃羊枣呢？"

孟子说："小烤肉是大家都爱吃的，羊枣是个别人爱吃的。（这如同）避尊长的名讳而不避讳姓，因为姓是大家共同的，而名却是个人独有的。"

延伸阅读

人生的意义及人生中的境界（节选）

冯友兰

何谓"意义"？意义发生于自觉及了解；任何事物，如果我们对它能够了解，便有意义；否则便无意义；了解越多，越有意义，了解得少，便没有多大的意义。何谓"自觉"？我们知道自己在做一些事情，便是自觉。人类与禽兽所不同的地方，便是人类能够了解，能够自觉，而禽兽则否。譬如喝水吧，我们晓得自己在喝水，并且知道喝水是怎么一回事；可是兽类喝水的时候，它却不晓得它在喝水，而且不明白喝水是怎么一回事，兽类的喝水，常常是出于一种冲动。

对于任何事物，每个人了解的程度不一定相同，然而兽类对于事物，却谈不到什么了解。例如我们在礼堂演讲，忽然跑进了一条狗，狗只看见一堆东西，坐在那里，它不了解那就是演讲，因为它不了解演讲，所以我们的演讲，对它便毫无意义。又如逃警报的时候，街上的狗每每跟着人们乱跑，它们对于逃警报，根本就不懂得是一回什么事，不过跟着人们跑跑而已。可是逃警报的人却各有各的了解，有的懂得为什么会有警报，有的懂得为什么敌人会打我们，有的却不能完全了解这些道理。

同样的，假如我们能够了解人生，人生便有意义，假使我们不能了解人生，人生便无意义。各个人对于人生的了解多不相同，因此,人生的境界,便有分别。境界的不同,是由于认识的互异;这，有如旅行游山一样，地质学家与诗人虽同往游山，可是地质学家的观感和诗人的观感，却大不相同。

人生的境界，大体上可分为四类:(一)自然境界——最低级的,了解的程度最少,这一类人,大半是“顺才”或“顺习”。(二)功利境界——较高级的，需要进一层的了解。(三)道德境界——更高级的，需要更高深的了解。(四)天地境界——最高的境界，需要最彻底的了解。在自然境界中的人，不论干什么事情，不是依照社会习惯，而是依照其本性去做;他们从来未曾了解做某种事情的意义，往好处说，这就是“天真烂漫”，往差处说便是“糊里糊涂”，他们既不懂得为什么要这样做，又不明白做某种事情有什么意义，所以他们可说没有自觉，有时他们纵然是整天笑嘻嘻，可是却不自觉快乐。这，有如天真的婴孩，他虽然笑逐颜开，可是却一点都不觉得自己快乐，两种情况，完全相同。这一类人，对于“生”、“死”皆不了解，而且亦没有“我”的观念。功利境界中的人，对于人生的了解，比较进一步，他们有“我”的观念，不论做什么事，都是为着功利，为着自己的利益打算。这一批人，大抵贪生怕死，有时他们亦会为社会服务，为国家做点事，可是他们做事的动机，是想换取更高的代价，表面上，他们虽在服务，但其最后的目的还是为着小我。在道德境界中的人,不论所做何事，皆以服务社会为目的。这一类人既不贪生，又不怕死，他们晓得

除“我”以外，上面还有一个社会，一个全体，他们了解个人是社会的一部分，个人与社会是部分与全体的关系。就普通常识来说，部分的存在似乎先于全体，可是从哲学来说，应该是先有全体，然后始有个体。例如房子中的支“柱”，是有了房子以后，始有所谓“柱”，假使没有房子，则柱不成为柱，它只是一件大木料而已。同样，人类在有了人伦的关系以后，始有所谓“人”，如没有人伦关系，则人不成为人，只是一团血肉。不错，在没有社会组织以前，每个人确已先具有一团肉，可是我们之成为人，却因为是有了社会组织的缘故。道德境界的人，很清楚地了解这一点。天地境界中的人，一切皆以服务宇宙为目的。他们对生死的见解，既无所谓生，复无所谓死；他们认为在社会之上，尚有一个更高的全体——宇宙。科学家的所谓宇宙，系指天体、太阳系及天河等，哲学家的所谓宇宙，系指一切，所以宇宙之外，不会有其他的东西，人绝对不能离开宇宙而存在。天地境界的人能够彻底了解这些道理，所以他们所做的事，便是为宇宙服务。

思考讨论

1. 你认为人生的意义是什么？

2. 有句俗语说“玩物丧志”，意思是过度地追求物质享受会妨害积极进取的意志。你觉得应该如何平衡物质追求和精神追求的关系？

众人皆称善，未可也

万章问曰："孔子在陈曰：'盍归乎来！吾党之小子狂简，进取，不忘其初。'孔子在陈，何思鲁之狂士？"

孟子曰："孔子'不得中道而与之，必也狂狷乎！狂者进取，狷者有所不为也'。孔子岂不欲中道哉？不可必得，故思其次也。"

"敢问何如斯可谓狂矣？"

曰："如琴张、曾皙、牧皮者[1]，孔子之所谓狂矣。"

"何以谓之狂也？"

曰："其志嘐嘐然[2]，曰'古之人，古之人'。夷考其行，而不掩焉者也。狂者又不可得，欲得不屑不洁之士而与之，是狷也，是又其次也。孔子曰：'过我门而不入我室，我不憾焉者，其惟乡原乎[3]！乡原，德之贼也。'"

曰："何如斯可谓之乡原矣？"

曰："'何以是嘐嘐也？言不顾行，行不顾言，则曰古之人、古之人。行何为踽踽凉凉[4]？生斯世也，为斯世也，善斯可矣。'阉然媚于世也者，是乡原也。"

孔子在陈绝粮图

万子曰:“一乡皆称原人焉,无所往而不为原人,孔子以为德之贼,何哉?”

曰:“非之无举也,刺之无刺也,同乎流俗,合乎污世,居之似忠信,行之似廉洁,众皆悦之,自以为是,而不可与入尧舜之道,故曰‘德之贼’也。孔子曰,恶似而非者:恶莠,恐其乱苗也;恶佞,恐其乱义也;恶利口,恐其乱信也;恶郑声,恐其乱乐也;恶紫,恐其乱朱也;恶乡原,恐其乱德也。君子反经而已矣[5]。经正,则庶民兴;庶民兴,斯无邪慝矣。”

注释

[1]琴张、牧皮:都是人名,身世不详。有人说是孔子的学生。 [2]嘐(xiāo)嘐:志向远大,口气不凡。赵岐《孟子注》云:“嘐嘐,志大言大者也。” [3]乡原(yuàn):指看起来恭谨忠厚,实质上却没有是非原则、苟同世俗、只图博取好名声的人,相当于现在所说的好好先生。 [4]踽(jǔ)踽凉凉:孤单冷清的样子。朱熹《四书集注》云:“踽踽,独行不进之貌。” [5]反经:回归常理。

译文

万章问道:“孔子在陈国时说:‘何不回去呢!我乡里的学生狂放志大而疏略,进取而不改旧貌。’孔子在陈国,为什么思念鲁国的狂放者呢?”

孟子说："孔子说过'得不到不偏不倚之士而与之相交，那必定是与狂放者和狷介者相交了！狂放者有进取心，狷介者有所不为'。孔子难道不想得到不偏不倚之士吗？不能一定得到，所以只好想次一等的了。"

万章说："请问怎样的人才能叫做狂放呢？"

孟子说："如琴张、曾皙、牧皮这类人，就是孔子所称的狂放之士。"

万章说："为什么说他们狂放呢？"

孟子说："他们志向大口气也大，嘴里常说'古代人、古代人'。但考察他们的行为，却不能和言语吻合。狂放者再不能得到，便想找到洁身自好的人而与之相交，那就是狷介者，这又次了一等。孔子说：'经过我的门却不进我的屋，而我并不感到遗憾的，那只有好好先生吧！好好先生，是道德的损害者。'"

万章说："怎么样的人才能叫做好好先生呢？"

孟子说："（好好先生讥讽狂放者说，）'干吗要这样志大口气大呢？说的不顾及做的，做的不顾及说的，只会叫嚷古代人、古代人。（又讥讽狷介者说，）干吗要这样孤单冷落呢？生在这个世道，就迎合这个世道吧，过得去就可以了。'低贱地献媚于世人，那就是好好先生。"

万章说："全乡的人都称赞他是好人，他无论到哪里都表现为好人，孔子却认为他是道德的损害者，为什么呢？"

孟子说："（这种人）指责他却举不出过错，责骂他却找不到理由，他与世俗同流合污，为人似乎忠厚老实，行为似乎方正廉洁，大家都喜欢他，他也自以为不错，但就是不能与这种人深入尧舜之道，所以说是'道德的损害者'。孔子说，厌恶那些外表相似实际全非的东西：厌恶莠草，是怕它搞乱了禾苗；厌恶歪才，是怕它搞乱了道义；厌恶伶牙俐齿，是怕它搞乱了诚信；厌恶郑国的乐曲，是怕它搞乱了雅乐；厌恶紫色，是怕它搞乱了红色；厌恶好好先生，是怕他们搞乱了道德。君子只是（使一切）回到不变的常道上来罢了。常道不被歪曲，百姓们便积极奋发；百姓们积极奋发，就没有邪恶了。”

孟子曰："由尧、舜至于汤，五百有余岁，若禹、皋陶，则见而知之；若汤，则闻而知之。由汤至于文王，五百有余岁，若伊尹、莱朱[1]，则见而知之；若文王，则闻而知之。由文王至于孔子，五百有余岁，若太公望、散宜生[2]，则见而知之；若孔子，则闻而知之。由孔子而来至于今，百有余岁，去圣人之世若此其未远也，近圣人之居若此其甚也，然而无有乎尔，则亦无有乎尔！"

注释

[1]莱朱：传说是商汤的贤臣，一说就是仲虺（huǐ），商汤的相。　[2]太公望：即姜太公吕尚。散宜生：姓散宜，名生，周文王的贤臣。

译文

孟子说："从尧、舜到商汤，经历了五百多年，像禹、皋陶等人是亲自看见而知道的，像商汤则是听说而知道的。从商汤到文王，

经历了五百多年，像伊尹、莱朱等人是亲自看见而知道的，像文王则是听说而知道的。从文王到孔子，经历了五百多年，像太公望、散宜生等人是亲自看见而知道的，像孔子则是听说而知道的。从孔子以来到今天，经历了一百多年，离开圣人的时代是如此不远，距离圣人的故乡如此接近，可是没有继承的人，也竟然没有继承的人了。”

延伸阅读

独立思考，坚持立场

孟子说：“众人皆称善，未可也；众人皆称恶，未可也。”众人的评价在孟子看来不一定就是公论，独立思考和判断是获得结论最可信赖的手段，人云亦云、偏听偏信都会使得到的结论有失偏颇。这种坚持己见的自信并不是与生俱来的，而是依赖后天的培养，这种品质将会对事业的成败起到至关重要的影响。下面的故事，也许会对我们有所启发。

春秋时期，郑国有个大臣叫子产，他才华横溢，见解超群。郑国当时是一个小国，在齐、楚等大国的夹缝中求生存，处境尴尬。子产为振兴国力，采取了一系列有力措施来加强内政，他颁布“丘赋”制度，为军队增加开支，却加大了民众的负担，农民怨声载道，对子产的攻击不绝于耳。子产对此亦有耳闻，却毫不在意，他豪壮地表示：“如果有利于国家的利益，个人的生死是微不足道的，我们的改革只有坚持下去，才能见到成效，我们不可以被民众的意见所动摇，要保持清晰的判断。”

这种表态极大地鼓舞了参与改革的官员。子产进一步改革郑国的律法，明正典刑，这些制度革新都是在面临巨大阻力的情形下实施的，甚至稍有不慎便会身败名裂。然而子产大智大勇，为改变国家的生存处境做出了积极贡献，他强有力的治国理念开一脉思想的先河，为后世的法家思想提供了借鉴。

子产的成就和他善于独立思考、勇于坚持立场的品格密不可分，这是他成功的重要因素。

思考讨论

1. 你认为怎样才能公正客观地评价一个人、一件事？

2. 你知道什么是“中庸之道”吗？你怎样看待中庸思想？

附　录

孟子年表

时间（公元前）	孟子年龄	孟子事迹
372	1	孟子约生于此年。
366	7	在邹。受孟母三迁、断机之教当在此年前后(《列女传》)。
358	15	据“十五而志于学”之意，受业于子思之门当在此年前后(《史记·孟荀列传》)。
343	30	据“三十而立”之意，在邹授徒讲学当在此年前后。
333	40	孟子出仕时间不可定，据“四十而仕”之说，孟子政治生涯自邹出仕约在此年。
330	43	齐威王招文学游说之士，孟子第一次到齐国，为稷下先生，与匡章交游。
328	45	在齐。不受重用，遭淳于髡讥讽，有关于“礼”的辩论。
327	46	在齐。母丧当在此年，孟子自齐国回到鲁国奔丧。孟子第一次游齐后期已经取得客卿的地位，因此以大夫之礼行母葬。
324	49	完三年之丧返齐，稷下学宫衰落，闻宋将行王道，前往宋国。
323	50	在宋不能实现仁政主张，离宋，受七十镒。过薛，受五十镒。归邹。
322	51	鲁平公用孟子弟子乐正子为政，孟子至鲁，遭臧仓反对。十月之前至滕，“馆于上宫”。孟子对滕文公详细阐述“仁政”主张，行井田、十一税。

续表

时间（公元前）	孟子年龄	孟子事迹
321	52	在滕。与农家许行之徒陈相辩论，赞成社会分工，提出“劳心者治人，劳力者治于人”之说。
320	53	离滕至梁。梁惠王问孟子：“亦将有以利吾国乎？”孟子谈何必曰利，论证“仁政”主张。
319	54	梁惠王死，襄王即位。孟子离魏，“自范之齐”。经平陆，与孔距心辩论。至齐，齐宣王给予“卿大夫”的职位，孟子与齐宣王谈仁政。
317	56	滕文公卒，孟子出吊于滕。
314	59	齐取燕，遭到各诸侯反对，齐宣王询问孟子意见，孟子建议置君而后去之。齐宣王不采纳孟子意见。
313	60	孟子与齐宣王有隔，宣王召见孟子，孟子称病不朝，却出吊东郭氏。
312	61	燕人叛齐，齐宣王“甚惭孟子”，以万钟之禄留孟子，遭拒绝。孟子离开齐国途中，在昼城一连住了三天，希望齐宣王挽留他，未果。自此结束在外近三十年的游历生活，不复出游。
311	62	在邹。与万章、公孙丑之徒设问讲学。
289	84	孟子约逝于此年。

后记

有一次，偶然看到某市小学一年级的语文课本中有贺知章的《回乡偶书》一诗："少小离家老大回，乡音无改鬓毛衰。儿童相见不相识，笑问客从何处来。""衰"字加了注音 shuāi。

衰，在此处应该读 cuī，在古义中有"等级次第的差别或依次递减"的意思，如《左传·桓公二年》："故天子建国，诸侯立家，卿置侧室，大夫有贰宗，士有隶子弟，庶人工商各有分亲，皆有等衰。"引申为减少、稀疏。结合贺知章的《回乡偶书》，这里"衰"的意思当指鬓毛减少、疏落，而不是衰老的意思。再从整首绝句的韵脚来看，"衰"字与首句"少小离家老大回"中的"回"和末句"笑问客从何处来"中的"来"，这三字在"诗韵"即"平水韵"中同属灰韵。

这些属于古代文化常识性的内容，过去龆龀蒙童均能脱口成韵，如今在专业教育出版社的小学语文教材中出现这样的差错，管窥一斑，不由得让人担忧。

读错一个字音尚是小事，倘若几代人不读"四书"、"五经"、唐诗、宋词……那中华民族真的就没有了灵魂。民族没有了精神内核，没有了灵魂，如何奢谈中华民族的伟大复兴？

我们承认现代教育将中国教育的视野引向更为广阔的国际空间，带来了许多新理念，给中国教育带来了活力。但是，如何在引入国际现代教育理念和现代教育方式的同时，坚守中国具有传承价值的优秀传统文化？如何在全面实施素质教育的同时，弘扬中国文化特色以保持中国文化特有的气质？这是当前中国教育值得深入研究的问题之一。

梁启超先生曾言："吾不患外国学术思想之不输入，吾惟患本国学术之不发明。"然而，本国学术思想之发明非一代人可以成就，须"由其民族自身传递数世、数十世血液浇灌、精肉所培壅，而始得开此民族文化之花，结此民族文化之果"。要国民热爱中国的传统文化，必须本国先民的成就有其可爱之处，而且要发扬国民精神，也当从固有的精神中有所抉发。

秋霞圃书院自2010年开始筹划编撰一套适合大众普及尤其是中小学生使用的"国学基本教材"，自小学至高中每学期能有一册在手，通过以长期渐进、系统地熏陶、滋养，使中小学生在潜移默化中亲近中国的历史与文化，并使中华传统文化在当下的社会生活中"活化"。当然这种"活化"不是简单的复古，而是在当代的语境中重新梳理中华文明的脉络，从中汲取适应时代需要、社会需要，乃至适应工业文明与后工业文明需要的养料，提炼出中华传统文化的核心价值，以此来滋养一代又一代学子，为中华民族的伟大复兴奠定基础。当然，这些愿景断非一己之力能及，而是需要几代人的不懈努力，我们所起的作用仅仅是抛砖而已。国内儒学研究领军学者之一、武汉大学国学院院长郭齐勇教授听闻我们有此愿望后鼎力支持，欣然担任本套教材的总顾问，协调资源，并为之作序；武汉大学国学院院长助理孙劲松先生、向珂博士在筹组编者队伍时提供了真诚无私的帮助。此后又蒙秋霞圃书院院长、历史学家沈渭滨，语言学家李佐丰，古典文献学者骆玉明、汪涌豪、傅杰、徐志啸等教授在谋篇布局上的悉心指点，形成了本套"国学基本教材"的框架。确定框架之后，我们邀请了武汉大学、复旦大学、华东师范大学、南开大学、中国传媒大学、中山大学、内蒙古师范大学、陕西师范大学、南通大学等高校人文学科中青年学人和江浙沪地区几位优秀的中小学语文教师参与编写。

全书成稿后，沈渭滨、王家范、骆玉明、傅杰、汪涌豪、杨国强、张觉、张新科、徐志啸、鲍鹏山等教授审读了书稿，并提出了宝贵的修改意见；86岁高龄的书法名家章汝奭先生为“国学基本教材”题写书名；《儒藏》总编撰、德高望重的北京大学教授汤一介先生为我们赠书“圣贤之道”；丰子恺先生后人为我们提供了精美而颇有意蕴的24幅漫画用作丛书封面；朱青生教授为我们提供了汉画文献用于插图；画家李永源先生逾古稀之年，为这套丛书手绘了上百幅插画；浙江古籍出版社社长杨林海先生是我故交乡党，听闻我有意筹划一套面向中小学生的“国学基本教材”丛书之后，青睐有加，多方努力协调资源，亲自落实该套教材出版的相关事宜……所有殊胜因缘，都在襄助秋霞圃书院矢志传播中华传统文化的大愿，唯有在此深揖致谢。

由于主持者与编者的学识有限，尽管悉心编校，但不足之处难免，敬请方家、读者指正，以便来年修订时，相应校正。

意见和建议可致电：021-66366439，13816808263。通信地址：上海市嘉定区南大街嘉定孔庙秋霞圃书院，邮政编码：201800，电子邮件：qiuxiapu@163.com。

李耐儒

癸巳春于嘉定孔庙

图书在版编目（CIP）数据

孟子 / 刘乃溪，姜李勤编注 . —杭州 ：浙江古籍出版社，2013.11

国学基本教材

ISBN 978-7-5540-0147-9

Ⅰ . ①孟… Ⅱ . ①刘… ②姜… Ⅲ . ①儒家②《孟子》—注释③《孟子》—译文 Ⅳ . ① B222.51

中国版本图书馆 CIP 数据核字（2013）第 210346 号

孟　子

刘乃溪　姜李勤　编注

出版发行　浙江古籍出版社

（杭州体育场路 347 号　电话：0571-85176986）

网　　址　www.zjguji.com

责任编辑　陈临士　潘铭明

特约编辑　徐　骆　王　芹

责任校对　余　宏

美术编辑　刘　欣

责任印务　贾　敏

照　　排　杭州立飞图文制作有限公司

印　　刷　富阳美术印刷有限公司

开　　本　880 × 1230　1/32

印　　张　15.5

字　　数　375 千字

版　　次　2013 年 11 月第 1 版

印　　次　2013 年 11 月第 1 次印刷

书　　号　ISBN 978-7-5540-0147-9

定　　价　31.00 元